LEADERS EFFICACES

Ce manuel est réservé aux participants à cette formation. La formation *Leaders efficaces* est diffusée à travers le monde par des entreprises qui en ont la licence exclusive de Thomas Gordon.

DIFFUSION EXCLUSIVE:

Belgique: **Gordon Entreprises**
Avenue Winston-Churchill, 218, Bte 6
Adrien Dulait
B-1180, Bruxelles
Tél.: (2) 344.21.17 Téléc.: (2) 375.70.35

Canada (sauf Ontario et Colombie-Britannique): **Actualisation**
Jacques Lalanne
Place du Parc, C.P. 1142
300, rue Léo-Pariseau, bureau 705
Montréal, Québec, H2W 2P4
Tél.: (514) 284-2622 Téléc.: (514) 284-2625
Courriel: formatio@actualisation.com
Site: www.actualisation.com

France: **Gordon Management**
Didier Hauvette
7, rue de Surène
F 75008 Paris
Tél.: (1) 47.42.19.18 Téléc.: (1) 47.42.12.44
Courriel: gordonfrance@magic.fr

Suisse: **Gordon-Suisse Romande**
Bruno Savoyat
C.P. 339
CH 1224 Genève
Tél.: (22) 869.11.04 Téléc.: (22) 869.11.01
Courriel: IBT@iprolink.ch

DISTRIBUTEURS EXCLUSIFS:

* Pour le Canada et
  les États-Unis:
  MESSAGERIES ADP*
  955, rue Amherst
  Montréal, Québec
  H2L 3K4
  Tél.: (514) 523-1182
  Télécopieur: (514) 939-0406
  * Filiale de Sogides ltée

* Pour la France et
  les autres pays:
  INTER FORUM
  Immeuble Paryseine, 3, Allée de la Seine
  94854 Ivry Cedex
  Tél.: 01 49 59 11 89/91
  Télécopieur: 01 49 59 11 96
  Commandes: Tél.: 02 38 32 71 00
  Télécopieur: 02 38 32 71 28

* Pour la Suisse:
  DIFFUSION: HAVAS SERVICES SUISSE
  Case postale 69 - 1701 Fribourg - Suisse
  Tél.: (41-26) 460-80-60
  Télécopieur: (41-26) 460-80-68
  Internet: www.havas.ch
  Email: office@havas.ch
  DISTRIBUTION: OLF SA
  Z.I. 3, Corminbœuf
  Case postale 1061
  CH-1701 FRIBOURG
  Commandes: Tél.: (41-26) 467-53-33
  Télécopieur: (41-26) 467-54-66

* Pour la Belgique et le Luxembourg:
  PRESSES DE BELGIQUE S.A.
  Boulevard de l'Europe 117
  B-1301 Wavre
  Tél.: (010) 42-03-20
  Télécopieur: (010) 41-20-24

Pour en savoir davantage sur nos publications,
visitez notre site: **www.edjour.com**
Autres sites à visiter: www.edhomme.com · www.edtypo.com
www.edvlb.com · www.edhexagone.com · www.edutilis.com

© 1977, Dr Thomas Gordon
© 1992, Le Jour,
une division du groupe Sogides, pour la traduction française

L'ouvrage original américain a été publié par G.P. Putnam's Sons,
sous le titre *Leader Effectiveness Training L.E.T.*

Dépôt légal: 4e trimestre 1995
Bibliothèque nationale du Québec

ISBN 2-8904-4583-6

LEADERS EFFICACES

Communication
et performance en équipe

Thomas Gordon, Ph.D.

*Traduit de l'américain
par Jacques Lalanne
avec la collaboration
d'Anne-Marie Rouffaud*

 le jour,
éditeur

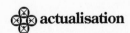 actualisation

Note du traducteur

Les termes «leader» et «leadership» ont été adoptés en français par Binet (1900). Le terme «leader» désigne «toute personne qui a une influence marquante sur les membres de son équipe, qui contribue à la cohésion de l'équipe, à la satisfaction des besoins de ses membres et à la réalisation des objectifs communs».

Qu'il ait ou non un titre ou un rôle de direction, les membres de l'équipe considèrent le leader comme une ressource et une référence.

Le «leadership» signifie l'utilisation de cette influence par le leader et la reconnaissance de cette position par les membres de l'équipe.

Tout au long de cet ouvrage, les termes «leaders» et «membres de l'équipe» désignent la nature interactive de ces rôles. L'auteur emploie aussi les termes «directeur», «superviseur», «responsable» et «patron», car ils sont encore souvent utilisés dans les entreprises et les organisations.

Aux leaders qui m'ont donné l'occasion d'exposer
des idées nouvelles au sein de leurs entreprises.

Aux membres de mon entreprise qui
me soutiennent et me permettent de me développer
dans mon propre rôle de leader.

À ma femme, Linda, et à mes filles, Judy et Michèle,
qui contribuent chaque jour à m'instruire et à m'éduquer.

Préface

Depuis quelques années, on procède à des changements importants dans les entreprises et dans les
organisations publiques et privées. On rationalise les
opérations pour accroître l'efficacité. On confie à chacun
une responsabilité accrue pour cultiver l'initiative et l'innovation. On demande la participation de tout le personnel
pour améliorer la qualité des produits et des services. On
réduit le nombre de niveaux hiérarchiques pour assurer
une communication plus directe entre les cadres et leurs
collaborateurs. On travaille en équipe pour favoriser la
coopération et mieux résoudre les problèmes.

Pour réussir ces changements, on doit non seulement
changer les structures et les procédures mais surtout transformer ses attitudes et sa mentalité. En effet, chaque
membre d'une équipe donne sa meilleure performance
dans un milieu où il se sent considéré et valorisé.

Pour favoriser l'engagement maximal de ses collaborateurs, il est essentiel de bien communiquer avec eux, de
tenir compte de leur opinion quand on prend des décisions
et de résoudre les conflits par des solutions gagnant-
gagnant. C'est par des méthodes de gestion participatives et
non coercitives qu'on peut augmenter la productivité au

travail et la qualité de vie au sein d'une équipe. Dans cette perspective, le cadre n'exerce plus un rôle de directeur mais un rôle de leader.

Les leaders efficaces sont des spécialistes des relations humaines tout autant que des spécialistes des tâches à accomplir. Ils concilient les besoins de communication et de performance. Ils établissent des relations saines avec leurs collaborateurs, autant leurs collègues et leurs employés que leurs patrons.

Par sa formation un leader doit acquérir les outils de communication essentiels à ce mode de gestion. L'approche décrite dans cet ouvrage permet d'obtenir une participation engagée des membres de son équipe. Les outils pratiques et l'attitude ouverte qu'on y présente permettent de maintenir une communication constructive, d'exercer sainement son leadership et de réussir ainsi à implanter les changements nécessaires.

Cette approche vous aidera à développer votre leadership. Elle permettra de développer vos propres talents, de stimuler la créativité de votre équipe et ainsi d'accomplir encore mieux la tâche dont vous êtes responsable.

Ce programme offre les meilleures techniques et la meilleure méthodologie que nous ayons rencontrées en trente ans de formation. Dès la première semaine, nos participants nous disent qu'ils se servent tous les jours des techniques et des attitudes qu'ils ont découvertes grâce à notre approche. En adoptant ces nouvelles techniques et attitudes, ils obtiennent des résultats très positifs et souvent saisissants.

Nous sommes convaincus que ce modèle vous aidera comme il a aidé les milliers de participants à nos formations. Nous souhaitons qu'il contribue à votre réussite dans votre rôle de leader et au succès de toute votre équipe.

JACQUES LALANNE, Actualisation, Montréal
DIDIER HAUVETTE, Gordon Management, Paris
BRUNO SAVOYAT, Gordon Ressources humaines, Genève
ADRIEN DULAIT, Gordon Entreprises, Bruxelles

Introduction

Pour beaucoup d'entreprises, l'amélioration continue de la qualité signifie la réussite ou même la survie. Mais les organisations déterminées à appliquer ces principes s'attaquent à un défi formidable qui requiert une restructuration profonde et un changement fondamental. Et souvent, les gens de qui cette réussite dépend trouvent le changement difficile.

L'engagement à assurer la qualité requiert que les gens assument plus de responsabilités, démontrent plus d'initiative et prennent des risques. Mais beaucoup de gens ne sont pas à l'aise dans cette évolution; certains trouvent même cela menaçant. Les leaders qui ont gravi les échelons pour parvenir à un poste d'autorité peuvent éprouver du ressentiment à devoir partager leur autorité. De leur côté, les collaborateurs qui sont habitués à un certain système peuvent ne pas vouloir assumer la responsabilité et le travail additionnels que requiert leur participation à la recherche de la qualité.

La réaction des gens aux changements majeurs reste l'obstacle principal à la restructuration des organisations et à l'instauration de nouveaux systèmes. Il faut faire face à ces peurs et à ces anxiétés. Cependant, les leaders de qui dépendent cette réussite, des cadres supérieurs aux cadres de premier niveau, ont souvent besoin d'améliorer leurs capacités de communiquer, car ce sont les outils essentiels pour gérer le changement. Trop souvent, les organisations négligent les techniques de communication et de résolution des conflits, qui sont fondamentales pour susciter plus d'engagement chez les employés. Les employés, de leur côté, ont besoin de développer leurs habiletés de communication pour fonctionner efficacement en équipes coopératives.

Dans les équipes centrées sur le chef, le patron prend les décisions, donne les ordres, parle la majeure partie du temps dans les réunions, corrige tous les comportements inappropriés des employés, résout la plupart des problèmes et règle la plupart des conflits au sein de l'équipe. La majorité des patrons et la majorité des employés ont peu ou pas d'expérience d'une véritable gestion participative. Il n'est pas étonnant dans ces conditions qu'ils ne possèdent pas les techniques nécessaires pour l'appliquer.

Les entreprises engagées dans l'amélioration de la qualité doivent fournir aux gens qui y travaillent une formation aux nouvelles attitudes et techniques de communication interpersonnelle, qui sont essentielles pour instaurer un nouveau style de leadership et une nouvelle forme de participation.

Depuis plus de trente ans maintenant, nous avons conçu, amélioré et offert un programme de formation unique, qui a aidé certaines des plus grandes entreprises dans le monde à réussir à gérer le changement et à poursuivre le perfectionnement de leur personnel à tous les niveaux. Ce programme s'appelle *Leaders efficaces*. Il fournit aux gens les outils pour faire face aux problèmes de façon constructive. Il permet de contribuer à la réussite des programmes d'amélioration continue, grâce à l'amélioration des relations entre toutes les personnes qui font partie de l'entreprise. En effet, nous avons constaté que les membres d'une équipe ont besoin d'apprendre à communiquer pour que les autres les écoutent et à écouter pour que les autres leur parlent, à influencer plutôt que de forcer les gens à changer, à résoudre les conflits sans faire de perdant et à aider les autres à résoudre leurs propres problèmes.

Cette formation initie aux attitudes et techniques fondamentales pour instaurer une véritable gestion participative. Elle favorise l'engagement des employés dans des équipes coopératives. Elle comprend un système intégré de techniques puissantes, incluant les six étapes de la résolution de conflit, des procédés d'affirmation et des procédés d'écoute. De plus, la formation permet de distinguer clairement quand employer telle ou telle technique.

Les leaders qui emploient cette approche cultivent, chez les membres de leur équipe, l'autonomie qui est si essentielle à la réalisation des programmes de qualité. Ils incitent les gens à prendre des initiatives lorsqu'ils se trouvent face à des problèmes et à trouver leurs propres solutions plutôt que de dépendre de leur superviseur. Ils apprennent à identifier les sources de problèmes et à les traiter sans froisser la sensibilité des autres et sans miner leur intérêt ou leur motivation au travail.

L'accent que l'on met actuellement sur l'amélioration continue met en évidence l'importance pour les gens d'améliorer leur comportement, de travailler en collaboration dans une équipe plutôt que de travailler pour un patron. Cette approche requiert des attitudes et des techniques fort différentes. Ainsi, lorsqu'on veut amener quelqu'un à changer un comportement nuisible, on doit être capable de le confronter franchement, ouvertement et efficacement. Hélas, personne n'aime affronter les autres: alors on évite souvent de faire face aux problèmes, on attend d'y être forcé par la situation; ou encore, on traite les problèmes de comportement de façon évasive ou de façon négative, ce qui accentue les difficultés. Dans la formation que nous offrons, on apprend des techniques simples mais puissantes pour confronter les gens lorsque leur comportement est inacceptable. Tous les membres d'une équipe ont besoin de ces outils.

Les relations de travail sont souvent impersonnelles. Cependant, il est difficile pour une équipe de fonctionner efficacement lorsque ses membres ne savent pas faire face aux sentiments et à la sensibilité des gens. Les émotions de chacun ont une influence sur les autres membres de l'équipe et sur sa performance. C'est pourquoi il est important de tenir compte des sentiments lorsqu'un problème affecte la performance de l'équipe et qu'on veut le traiter en profondeur. Cette formation fournit des techniques pour traiter les sentiments de façon adéquate; on peut ainsi dépasser les sentiments pour mieux résoudre le problème fondamental.

Le succès d'une entreprise fondée sur le travail d'équipe dépend des capacités des gens qui en font partie à résoudre leurs conflits et à gérer le changement de façon productive. Les gens doivent devenir des partenaires plutôt que d'entretenir un esprit de compétition; ils doivent travailler ensemble à identifier et à préciser leurs préoccupations et leurs besoins respectifs, et à trouver différentes façons de satisfaire ces besoins par la coopération.

Le leader efficace a besoin d'un ensemble particulier d'interventions et de procédés interdépendants et complémentaires. Cette formation présente un ensemble d'attitudes et de techniques qui ont fait leurs preuves. Elles font partie d'un modèle global qu'il est important d'apprendre et d'utiliser comme un tout.

L'apprentissage de cette approche requiert de l'engagement, de la réflexion et de l'entraînement. Beaucoup de formations apportent une réflexion sur le phénomène d'interactions au sein d'une équipe ou une sensibilisation à ce phénomène. Mais pour favoriser effectivement le travail d'équipe, on a besoin d'utiliser des techniques particulières, que l'on acquiert que par l'entraînement et l'exercice. La formation que nous offrons fournit une occasion unique d'examiner des situations délicates, d'apprendre à résoudre des problèmes et d'en discuter. Les participants ont ainsi l'occasion de participer à des exercices pratiques pour développer ses compétences de leader en plusieurs sessions.

La formation se déroule habituellement de façon à permettre aux participants de mettre leurs apprentissages en pratique dans leur travail au quotidien. Au cours de la formation, ils bénéficient des observations et des suggestions du formateur et des participants. Ils ont alors l'occasion d'examiner les sources de leur réussite, d'identifier les causes de leurs échecs ainsi que de découvrir comment ils pourront améliorer leurs interventions à l'avenir.

Favoriser l'amélioration continue de la qualité n'est pas chose facile. Le processus de changement doit être géré avec beaucoup de soin pour que chaque personne de l'entreprise s'engage et s'applique à y parvenir. Ces procédés employés quotidiennement peuvent favoriser la confiance, la créativité, le soutien, l'ouverture et l'équité.

En prime, les participants à nos formations découvrent que les techniques utiles au travail s'appliquent également dans d'autres situations de la vie courante. Ils emploient les attitudes et les techniques qui favorisent une meilleure communication et une meilleure collaboration non seulement dans l'entreprise mais dans toutes les organisations dont ils font partie, et notamment dans leur famille. Plusieurs participants remarquent alors une amélioration dans leurs relations, à la fois avec leur personnel, avec leurs enfants et avec leur conjoint.

C'est là le but fondamental de cette formation: permettre aux gens d'améliorer constamment la qualité de leur travail et de leurs relations avec les autres.

CHAPITRE PREMIER

Comment devenir un leader efficace

L es chercheurs en sciences humaines n'ont entrepris l'étude sérieuse du leadership que récemment. Mais durant les cinquante dernières années, ils ont travaillé avec acharnement pour comprendre ce phénomène. Ils ont étudié plus particulièrement comment on devient un leader, comment on conserve une position de leadership, comment on mobilise des collaborateurs, comment on influence les performances d'une équipe et tout ce qui rend un leader efficace.

Aujourd'hui, le leadership a été étudié en profondeur. Des milliers de recherches et des centaines d'ouvrages ont été publiés sur le sujet.

En nous appuyant sur des recherches rigoureuses menées dans différents types d'entreprises et d'organisations, nous pouvons maintenant décrire assez précisément ce qui fait qu'un leader est efficace.

L'un des buts de ce livre est de rendre ces découvertes et ces recherches universitaires accessibles à tous ceux qui occupent des postes de responsabilité, que ce soit dans des entreprises privées ou publiques, dans des administrations gouvernementales, dans des industries, au sein d'organismes communautaires ou d'association, dans des écoles ou dans leur famille. Il est temps que le grand public comprenne les fondements d'un leadership efficace. Chacun disposera ainsi de critères objectifs pour s'évaluer dans son propre rôle de leader et pour évaluer ses leaders et ceux qui se proposent de le devenir.

Aujourd'hui, contrairement à ce qui était le cas au cours des siècles précédents, les gens passent la plus grande partie de leur vie en société, que ce soit pour travailler, pour s'amuser, pour étudier ou pour fêter.

Toutes les équipes ont, semble-t-il, besoin d'un leader, pour le meilleur et pour le pire. Un leader peut tout aussi bien construire que détruire une équipe. Ses attitudes et ses comportements influencent fortement le fonctionnement de l'équipe ainsi que la satisfaction de chacun de ses membres. Chacun d'entre nous en a fait l'expérience, que ce soit avec des professeurs, des superviseurs, des directeurs, des administrateurs, des présidents de comité, des présidents d'associations sportives et culturelles ou des élus.

Quel que soit leur rôle dans la société, la plupart des gens sont amenés à prendre la responsabilité d'une équipe à un moment ou à un autre de leur vie. C'est le cas par exemple de tous les parents; ils assument un rôle de leader vis-à-vis de leurs enfants. L'enseignant aussi est un leader au sein de son groupe d'élèves. Toute personne choisie ou élue pour présider ou animer un comité, une équipe de travail, une association de bénévoles, un camp scout ou une colonie de vacances est un leader.

Parmi toutes ces personnes assumant un rôle de «leader», combien trouvent cette expérience agréable et satisfaisante, combien sont réellement satisfaites de la façon dont elles exercent leur fonction? Combien peuvent se vanter de n'avoir jamais rencontré de résistance, d'hostilité, de jalousie, d'inimitié, alors qu'elles ne cherchaient qu'à remplir leur tâche le mieux possible? Combien peuvent affirmer n'avoir jamais été tentées de tout laisser tomber?

Lorsqu'un leader vit une expérience pénible, c'est presque toujours à cause de son manque d'efficacité. Étant donné que très peu de personnes ont reçu une formation spécifique pour développer leur efficacité et leur compétence comme leader, il n'est pas étonnant que ce rôle se révèle si souvent difficile, épuisant et décevant.

Le second objectif de ce livre est de présenter aux leaders les techniques et les méthodes qu'ils doivent apprendre à mettre en œuvre dans ce nouveau «modèle» de leadership.

Prenons comme exemple le concept fondamental de «la satisfaction mutuelle des besoins» expliqué en détail au chapitre 3. Les études ont montré que les leaders efficaces sont ceux qui parviennent à satisfaire à la fois les besoins de leurs collaborateurs et leurs propres besoins, ce que certains nomment un «échange social équitable». Mais comment y parvenir? Que doit faire précisément un responsable pour atteindre cet état de satisfaction mutuelle? Dans la plupart des livres traitant du leadership, les clés de ce «savoir-faire» ne sont pas données. Et pourtant, il existe des méthodes spécifiques pour résoudre les conflits de besoins et pour parvenir à cet équilibre. La technique de «résolution de conflits sans-perdant», décrite et expliquée aux chapitres 9 et 10, reste la plus réputée de cette méthode. Le procédé en six étapes permet aux leaders de mettre cette théorie en pratique, d'appliquer concrètement ce que la recherche nous décrit comme une situation idéale.

Les chercheurs insistent aussi sur les principes de gestion participative: les membres d'une équipe accepteront plus volontiers de nouvelles idées, de nouvelles méthodes de travail si on leur donne l'occasion de participer à la décision concernant le changement et sa mise en œuvre. Dans la plupart des livres qui traitent du «leadership», on présente la gestion participative comme l'idéal, mais on décrit fort peu la façon de la mettre en application. Au chapitre 7, je décortique ce concept *abstrait* de «gestion participative» et je montre comment employer différents degrés de participation du personnel; j'y décris plusieurs types spécifiques de réunions qu'on peut mettre en œuvre pour favoriser la participation.

Cet ouvrage est essentiellement pratique; il parle de techniques et de méthodes: comment écouter pour que les membres de l'équipe parlent de leurs problèmes; comment s'exprimer pour qu'ils prennent en considération les besoins de leur leader; comment animer des réunions efficaces; comment identifier les problèmes et parvenir à des solutions efficaces; comment traiter un manquement au règlement; comment amener les membres de l'équipe à se fixer des objectifs de performance; comment éliminer tout sentiment de menace lors de l'évaluation de la performance.

Certaines de ces techniques sont le fruit de mon expérience pratique de résolution de problèmes comme consultant en entreprise. Pour d'autres (surtout les techniques de communication), je me suis inspiré de ceux qui m'ont formé comme «agent d'aide» professionnel et des collègues avec lesquels j'ai travaillé comme psychologue clinicien. Au cours des années, ma confiance en ces techniques s'est accrue progressivement; je sais qu'elles fonctionnent. Je sais aussi que l'on peut les enseigner à la plupart des cadres. Ma conviction se fonde sur une expérience de plus de trente-cinq années durant lesquelles, avec une équipe internationale de formateurs professionnels, nous avons formé plusieurs centaines de milliers de cadres, d'enseignants et de directeurs d'école, et plus d'un million de parents.

Ces techniques et méthodes ont plus d'impact sur la vie d'une entreprise quand des représentants de tous les échelons hiérarchiques participent à cette formation. Mais les effets se font déjà sentir lorsqu'un seul leader les applique. C'est ce qu'a révélé une étude menée par l'Industrial Relations Center (Centre des Relations du Travail) de l'université de Chicago. Cette étude à long terme portait sur un seul leader, en l'occurrence un directeur d'usine, qui avait appris les techniques décrites dans ce livre.

Un an après qu'il eut changé son style de leadership et assumé le poste de directeur d'usine, on a interviewé en profondeur les membres de son équipe (onze contremaîtres) et tous les membres de la direction (douze personnes). Sur les cent soixante énoncés décrivant le comportement du directeur d'usine, cinq seulement pouvaient être considérés comme négatifs. Les comportements de ce leader mentionnés le plus fréquemment étaient les suivants:

- Écoute en s'efforçant de comprendre; est disposé à discuter des problèmes; reste ouvert aux idées des autres; prend le temps d'écouter (27 commentaires).
- Soutient et aide; appuie; est de mon côté; se rappelle de mon problème (19).
- Favorise l'esprit d'équipe; aide l'équipe à prendre de meilleures décisions; facilite la coopération (19).
- Évite la surveillance étroite; n'impose pas ses vues; ne s'en tient pas strictement au règlement (18).
- Délègue; fait confiance à l'équipe; se fie au jugement des membres; autorise les décisions d'équipe; a confiance dans la créativité des autres (17).
- Communique ouvertement et franchement; dit ce qu'il pense; on peut se fier à ce qu'il dit (11).
- Amène ses collaborateurs à donner le meilleur d'eux-mêmes; est en contact avec son personnel (8).

Ces entretiens ont aussi fourni des données sur les résultats obtenus grâce aux techniques et aux méthodes nouvellement appliquées par ce directeur d'usine.

- Plus de coopération et de coordination entre les divers services (21 commentaires).
- Effet positif sur le comportement des contremaîtres et sur leur développement personnel (19).
- Augmentation de la production et des bénéfices (11).
- Décisions et solutions plus efficaces (7).

- Amélioration de la planification et de l'équipement des ateliers (5).
- Efficacité accrue; réduction des coûts de production (4).
- Amélioration de la communication (3).

Ces informations recueillies par un institut indépendant et impartial consolident donc ma propre conviction:

- On peut enseigner les techniques du leadership efficace.
- On voit rapidement les effets de cette méthode et de ces techniques aussi bien chez ses collaborateurs que chez ses collègues.
- Avec le temps, grâce à cette méthode et à ces techniques, on obtient des résultats positifs dans une entreprise, même si aucun autre leader n'a participé à la formation «Leaders efficaces».

J'espère que cet ouvrage dissipera plusieurs mythes et controverses stériles qui persistent sur le leadership. La question qui revient le plus fréquemment est de savoir si un leader «centré sur les relations humaines» (sur la personne) est préférable à un leader «centré sur la tâche» (sur la production). Les études démontrent clairement qu'un leader efficace doit s'intéresser à la fois aux relations humaines et à la production.

Un leader efficace doit traiter les personnes avec considération et les motiver à atteindre un haut niveau de performance dans leur travail. L'un ne fonctionne pas sans l'autre.

Autre sujet fréquent de controverse: un leader doit-il être strict ou permissif? Au chapitre 8, je montre les pièges que comportent ces deux approches et je mets les leaders en garde à la fois contre l'usage du pouvoir pour gagner dans les conflits et contre la permissivité qui a pour résultat de laisser les membres de l'équipe gagner à leurs dépens. Ma conception du leadership constitue une alternative à cette opposition entre les styles de gestion autoritaire et permissive. Dans cette formation, on l'appelle la «méthode de résolution de conflit de besoins sans-perdant»; on la nomme ainsi parce qu'elle produit des solutions qui mènent à la «satisfaction mutuelle des besoins»: personne ne perd. C'est le résultat idéal que certains auteurs, s'appuyant sur la «théorie des échanges sociaux», décrivent comme «un échange de bénéfices équitables», une situation où à la fois le leader et les membres de son équipe trouvent équitables les solutions aux conflits.

Les ouvrages sur le leadership n'ont pas décrit clairement comment y parvenir. Mais dans les chapitres 9 et 10 on apprend, étape par étape, comment résoudre un conflit par la méthode sans-perdant.

Une autre question divise encore les leaders en deux camps, c'est la valeur des réunions. Certains détestent les réunions, persuadés qu'elles prennent trop de temps, conduisent rarement à des décisions et ne consistent qu'à «mettre l'ignorance en commun». Pour d'autres leaders, les réunions sont une nécessité; ils sont convaincus qu'elles favorisent la «participation», font appel au potentiel créateur des membres de l'équipe, et donnent naissance à de meilleures décisions.

Je consacre le chapitre 7 aux réunions, car je suis convaincu qu'elles sont nécessaires bien que trop souvent improductives, ennuyeuses et sources de perte de temps, car les leaders sont peu outillés et emploient les réunions à mauvais escient.

Je décris dans ce livre plusieurs types de réunions; je suggère des pistes pour choisir et employer un certain type de réunion selon la situation.

Je propose dix-sept consignes pour rendre les réunions de résolution de problèmes ou de prise de décisions plus efficaces et plus productives. On trouvera des suggestions précises sur différents points: à quelle fréquence tenir des réunions, combien de temps elles devraient durer, comment rédiger un compte rendu, comment préparer l'ordre du jour et établir les priorités, quels genres de problèmes ne pas traiter en équipe, quelles règles appliquer pour la prise des décisions, pour la confidentialité, quelle méthode choisir pour évaluer les réunions. Je fournis en outre plusieurs indications pour aider les membres d'une équipe à devenir plus responsables et plus actifs au cours de ces réunions.

Cet ouvrage présente trois grandes caractéristiques: 1) il s'efforce de faire la synthèse des réflexions des plus éminents psychosociologues et de tirer profit de leurs recherches; 2) il présente un modèle, une description de la relation idéale entre un leader et les membres de son équipe; ce modèle est présenté en langage non technique pour être immédiatement compréhensible et utilisable; 3) il met à la disposition des leaders les techniques et les méthodes qu'ils doivent apprendre pour mettre ce modèle en application.

Mais cela ne suffit pas. Mon expérience m'a convaincu qu'aucun leader ne peut améliorer sensiblement son efficacité sans d'abord faire face à la question *du pouvoir et de l'autorité*. J'ai découvert des différences considérables sur le sens de ces deux termes chez les participants à nos formations, mais aussi dans les écrits des spécialistes. Cela explique en partie pourquoi les avis sont à ce point partagés quant à savoir si un leader devrait ou non faire usage de son pouvoir ou de son autorité.

Je crois avoir réussi à faire une distinction claire entre «pouvoir» et «autorité». Au chapitre 8, je définis trois différents types d'autorité. Le premier émane du pouvoir que l'on détient (moyens de punir ou de récompenser); le deuxième, de la fonction que l'on exerce ou du poste que l'on occupe; le troisième découle des connaissances et des compétences que l'on possède. Dans les relations humaines, ces deux derniers types créent rarement des problèmes; le premier, au contraire, est presque inévitablement destructeur. À long terme, ce type d'autorité risque de diminuer la motivation et la productivité. Pire encore, lorsqu'un leader utilise son pouvoir, il perd de ce fait une partie de son influence auprès de ses collaborateurs. J'explique ce paradoxe dans le même chapitre. Comment influencer les autres sans utiliser son pouvoir, là est la clé de l'efficacité d'un leader.

Tous ceux qui s'intéressent aux changements survenus dans les entreprises et les organisations ces dernières années arrivent inévitablement à la conclusion qu'une révolution d'une importance majeure est en marche dans les relations humaines. Pour reprendre les termes de Léonard Woodcock, qui présidait alors le syndicat des Travailleurs unis de l'automobile: «Beaucoup de choses ont changé et changent encore. Les dirigeants d'entreprise reconnaissent de plus en plus l'importance essentielle de l'élément humain.» Les gens veulent être traités avec respect et dignité, en adultes, pas en enfants ni en numéros; ils exigent de se faire entendre dans leur vie professionnelle; ils sont moins disposés à se laisser contraindre et exploiter; ils réclament le droit à un travail qui respecte leur dignité, qui a un sens, qui satisfait leurs aspirations. Ils réagissent contre les conditions de travail inhumaines par les moyens dont ils disposent: l'absentéisme, l'apathie, l'opposition et la négligence.

Ce livre fournit des méthodes et des techniques à tous les cadres et responsables d'équipe qui sont conscients de l'importance essentielle du facteur humain, et qui reconnaissent la place déterminante qu'occupent les relations humaines dans toute organisation.

Si vous souhaitez éviter les effets destructeurs de la contrainte et du pouvoir, vous trouverez dans ces pages plusieurs outils qui ne reposent pas sur le pouvoir. Si vous voulez vous défaire de votre tendance à prendre vos décisions seul, vous y apprendrez comment constituer une équipe capable de prendre des décisions. Si vous voulez une communication ouverte, franche, réciproque, qui vous permette de mieux influencer vos collaborateurs et leur permette de mieux vous influencer à leur tour, les techniques de l'«écoute active» et du message «je» vous faciliteront grandement la tâche.

Un dernier point: il y a une chose que ce livre ne pourra jamais faire. Il ne vous dira pas quels résultats spécifiques vous pouvez attendre de l'application de ce modèle de leadership dans votre entreprise. Ce livre et les formations que j'ai créées visent uniquement à vous montrer des techniques et des méthodes. Les résultats que l'on obtient en les appliquant dans diverses entreprises varient en fonction de plusieurs facteurs: ce que fait l'entreprise, les personnes avec qui vous travaillez, les conditions économiques et financières dans lesquelles l'entreprise fonctionne.

En mettant en application ces nouvelles techniques, il est possible que vous obteniez une réduction des coûts et une amélioration du climat. Ce fut le cas dans une entreprise que je connais. Mais il se peut aussi que ces nouvelles compétences en relations humaines produisent des résultats semblables à ceux rapportés à l'usine Volvo de Olofström, en Suède:

- remplacement de personnel réduit des trois quarts;
- absentéisme réduit de moitié;
- embauche plus facile;
- amélioration de la qualité des produits;
- maintien du niveau de productivité.

(Pehr Gyllenhammar, président de Volvo, dans son livre *People at Work [Les gens au travail]*.)

Ou encore, comme cela a été le cas dans ma propre entreprise, votre nouvelle forme de leadership aura les conséquences suivantes:

- adoption d'un horaire flexible et réduction de l'absentéisme;
- nette accélération du rythme de conception et d'élaboration de nouveaux programmes de formation;

- libre accès aux réunions de gestion à tout employé qui désire y participer;
- réduction des écarts de statut entre les différents échelons de la hiérarchie;
- affectation de chaque employé à un groupe de travail ou à une équipe de gestion.

Il est possible aussi que la modification de votre style de leadership génère des relations plus saines et plus productives avec les syndicats comme cela s'est vu dans certaines entreprises; ou encore, cela peut conduire à mettre en place un «recensement annuel des problèmes»; à organiser des «réunions périodiques de planification» au lieu des traditionnels «systèmes d'évaluation au mérite»; à accroître les profits; à instaurer un nouveau mode de participation aux profits; à améliorer les relations avec les clients; à améliorer le système de communication interne; à augmenter l'efficacité des outils de production; à améliorer le cadre physique de travail; à établir un système de rotation des postes; à attribuer la responsabilité de l'inspection au personnel de production; à enrichir les tâches banales; à allonger les congés pour le personnel âgé; à confier aux ouvriers de la production le contrôle de la vitesse de la chaîne de montage; à embaucher un plus grand nombre de femmes, de travailleurs handicapés, de membres des minorités; à former plus de gens pour la supervision, etc.

Tous ces résultats peuvent être obtenus, car quand un leader acquiert les compétences qui lui permettent de mobiliser le potentiel créateur des gens et de faire émerger les capacités collectives d'une équipe, qui sait les résultats positifs qu'il peut obtenir! Certains peuvent déplacer des montagnes!

CHAPITRE 2

Un poste de direction ne fait pas de soi un leader

François fut élu président de son association. À peu près au même moment, Robert fut nommé superviseur de tous les caissiers de la banque. Elizabeth combla l'ambition de toute sa vie en devenant vice-présidente responsable des ventes dans la société où elle travaillait. Après six ans passés comme superviseur dans une entreprise manufacturière, Benoît fut promu au poste de directeur d'usine. Louise fut élue, à une forte majorité, présidente des étudiants de son collège.

Leurs amis les ont félicités et leur ont dit combien ils méritaient leur nouvelle fonction. L'une téléphona à son mari et, très excitée, lui annonça la bonne nouvelle. Un autre proposa à sa femme d'aller dîner au restaurant pour fêter l'événement. Tous étaient fiers de ce qu'ils avaient accompli. En leur for intérieur, ils étaient tous convaincus qu'ils étaient «arrivés», «parvenus au haut de l'échelle», «rendus au sommet».

Telles sont les réactions universelles des gens promus à un poste de direction. Ils pensent: «J'ai réussi.» Mais en réalité, quand on parvient à la direction on n'a pas encore gagné. La nomination n'est qu'un début.

On ne devient pas leader parce qu'on est nommé à un poste de direction. Quand on obtient ce type de poste, il y a beaucoup à faire pour être accepté par ses collaborateurs et pour exercer une influence sur leur comportement. Plus important encore, être nommé superviseur, chef de service, responsable de département, président, directeur ou simplement patron entraîne rapidement des déceptions inattendues et des problèmes superflus. On peut sans doute remarquer la jalousie de certains collaborateurs. D'autres peuvent manifester du ressentiment parce qu'ils n'ont pas obtenu le poste; à leurs yeux, ils méritaient cette nomination.

De plus, on peut observer quelques changements subtils (et d'autres moins subtils) dans le comportement des employés à notre égard. Certains, que nous comptions parmi nos amis quelques semaines auparavant, semblent maintenant nous éviter et nous exclure de leur table pendant le déjeuner. D'autres encore révèlent qu'ils ont peur de leur nouveau superviseur; ils se tiennent sur la défensive, se montrent plus réservés dans leurs conversations, moins ouverts quand ils exposent leurs problèmes. On peut aussi commencer à déceler de la flatterie chez certains collaborateurs ou bien de la critique exagérée chez d'autres. Et il n'est pas rare de faire face à une attitude négative, à une résistance obstinée et inhabituelle aux nouveaux plans ou aux suggestions qu'on met de l'avant.

Devenir leader entraîne presque inévitablement d'importants changements dans nos relations avec nos collaborateurs. Les personnes qui nous considéraient auparavant comme collègue ou comme ami modifient leur attitude: maintenant nous sommes «au-dessus» et ils sont «en dessous». Nous devenons le «responsable».

Même si on arrive de l'extérieur de l'entreprise pour occuper un poste de direction, il faut être préparé à rencontrer un large éventail de réactions désagréables: suspicion, méfiance, hostilité, soumission, résistance passive, insécurité. Et surtout ne pas écarter cette possibilité: on pourrait voir quelqu'un rire si on se casse la figure dans son nouveau poste!

Chaque individu a automatiquement ce genre de réactions négatives. En effet, il les a acquises dans son enfance. Face à son leader, chaque membre d'une équipe reste, intérieurement, l'enfant qu'il a été. Tout être humain porte en lui l'histoire de son enfance. Chaque enfant est alors intimement impliqué dans de multiples relations avec un certain nombre d'adultes différents: parents, grands-parents, maîtres d'école, entraîneurs, chefs scouts, professeurs de piano, directeurs d'école et, bien sûr, le redoutable surveillant. Tous ces adultes avaient du pouvoir et de l'autorité sur lui et la plupart l'utilisaient fréquemment. Tous les enfants essaient divers comportements pour faire face à ces «représentants de l'autorité». Certains de ces comportements se révèlent efficaces, d'autres pas. Ceux qui «marchent» sont utilisés maintes fois et deviennent ainsi les réactions habituelles face à tous les autres adultes qui essaient de contrôler et de dominer.

Quand les enfants deviennent adolescents ou adultes, ils abandonnent rarement ces comportements face à l'autorité. Ces réactions font partie intégrante de la personnalité et sont rappelées (ou inconsciemment déclenchées) quand cet individu entre en relation avec une personne qui détient le pouvoir ou l'autorité. Ainsi, en tout adulte réside encore l'enfant qu'il a été; cette réalité intérieure influence considérablement ses réactions face à ses patrons.

Chaque fois qu'il se trouve confronté à une nouvelle relation avec un représentant de l'autorité, un individu recourt naturellement à ces comportements d'adaptation forgés par une utilisation répétée depuis sa naissance. Voilà donc pourquoi tout nouveau chef d'équipe hérite de l'enfant que chacun de ses collaborateurs a été dans le passé et qu'il est encore intérieurement. Ces comportements d'adaptation particuliers sont déjà présents, prêts à resurgir; ce n'est pas la présence du chef d'équipe qui les crée. Néanmoins, comme les membres d'une équipe perçoivent d'emblée leur chef d'équipe comme dominateur et contrôleur potentiel, ils réagiront ainsi face au chef d'équipe, même si celui-ci n'a pas l'intention d'user de pouvoir et d'autorité.

On reconnaît sans doute, dans la liste suivante, la plupart des comportements d'adaptation. On peut facilement identifier ceux que l'on a soi-même employés quand on était jeune et ceux qu'on utilise encore en tant qu'adulte.

1. Résister, défier, se rebeller, adopter une attitude négative.

2. Manifester du ressentiment, de la colère, démontrer de l'hostilité.

3. Attaquer, contre-attaquer, se venger, tourner en ridicule le représentant de l'autorité.

4. Mentir, cacher ses sentiments.

5. Blâmer les autres, faire des commérages, tricher.

6. Dominer, régenter, intimider les plus faibles.

7. Avoir besoin de gagner, détester perdre, être perfectionniste.

8. Former des clans et s'organiser contre le représentant de l'autorité.

9. Se soumettre, obéir, être complaisant, servil.

10. Flatter le représentant de l'autorité, rechercher ses faveurs, le courtiser.

11. Se conformer, avoir peur d'essayer quelque chose de nouveau ou de créateur, exiger l'assurance du succès avant d'agir, dépendre du représentant de l'autorité.

12. Se replier, s'évader, fantasmer, régresser.

13. Se rendre malade.

14. Pleurer.

On comprend maintenant plus clairement pourquoi être nommé à un poste de direction ne transforme pas quelqu'un en leader. On peut même dire que tout reste à faire! Avant même d'avoir la chance de mériter le leadership de son équipe, on revêt, aux yeux de ses collaborateurs, une nouvelle identité de contrôleur et de dominateur. Avant même d'utiliser effectivement son autorité ou son pouvoir, on sait que ses collaborateurs sont déjà programmés pour y réagir en ayant recours à une combinaison des comportements d'adaptation cités plus haut.

Bien entendu, mon intention n'est pas de décourager quiconque aspire à devenir leader, mais plutôt de me montrer tout à fait réaliste au sujet de la dynamique propre aux relations entre le leader et les membres de son équipe. Et, principalement, je veux souligner la thèse de ce livre: *on ne devient pas leader parce que l'on est nommé à la direction, car on n'obtient pas automatiquement le respect et l'acceptation des membres de son équipe; pour mériter le leadership de son équipe et exercer une influence positive auprès de ses collaborateurs, on doit apprendre certaines méthodes et certaines techniques spécifiques.*

Qu'est-ce qu'un leader?

«On naît leader, on ne le devient pas.» C'est ce que la plupart des gens pensaient jusqu'à ce que le leadership devienne pour les psychosociologues un sujet de recherche, il y a environ cinquante ans. Autrefois, des barrières importantes séparaient les classes sociales et rendaient pratiquement impossible à tout un chacun d'obtenir un poste de direction. La plupart des gens pensaient que l'on *héritait* du leadership, puisque les leaders étaient très souvent issus des mêmes familles, qui appartenaient aux classes favorisées de la société. À mesure que les barrières entre les classes sociales se sont écroulées et qu'il est devenu évident que les chefs pouvaient venir de toutes les couches de la société, le bon sens nous suggéra que le leadership était beaucoup plus complexe et qu'il ne suffisait pas de naître avec le code génétique approprié ou dans les bonnes familles pour être un leader.

Si le leadership ne relève pas d'une bonne combinaison de gènes, pensa-t-on, peut-être les dirigeants possèdent-ils tous alors certains traits ou caractéristiques acquis grâce à leur instruction ou à leur éducation. Cette notion déclencha une recherche des *caractéristiques propres aux leaders*. Mais des centaines d'études ne révélèrent aucune différence de caractères entre les leaders et les non-leaders. Cela élimina donc la théorie selon laquelle le leadership est le produit de certains attributs présents chez tous les leaders. Les psychosociologues firent un progrès considérable lorsqu'ils commencèrent à considérer le leadership comme une *interaction* entre les leaders et leurs collaborateurs. Après tout, pensèrent-ils, c'est le collaborateur qui, en dernier lieu, accepte ou rejette l'influence du leader. La question clé devient alors: pourquoi les collaborateurs acceptent-ils ou pourquoi rejettent-ils cette influence? Que se passe-t-il dans cette interaction?

Évidemment, on ne peut être un leader sans collaborateurs. On ne reste pas longtemps chef d'équipe si les membres de l'équipe n'acceptent pas notre influence, notre aide et notre supervision. Mais comment un leader acquiert-il la confiance de ses collaborateurs? La réponse à cette question fondamentale est claire lorsque l'on comprend les *besoins* animant tous les êtres humains et comment ceux-ci s'efforcent de *satisfaire ces besoins*. Voici, de façon très simplifiée, comment les leaders acquièrent la confiance de leurs collaborateurs.

1. Pour survivre, chaque personne s'engage dans un effort continuel pour satisfaire ses besoins ou soulager sa tension intérieure.

2. Pour satisfaire un besoin, on a recours à certains moyens (outils, nourriture, argent, force physique, connaissance, etc.).

3. On satisfait la plupart de ses besoins en entrant en relation avec d'autres personnes ou avec des groupes; les autres personnes et les groupes deviennent ainsi les moyens d'obtenir la satisfaction de ses besoins (chacun ne produit pas sa nourriture, ne fabrique pas ses vêtements et ne s'éduque pas soi-même).

4. Chacun cherche à établir des relations qui lui permettent de satisfaire ses propres besoins.

5. Les personnes adhèrent à des groupes parce qu'elles espèrent que cette appartenance leur offrira les moyens de satisfaire leurs besoins. Inversement, elles quittent ces groupes quand ceux-ci ne satisfont plus leurs besoins.

6. Les membres d'un groupe acceptent l'influence et la supervision d'un leader seulement s'ils le considèrent comme pouvant satisfaire leurs besoins. Les membres collaborent avec le responsable d'un groupe (et lui permettent de superviser leurs activités) dans la mesure où ils pensent obtenir ainsi ce qu'ils veulent ou ce dont ils ont besoin.

Ainsi un leader, homme ou femme, acquiert et conserve son rôle seulement si les membres de son équipe pensent obtenir la satisfaction de leurs besoins en collaborant avec lui ou elle. Ce livre se propose d'identifier et de décrire les attitudes, les techniques, les méthodes et les procédés déterminants requis pour transformer cette espérance en réalité.

Le dilemme du leader

Avoir de vrais collaborateurs en satisfaisant les besoins des membres de l'équipe ne suffit pas pour devenir un leader efficace. Il est indispensable que le leader réussisse également à satisfaire ses propres besoins.

Les gens cherchent rarement à assumer des postes de leadership uniquement pour satisfaire les besoins des membres de leur équipe. Les leaders sont «aussi» des êtres humains. Et, ils éprouvent des besoins humains normaux tels que: prestige, réussite, augmentation de salaire, reconnaissance, estime de soi, sécurité et appréciation, en fait généralement les mêmes besoins que leurs collaborateurs. S'ils ne trouvent aucune manière de satisfaire ces besoins dans leur poste de responsabilité, ils ne voudront pas l'assumer très longtemps. Même si un responsable d'équipe continue d'assumer un travail après avoir réalisé que plusieurs de ses besoins ne sont pas satisfaits, il se révèle rapidement incapable de fournir tous les efforts nécessaires pour assurer la satisfaction des besoins de chacun de ses collaborateurs.

L'explication de ce phénomène est évidente: on ne continue à dépenser de l'énergie dans des actions profitables aux autres que si on espère en retirer quelque avantage. Dans les relations humaines, il y a toujours une limite au partage unilatéral des bénéfices. On peut formuler ce principe en termes de «donnant, donnant».

Le «principe de la source» est également en jeu ici: pour être en mesure de continuer à donner aux autres (en les laissant s'abreuver à notre source), on doit être soi-même une source bien vive et connaître le moyen de l'alimenter. L'importance de ce principe est bien comprise par les «agents d'aide professionnels» (thérapeutes et conseillers) qui voient leurs propres capacités à aider sérieusement réduites quand ils éprouvent eux-mêmes des difficultés ou des besoins insatisfaits. C'est pourquoi tant de thérapeutes professionnels jugent nécessaire de recourir eux-mêmes à un thérapeute.

De plus, un des besoins les plus pressants de tout cadre est de paraître compétent et efficace aux yeux de ses propres patrons. En vérité, l'estime de soi d'un cadre dépend essentiellement des évaluations de ses supérieurs ainsi que de leurs commentaires. Il y a encore plus important: les cadres vivent sous la menace d'être rétrogradés ou congédiés s'ils ne satisfont pas les attentes et les objectifs de leurs patrons, c'est-à-dire s'ils ne sont pas perçus comme efficaces pour aider l'entreprise à atteindre ses objectifs.

Par conséquent, les cadres qui travaillent dans une entreprise structurée font face à un dilemme: ils doivent satisfaire à la fois les besoins de l'entreprise et les besoins des membres de leur équipe. La solution est d'apprendre à équilibrer les besoins provenant de ces deux directions, de façon à être perçu comme efficace à la fois par ses supérieurs et par ses collaborateurs. Toute personne qui a travaillé dans une entreprise structurée sait que ce n'est pas une tâche facile: en effet, les besoins de l'entreprise sont en premier lieu l'accroissement de l'efficacité et de la productivité, alors que les besoins des employés les motivent souvent à résister à la pression exercée pour les accroître.

De nombreuses études sur le leadership démontrent clairement que les leaders efficaces ont besoin d'un ensemble de techniques pour satisfaire leurs propres besoins (et les besoins d'efficacité et de productivité de leurs supérieurs), ainsi que d'un autre ensemble de techniques tout à fait différentes pour satisfaire les besoins des membres de leur équipe. Pour l'instant, je vais décrire ces deux ensembles de techniques en termes très généraux.

A. *Procédés pour satisfaire les besoins des membres de son équipe*

1. Procédés qui accroissent l'estime de soi des membres de l'équipe et qui favorisent leur développement personnel.

2. Procédés qui renforcent la cohésion de l'équipe et l'esprit d'équipe.

B. *Procédés pour satisfaire les objectifs de l'entreprise*

1. Procédés qui motivent chacun à la productivité et à l'atteinte des objectifs de l'équipe.

2. Procédés qui aident les membres de l'équipe à atteindre les objectifs: planifier, fixer des horaires, coordonner, résoudre les problèmes, fournir des ressources.

Un leader efficace ne doit pas être seulement un «spécialiste des relations humaines» (et ainsi satisfaire les besoins des employés) ni seulement un «spécialiste de la productivité» (et ainsi satisfaire les besoins de l'entreprise). *Il doit être les deux à la fois.* Plus important encore: le leader efficace doit aussi acquérir la souplesse ou la sensibilité lui permettant de savoir quand et où employer ces techniques très différentes pour réaliser *la satisfaction mutuelle de ses besoins et de ceux des membres de son équipe.* Enfin, le leader doit apprendre les techniques nécessaires pour résoudre les conflits inévitables qui surviennent entre ces deux sources concurrentes de besoins.

Ce livre donne aux leaders les moyens pour devenir plus efficaces en créant cet état fondamental de *satisfaction mutuelle des besoins*; il leur explique comment devenir plus souples et plus ouverts en entretenant une communication plus franche avec leurs supérieurs aussi bien qu'avec leurs subordonnés et comment employer une méthode «sans-perdant» pour résoudre équitablement les conflits de besoins, et ainsi réduire considérablement le ressentiment, l'hostilité et l'aliénation qui entachent leurs relations avec les autres.

Ce que l'on attend d'une équipe

Les responsables d'équipe se révèlent dignes de leur poste de leadership en agissant de façon à faire en sorte que les espoirs des membres de leur équipe deviennent réalité et à satisfaire leurs besoins. Laissez-moi insister de nouveau sur ce point: *on ne peut pas être un leader sans collaborateurs ni équipe.* Et ces derniers n'accepteront cette autorité et cette influence que si on les aide à satisfaire leurs besoins.

Cela semble assez simple, mais un leader doit d'abord connaître exactement les besoins des membres de son équipe. C'est seulement alors qu'il peut décider quoi faire pour satisfaire leurs besoins; en échange, les membres de son équipe fournissent certains services ou exercent certaines fonctions pour l'entreprise. Cet échange équitable est la clé du leadership.

Qu'est-ce que ces personnes attendent de leur équipe? Les spécialistes d'une «psychologie scientifique du travail» ont d'abord pensé que l'on travaillait principalement pour l'argent. C'est la théorie de la motivation économique. La recherche a par la suite démontré de manière concluante que l'on attend beaucoup plus de son équipe: entre autres choses le sentiment d'appartenance à cette équipe, l'assurance d'y être accepté et reconnu, et l'occasion d'y acquérir un statut social et de se réaliser en y participant.

Il est donc beaucoup plus juste de penser en termes de motivation socio-économique, concept qui reconnaît que les leaders disposent d'un large éventail de stimulants à proposer aux employés pour leur donner envie de s'intégrer à l'équipe. Pour les retenir en tant que membres productifs de l'équipe, les leaders efficaces doivent satisfaire plus que leurs besoins financiers. Une hiérarchie comportant plusieurs niveaux différents peut représenter concrètement les besoins humains. Abraham Maslow, un pionnier de la psychologie, ancien professeur à l'université de Brandeis, a élaboré une pyramide à cinq niveaux qui représente l'importance relative des cinq différentes sortes de besoins que peut ressentir tout être humain.

Les besoins du 1er niveau, tels que boire, manger et se tenir au chaud, sont les plus importants (ou «prédominants»), parce qu'ils doivent être satisfaits pour que la personne soit motivée à tenter de satisfaire ses besoins du niveau supérieur. Les besoins du 2e niveau (sécurité et sûreté) doivent être principalement satisfaits avant que la personne soit motivée à chercher à satisfaire des besoins du niveau supérieur, et ainsi de suite jusqu'au sommet de la

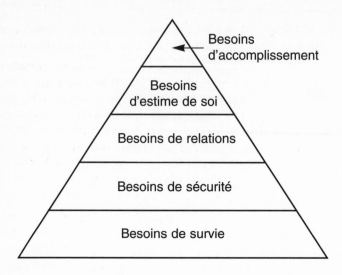

pyramide. Par exemple, des ouvriers qui installent un nouveau chantier en forêt sont d'abord fortement motivés à apaiser leur soif et leur faim. Ils sont ensuite motivés à satisfaire leurs besoins de sécurité; ils peuvent alors se mettre à l'abri (besoins de sûreté et de sécurité). Une fois installés, ils peuvent alors penser à leurs camarades: ils se donnent alors des règles pour partager la nourriture, répartir les tâches, assurer la surveillance à tour de rôle, etc. (besoin d'acceptation et d'interaction sociale). Quand ces besoins sont satisfaits, ils peuvent décider d'organiser leur travail pour réussir leur mandat (besoin de réalisation, d'estime de soi). Enfin, si ces besoins sont raisonnablement satisfaits, ils peuvent discuter du sens de leur vie dans la perspective de cette aventure et éventuellement entreprendre de rédiger leurs Mémoires racontant cette expérience (besoin d'accomplissement).

Les implications de la théorie des besoins hiérarchiques de Maslow sont d'une grande importance pour les leaders.

1. Les équipes et les entreprises ne fournissent pas toujours à leurs membres l'occasion de satisfaire leurs

besoins des 4e et 5e niveaux: c'est le cas en particulier pour les personnes occupant des postes de production pour qui le travail est routinier et encadré de manière assez rigide, dont les activités sont presque totalement contrôlées et dont la liberté et l'autonomie de prise de décision et d'initiative demeurent très limitées.

2. Quand les leaders exercent un pouvoir arbitraire, les membres de l'équipe peuvent ressentir de la crainte et redouter le blâme ou se sentir continuellement menacés dans leurs fonctions. Si leurs besoins de sécurité et de sûreté ne sont pas satisfaits, ils sont bloqués au 2e niveau, et non motivés à être performants, ni à satisfaire leurs besoins sociaux et leurs besoins de compétence et d'estime de soi.

3. Différents membres de l'équipe peuvent fonctionner à des niveaux de besoins différents, en même temps ou dans la même situation. Dans une réunion du personnel, un membre peut être fatigué (1er niveau), un autre peut vouloir que l'équipe accomplisse quelque chose (4e niveau); d'autres enfin peuvent prendre plaisir à parler et plaisanter entre eux (3e niveau).

4. Dans notre société d'abondance, les besoins des 1er et 2e niveaux sont rarement de fortes sources de motivation, car la plupart des besoins vitaux des gens sont déjà satisfaits (lois sur le salaire minimum); les employés se sentent souvent libérés de l'insécurité d'être congédiés (protection des syndicats). C'est pourquoi les leaders obtiennent rarement du succès à motiver ou à contrôler les membres de leur équipe en ayant recours aux avertissements ou aux menaces de licenciement.

5. Si les travailleurs ont peu d'occasions de satisfaire leurs besoins des 3e, 4e et 5e niveaux *au travail,* ils

chercheront *en dehors du travail* des occasions de satisfaire leurs besoins d'interaction sociale, de réussite et d'accomplissement (dans les sports, les passe-temps, les associations). C'est pourquoi beaucoup de gens dépensent le minimum d'énergie nécessaire pour conserver leur emploi et recevoir leur paie; ils se sentent étrangers à l'entreprise et ne s'y engagent pas.

6. Pour être motivés à atteindre un haut niveau de réussite et d'accomplissement (4e niveau), les membres d'une équipe ont besoin de leaders qui vont veiller: a) à ce qu'ils reçoivent un salaire qui leur semble équitable; b) à ce qu'ils aient une sécurité d'emploi; c) à ce que leur équipe leur fournisse des occasions d'interaction sociale, des amitiés et le sentiment d'être compris et acceptés (les besoins des 1er, 2e et 3e niveaux sont ainsi satisfaits).

7. Un des principaux avantages pour les collaborateurs d'avoir un leader qui rend possible leur participation à la résolution des problèmes et à la prise de décisions en équipe est qu'une telle activité leur donne un grand nombre d'occasions de satisfaire leurs besoins d'interaction sociale (3e niveau), leurs besoins d'estime de soi et de reconnaissance dans l'entreprise (4e niveau) et, à l'occasion, leurs besoins d'accomplissement et de développement personnel (5e niveau).

Un raffinement du concept de Maslow permet aux leaders de comprendre plus profondément la nature des besoins des membres d'une équipe. C'est la théorie des deux facteurs de motivation développée à partir de la recherche de Frederick Herzberg, autrefois en poste à l'institut de technologie Carnegie et, plus récemment, à l'université de l'Utah. Herzberg a mis en évidence deux éléments relativement indépendants: 1) certains facteurs opérant au sein d'une équipe de travail agissent comme des *obstacles* à la satisfaction des besoins et deviennent des irritants, ou des *sources d'insatisfaction*; 2) d'autres facteurs sont perçus comme contribuant à la satisfaction des besoins et gratifiants, ou *sources de satisfaction*.

Agissent comme *obstacles* à la satisfaction des besoins (sources d'insatisfaction):

1. Des relations personnelles médiocres avec les supérieurs.
2. Des relations personnelles médiocres avec les collègues.
3. Des supervisions techniques inadéquates.
4. Des administrations et des règlements de la société médiocres.
5. Des conditions de travail médiocres.
6. Des problèmes propres à la vie privée des travailleurs.

Agissent comme *fournisseurs* de satisfaction des besoins (sources de satisfaction):

1. La réussite.
2. La reconnaissance.
3. Le travail lui-même.
4. La responsabilité.
5. L'avancement.

L'absence de sources d'insatisfaction produit rarement la satisfaction (par exemple, de bonnes conditions de travail *produisent* rarement des sentiments de satisfaction). Cependant, des conditions de travail médiocres produisent effectivement des sentiments d'insatisfaction. Mais c'est seulement *la présence de sources de satisfaction* (réussite, reconnaissance, etc.) qui produit des sentiments de satisfaction.

Voici un point extrêmement important que ces études suggèrent nettement pour les leaders: pour que les membres d'une équipe se sentent motivés à fournir un haut rendement et qu'ils soient satisfaits, le travail doit lui-même être gratifiant. Le travail doit fournir des occasions d'avancer dans son développement personnel, d'assumer des responsabilités, d'obtenir de la reconnaissance et de l'avancement. Ces conditions se rapprochent beaucoup des besoins des 3e, 4e et 5e niveaux de Maslow et viennent appuyer mon affirmation du début: le leader efficace doit maîtriser les techniques et développer les attitudes qui permettent aux membres de son équipe de satisfaire leurs besoins des niveaux supérieurs: *l'estime de soi,* provenant de la réussite dans le travail et de la reconnaissance de cette réussite, ainsi que *l'accomplissement* (le sentiment d'utiliser son potentiel). Ces techniques et ces attitudes seront décrites en détail dans les chapitres suivants.

Ces découvertes importantes peuvent ne pas s'appliquer exactement de la même manière avec les travailleurs à la base d'une entreprise. Il est plus probable qu'ils ressentent un vif sentiment de *frustration* si leurs besoins des 1er et 2e niveaux ne sont pas satisfaits (salaire dérisoire, pas de sécurité d'emploi). Par conséquent, les leaders de ces équipes ne doivent jamais ignorer certains signes indiquant que les membres de leur équipe ont l'impression que leurs salaires sont inéquitables, ou qu'ils s'inquiètent de leur sécurité d'emploi.

Scott Myers, psychologue industriel chez Texas Instruments, qui a dirigé une étude sur la motivation durant six ans, est parvenu à des conclusions comparables à celles de Herzberg. Voici les résultats de cette étude tels que résumés dans la *Revue des affaires de Harvard*:

- Qu'est-ce qui motive les employés à travailler efficacement? Un travail qui présente des défis et permet un sentiment de réalisation, de responsabilité, de développement personnel, d'avancement, de joie dans le travail lui-même, et de reconnaissance méritée.

- Qu'est-ce qui mécontente les travailleurs? Surtout des facteurs qui entourent le travail lui-même: les règlements, l'éclairage, les pauses, les titres, les droits selon l'ancienneté, les salaires, les avantages sociaux et autres choses semblables.
- Quand les travailleurs deviennent-ils insatisfaits? Lorsque les occasions de parvenir à une réalisation significative sont trop peu nombreuses; ils sont alors sensibles à leur environnement de travail et commencent à y trouver matière à insatisfaction.

Myers, comme Herzberg, a identifié chez les employés les deux mêmes sortes de besoins que les superviseurs doivent satisfaire; il a appelé «besoins de motivation» ceux qui sont centrés sur le travail lui-même et «besoins d'entretien», ceux qui entourent le travail.

L'étude de Myers confirme ce que j'ai souligné depuis le début, à savoir: le leader efficace doit posséder les techniques d'un *spécialiste de la tâche* (techniques de planification et d'organisation), ainsi que les techniques d'un *spécialiste des relations humaines* (techniques d'identification et de résolution des sources d'insatisfaction du travailleur). Le leader efficace est à la fois centré sur le travail et centré sur les personnes. Les membres veulent faire partie d'une équipe gagnante, mais jamais au prix de blessure à leur amour-propre ou de manque de respect.

Le leader: un facilitateur de résolution de problèmes

Une des missions d'un leader consiste à faciliter la résolution des problèmes. Les équipes ont besoin d'un leader qui veille à ce que leurs problèmes soient résolus. On peut imaginer le cas d'une équipe de travail n'ayant aucun problème: elle n'aurait même pas besoin d'un leader, du moins pas très

souvent. Si une équipe pouvait toujours fonctionner efficacement et demeurer productive de manière que ses membres
éprouvent constamment des sentiments de réussite, de cohésion de l'équipe, d'estime de soi et de valeur personnelle, évidemment elle aurait peu besoin d'un «superviseur». Les
équipes ressentent un vif besoin de leaders seulement quand
elles ont des problèmes, soit que les membres de l'équipe ont
de la difficulté à satisfaire leurs besoins personnels, soit que
l'équipe cause des problèmes au leader en ne parvenant pas
à atteindre les objectifs de l'entreprise.

J'ai conçu un schéma pour illustrer la relation entre ces
deux sortes de problèmes; ce graphique aide à établir un
lien entre toutes les idées tirées des recherches de Maslow
et de Herzberg. Mettons-nous un instant dans la peau d'un
cadre et imaginons ceci: quand j'observe un membre de
mon équipe, son comportement apparaît à travers une fenêtre
que je tiens continuellement devant mon visage. Maintenant, imaginons que cette fenêtre a deux sections: l'une
pour les comportements que je peux accepter parce qu'ils
ne me causent aucun problème (la section du haut de ma
fenêtre), l'autre pour les comportements que je ne peux pas
accepter parce qu'ils me posent un problème (la section du
bas de ma fenêtre).

Catherine, une de mes collaboratrices, travaille consciencieusement à son bureau et achève une tâche que je lui
ai assignée. Ce comportement ne me cause aucun problème; je le situe donc dans la partie supérieure de ma
fenêtre.

Depuis quelque temps, Jérôme, un autre collaborateur,
vient fréquemment dans mon bureau pour demander mon
approbation pour des problèmes qu'il est parfaitement
capable de résoudre sans mon aide. J'ai l'impression qu'il
me fait perdre mon temps (et le sien par la même occasion)
et qu'il se réfère trop souvent à moi. Je ne peux pas accepter ce comportement particulier; je le situe donc dans la
partie inférieure de ma fenêtre.

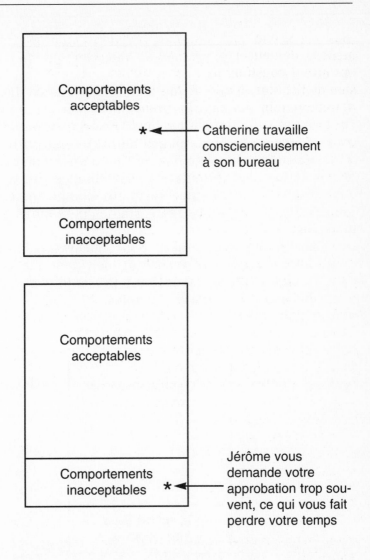

Comme nous le verrons, cette représentation permet de réfléchir sur le comportement de n'importe quel collaborateur. D'abord, elle m'oblige à prendre conscience de mes *sentiments* authentiques face à un comportement spécifique: est-ce que je l'accepte ou non? Cette formule me signale aussi quand le comportement d'une autre personne me

47

pose un problème. Toutefois, elle ne m'indique pas encore comment traiter ce problème. Nous verrons cela dans le prochain chapitre.

Je dois aussi savoir que, dans ma «fenêtre de perception», la ligne divisant les zones n'est pas fixe. Elle monte et descend fréquemment selon: 1) ce qui se passe en moi (comment je me sens aujourd'hui); 2) l'endroit où je suis (l'environnement particulier où le comportement se produit); 3) les caractéristiques individuelles des différents membres de mon équipe (certains comportements sont plus faciles à accepter chez certaines personnes que chez d'autres).

Voici quelques exemples pour illustrer cela: certains jours je suis en forme, reposé et bien dans ma peau. Ma fenêtre face à mes collaborateurs présente alors une large zone de comportements acceptables.

Comportements
acceptables

Comportements
inacceptables

«Bonne» journée

Vient le jour où je suis fatigué, où je couve une grippe, où je suis préoccupé par la rédaction d'un rapport à terminer; ma fenêtre pourrait bien ressembler alors à ce qui suit:

Comportements acceptables
Comportements inacceptables

«Mauvaise» journée

Le lieu où se produit le comportement de l'autre personne affecte aussi fortement ma fenêtre. À la fête de Noël de la société, par exemple, ma fenêtre face aux comportements de chacun de mes collaborateurs présentera sans doute une zone de comportements acceptables beaucoup plus grande que d'habitude.

Comportements acceptables
Comportements inacceptables

Fête de Noël au bureau

Dans cette ambiance de fête, les comportements euphoriques de mes collaborateurs seront tout à fait acceptables; évidemment, la plupart de ces mêmes comportements seraient inacceptables pendant les heures de travail.

Naturellement, ma fenêtre de perception est également influencée par les caractéristiques propres à l'autre personne. Je peux me sentir beaucoup plus disposé à accepter les comportements d'un employé de longue date, car je me suis habitué à ses manières et à son style, que ceux d'un nouvel employé.

<table>
<tr>
<td>

Comportements
acceptables

Comportements
inacceptables

</td>
<td>

Comportements
acceptables

Comportements
inacceptables

</td>
</tr>
<tr>
<td>Employé de longue date</td>
<td>Nouvel employé</td>
</tr>
</table>

Ma fenêtre m'indique que je ne peux pas être «constant» dans mes sentiments face aux comportements des membres de mon équipe. En tant qu'être humain, mes sentiments (d'acceptation et d'inacceptation) changent considérablement d'une journée à l'autre, d'une situation à l'autre, d'une personne à l'autre. Dès que l'on occupe un poste de responsabilité, on est souvent porté à assumer un «rôle» et on croit devoir réprimer ou cacher son humanité pour être constant.

Pour compléter la fenêtre de perception, nous devons examiner un autre type de comportement des membres de mon équipe. En tant que leader, j'observe chez mes collaborateurs des comportements qui signalent qu'ils éprouvent des difficultés à satisfaire leurs propres besoins. Un tel comportement peut ne pas me causer de problème, du moins pas sous une forme tangible et con- crète, mais il est alors évident que mes collaborateurs éprouvent un problème personnel quelconque: un certain besoin n'est pas satisfait ou ils se sentent menacés par la frustration. J'obtiens généralement des indications verbales du genre:

- «Je suis préoccupée» ou «Je suis furieux»;
- «Je suis malheureux» ou «Je ne suis pas satisfaite»;
- «Quelle journée!» ou «J'aurais dû rester au lit!»;
- «Quelle sale boîte!» ou «Que diable attendent-ils de nous?».

Ou bien les indications peuvent être moins directes et se manifester par les comportements suivants. La per- sonne:

- boude ou est déprimée;
- paraît nerveuse, susceptible, hypersensible;
- évite de lui adresser la parole;
- ne me regarde pas dans les yeux;
- semble crispée, craintive, anxieuse;
- se plaint souvent;
- rêvasse, oublie.

De tels comportements appartiennent à une zone spéci- fique de ma fenêtre appelée: *«Comportements indiquant que le collaborateur a un problème.»*

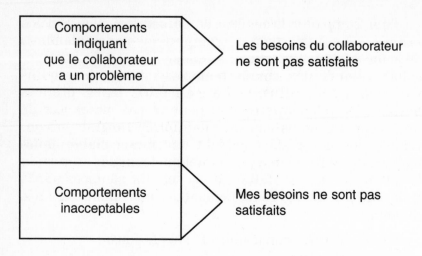

Pour être logique, on devrait donc nommer la troisième partie inférieure du rectangle: *«Comportements qui me posent un problème.»*

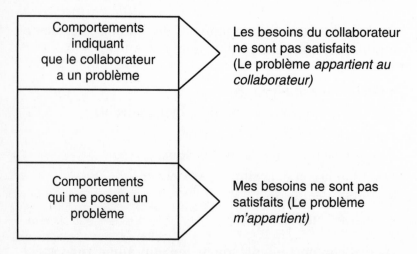

Il reste alors une zone au milieu de la fenêtre — je l'appelle la *zone sans problème* —, les comportements du collaborateur indiquant qu'il n'a pas de problème et qui ne me causent pas de problème. Ainsi, dans la «zone sans problème», je place tous les comportements qui suggèrent que mon collaborateur sent que ses besoins sont satisfaits et *moi* aussi: c'est la «zone de la satisfaction mutuelle des besoins». C'est dans ces moments-là que le travail est productif, car il n'y a aucun problème dans la relation entre le leader et le collaborateur.

Nous pouvons maintenant reformuler la principale fonction d'un leader efficace en des termes quelque peu différents: *maximiser le temps de travail productif et réaliser la satisfaction mutuelle des besoins.*

La tâche essentielle du leader est donc d'enclencher le processus de résolution des problèmes à la fois quand les problèmes appartiennent aux collaborateurs et quand les problèmes lui appartiennent; l'objectif est d'accroître la surface de la «zone sans problème» ou encore d'augmenter le temps pendant lequel le travail est productif. Mais il ne faut pas oublier ceci: traiter efficacement ces deux sortes de problèmes nécessite deux sortes de techniques différentes:

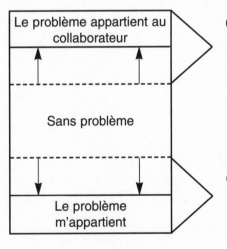

(A) Techniques de résolution de problèmes pour satisfaire les besoins des collaborateurs

(B) Techniques de résolution de problèmes pour satisfaire mes besoins (besoins de l'entreprise)

Le diagramme de la fenêtre donne aussi une illustration visuelle et corrobore les résultats de la recherche: les leaders efficaces doivent satisfaire les besoins de leurs collaborateurs, ainsi que ceux de l'entreprise. La fenêtre représente et souligne également la définition du leader que j'ai donnée ensuite, à savoir: celui qui a pour principale fonction de résoudre les problèmes.

Les zones qui restent dans les parties supérieure et inférieure de la fenêtre sont destinées à représenter ce qui doit paraître évident au lecteur: les leaders ne seront jamais capables de contenter tous les besoins non satisfaits de leurs collaborateurs (leurs problèmes), ni d'atteindre le point où tous leurs problèmes (et les problèmes de l'entreprise) seraient résolus. C'est un idéal et il vaut la peine de s'efforcer d'y parvenir. Mais il est peu probable que les leaders l'atteignent, du moins dans les entreprises que je connais.

CHAPITRE 3

Agir par soi-même ou avec l'aide de l'équipe

En accédant à un poste de direction, peu de personnes semblent capables de résister à la tentation de prendre les choses en main, de partir sur les chapeaux de roue et de tenter de tenir cette gageure: résoudre seules tous les problèmes. On comprend aisément que la préoccupation première de la plupart des nouveaux leaders est de justifier et ce aussi rapidement que possible le choix que leurs supérieurs ont fait en les nommant. Ils veulent paraître compétents le plus tôt possible, et montrer qu'ils ont «pris les choses en main».

Malheureusement, en se hâtant de faire sa marque, le leader peut courir à la catastrophe. Impatient de mettre en place des réformes rapides, des remèdes instantanés et des augmentations spectaculaires de la production, le leader succombe à la tentation bien connue du «grand ménage», espérant vivement réparer les dégâts laissés par le patron précédent. Cependant, le leader peut rarement réaliser ce programme tout seul, sans la coopération et la bonne volonté des membres de l'équipe; or, ni l'une ni l'autre ne lui sont acquises au départ. Les équipes résistent au changement et s'accrochent avec ténacité à leurs habitudes. Les «normes» de l'équipe exercent une forte influence sur le comportement de chacun de ses membres.

Les équipes développent généralement leurs propres normes définissant une «journée de travail acceptable» ou un «standard de productivité», normes qui sont clairement comprises par les employés et renforcées informellement par chacun. Toute action du leader perçue comme une menace au maintien de cette norme rencontre une forte résistance, *surtout si cette action est considérée comme arbitraire.*

On peut aussi percevoir ces forces de résistance dans les équipes en les examinant en termes d'«échange équitable». Les équipes résistent fortement aux actions d'un leader qui pourraient remettre en cause leur définition d'un rapport équitable coût/bénéfice, c'est-à-dire un rapport équitable entre les salaires et la somme d'énergie dépensée au travail. Si un nouveau patron présente un nouveau programme, l'équipe peut craindre qu'il ne bouleverse ce rapport; elle voudra alors se protéger contre ce type d'exploitation par l'entreprise.

Les équipes opposent aussi une forte résistance à l'introduction de nouvelles procédures et méthodes, surtout si celles-ci sont instituées arbitrairement et unilatéralement par le leader. Nous connaissons tous le poids des habitudes; changer brutalement de méthode peut exiger plus d'énergie de la part des membres de l'équipe que ceux-ci ne sont prêts à en fournir.

Beaucoup de nouveaux leaders pleins de zèle adoptent une attitude de contrôle permanent; ils ont l'œil sur tout, rien ne leur échappe et aucune erreur ne peut être commise «puisqu'ils veillent à tout». Ce type de contrôle revêt de nombreuses formes, telles que:

• exiger des rapports détaillés sur les activités et les progrès effectués;

- exiger des membres de l'équipe qu'ils obtiennent l'approbation du leader avant d'envoyer des lettres, d'exécuter des projets ou de prendre des décisions;
- assumer des tâches auparavant assignées aux membres de l'équipe pour s'assurer qu'elles soient «bien» faites;
- exiger que les collaborateurs «passent par le leader» avant d'établir des contacts extérieurs à l'équipe.

L'une des conséquences de l'excès de contrôle est le ressentiment des collaborateurs vis-à-vis de leur leader pour son usage arbitraire du pouvoir. Un autre effet est la résistance passive aux nouvelles exigences: pour une raison ou pour une autre, les collaborateurs ne semblent jamais parvenir à remettre les rapports d'activités à temps. Pire encore: l'excès de contrôle rend les collaborateurs encore plus dépendants de leur leader. Ils viennent le consulter pour *chaque* problème. Leur propre motivation se relâche, leur esprit d'initiative est étouffé. Ils ne s'épanouissent pas dans leur travail. Ayant tout à faire lui-même, le leader se retrouve surchargé de travail et surmené. L'*équipe de travail* devient alors l'affaire d'une seule personne. Le nouveau leader, qui contrôle tout, à tout moment, découvre alors qu'il avance seul, sans tirer profit des ressources de l'équipe.

La sagesse de l'équipe

Regardons à nouveau le leader efficace vu comme une personne qui dispose de techniques de résolution de problèmes. Je dois insister sur ce point: le leader n'a pas à assumer *seul* l'entière responsabilité de la résolution d'un problème; agissant plutôt comme «facilitateur», il peut faire appel aux ressources des membres de l'équipe pour l'aider. En théorie du moins, l'équipe idéale rassemble les ressources créatives de *chaque* membre du groupe (y compris celles du leader) pour faire face aux problèmes et rechercher les meilleures solutions. *Il n'est pas nécessaire de faire participer chaque membre de l'équipe à la résolution de tous les problèmes;* mais dans une équipe idéale, les ressources de tous les membres sont *disponibles* quand cela est nécessaire ou approprié.

Mon expérience de consultant en entreprise me convainc que la plupart des leaders sous-estiment vraiment la richesse que représentent les connaissances et les idées des membres de leur équipe. Mon expérience personnelle de patron dans ma propre entreprise m'a fait constater quotidiennement l'existence d'une certaine *sagesse d'équipe.* Je ne veux pas dire par là que, pour chaque problème, je dois faire appel aux ressources de l'équipe tout entière. Je compte sur différents collaborateurs, à différents moments, pour résoudre les problèmes: parfois, je le fais avec une personne, parfois avec plusieurs, parfois avec mes collaborateurs les plus proches, mais rarement avec le personnel tout entier!

Pour résoudre des problèmes délicats ou complexes, je fais presque toujours appel à l'intelligence et à l'expérience d'un ou de plusieurs membres de mon équipe. Et quand certains problèmes semblent affecter tous les services, tous sont invités à des réunions régulières du personnel auxquelles participent les responsables de tous les départements, ainsi que tout autre employé désirant y participer. (Je décrirai plus en détail les réunions régulières du personnel dans le chapitre 7.)

Je suis loin d'être le seul à affirmer la sagesse de la pensée collective. K.K. Paluev, quand il était ingénieur chargé de la recherche et du développement pour la Compagnie Générale Électrique, écrivait ceci à propos du «génie collectif» des équipes qui ont contribué aux projets de conception de grands transformateurs électriques:

> Ces résultats n'auraient pu être atteints si l'entreprise n'avait pas réuni toutes ses équipes pour faire face aux divers problèmes rencontrés [...]

Et comme il est impossible de ne rassembler que des «génies complets», la direction industrielle et tous les collaborateurs ont dû accepter d'être, comme leurs collègues, loin de la perfection.

Alfred Marrow, alors président du conseil d'administration de la Corporation des manufactures Harwood, arriva à cette conclusion concernant le besoin de coopération dans les entreprises:

Il y a quelque temps, la différence de connaissances entre l'ensemble des travailleurs et les administrateurs d'une société était très grande. Ce n'est plus vrai maintenant, et cette différence ira en s'amenuisant dans les années à venir... Il est maintenant fréquent que les employés soient plus compétents sur le plan technique que leurs superviseurs.

Aujourd'hui, le plus grand défi auquel se trouve confronté un administrateur consciencieux est d'obtenir l'engagement du personnel, en particulier le personnel administratif. Il doit transformer ses employés en une équipe efficace composée de personnes déployant de l'énergie pour l'entreprise, en contribuant, chacun suivant ses moyens, plutôt que d'agir «chacun pour soi».

De nos jours, on ne remet plus en question la nécessité pour un leader de mobiliser toutes les ressources créatives des membres de son équipe; les leaders efficaces procèdent ainsi, consciemment ou inconsciemment. Restent quelques questions délicates: quand faut-il obtenir la participation du (ou des) membre(s) de l'équipe? Qui doit-on choisir? Quels problèmes nécessitent cette participation? Comment et par qui les décisions finales seront-elles prises? Comment doit-on traiter les conflits? J'aborderai ces questions en détail plus loin et je proposerai des techniques et des attitudes pour aborder ces situations.

Pourquoi former une équipe?

De temps en temps, certains leaders font bien appel à l'aide de tel ou tel collaborateur pour résoudre un problème de manière informelle; cependant, ils n'essaient pas vraiment de constituer avec l'ensemble de leurs collaborateurs une véritable «équipe de gestion», responsable de la résolution des problèmes et de la prise de décisions. Pour ce faire, les leaders doivent s'organiser et apprendre à animer des réunions d'équipe efficaces. (Voir le chapitre 7, qui expose les techniques spécifiques requises pour animer des réunions de prise de décisions.)

La nécessité de mettre sur pied une équipe de gestion est fondamentale dans ma vision d'un leader efficace. Plusieurs arguments viennent appuyer cette position:

1. Individuellement, les membres d'une entreprise s'identifient davantage aux objectifs de l'entreprise et se sentent plus engagés dans sa réussite s'ils participent aux prises de décisions concernant ces objectifs et la manière de les atteindre.

2. Faire partie de l'équipe de gestion donne aux membres de l'équipe le sentiment de maîtriser davantage leur propre vie; cela les libère de la crainte d'un abus de pouvoir de la part de leur leader.

3. Quand les membres de l'équipe participent à la résolution des problèmes, ils prennent connaissance de la complexité technique des tâches de l'équipe; ils apprennent les uns des autres, tout autant que du leader. Former une équipe de gestion est la meilleure façon de poursuivre le développement du personnel (formation continue).

4. La participation à une équipe de gestion permet à ses membres de satisfaire leurs besoins les plus profonds: acceptation, estime de soi et accomplissement.

5. Une équipe de gestion permet d'éliminer les diffé-
    rences de statut entre les collaborateurs et le leader,
    et favorise une communication plus ouverte et plus
    franche.

6. La mise en place d'une équipe de gestion permet de
    donner l'exemple d'un comportement de leadership
    du même type que celui que le responsable aimerait
    voir pratiquer par ses propres collaborateurs auprès
    de leurs subordonnés. De cette façon, le leadership
    efficace se transmet à tous les niveaux de l'entre-
    prise.

7. Des décisions de plus grande qualité résultent sou-
    vent d'une mise en commun des ressources de
    l'équipe de travail.

Un malentendu assez largement répandu persiste au sujet de la notion d'équipe de gestion. J'utilise ce terme pour
décrire *l'équipe de travail en tant qu'unité complète (plutôt
qu'un rassemblement de personnes) se gérant elle-même à
l'intérieur de la zone de liberté qui lui est accordée par sa
position dans la hiérarchie de l'entreprise*. Le responsable
d'une entreprise et tous ses collaborateurs directs constituent une équipe de gestion. Mais un superviseur et toutes
les personnes travaillant sous sa responsabilité forment
aussi une équipe de gestion. Les grandes entreprises sont
constituées de plusieurs équipes de gestion reliées entre
elles, comme le montre le schéma ci-dessous.

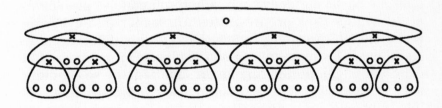

Dans ce schéma, chaque membre de l'entreprise appartient à une équipe de gestion et certains (appelés «mailleurs») appartiennent à deux équipes à la fois. Dans l'une, cette personne est leader, dans l'autre, membre. Les mailleurs de la chaîne sont identifiés par un x.

Comme je le démontre dans les chapitres suivants, le succès d'une équipe de gestion dépend beaucoup des attitudes adoptées et des techniques employées par le leader: 1) pour favoriser une communication ouverte et franche dans l'équipe; 2) pour résoudre les conflits de façon que personne ne perde (la «méthode sans-perdant»); 3) pour animer des réunions de prise de décisions efficaces et productives; 4) pour être un «spécialiste de la tâche» aussi bien qu'un «spécialiste des relations humaines»; 5) pour représenter efficacement les membres de son équipe à l'échelon supérieur.

Ce qui est le plus important pour former une équipe et pour la faire fonctionner efficacement, c'est de réduire les barrières hiérarchiques. Aucun autre élément n'est plus important que celui-ci. Il se situe au cœur même de ma définition du leadership efficace. Je l'exprimerai ainsi en bref: *un leader efficace doit se comporter de façon à être perçu comme un membre de l'équipe; en même temps, il doit aider tous les membres de l'équipe à se sentir aussi libres que lui, afin d'apporter leur contribution et d'assumer leurs fonctions au sein de l'équipe.*

Si un leader veut former une équipe efficace, il doit apprendre les techniques spécifiques permettant à ses collaborateurs de se sentir libres de parler, de faire des suggestions, de participer activement à la résolution des problèmes et de critiquer ses propres idées. Un leader doit éviter de rechercher le prestige, car cela accroît les différences de statut entre les membres de son équipe et lui-même; il doit éviter de se comporter comme un supérieur, de se conduire avec arrogance et d'utiliser son pouvoir arbitrairement. De tels comportements diminuent l'interaction entre le leader et les membres de l'équipe. Les personnes les moins puissantes ont tendance à accroître la distance entre elles-mêmes et les plus puissantes. Les membres de l'équipe se détournent des leaders qui les amènent à se sentir incompétents ou qui diminuent leur estime de soi.

Ceci est un véritable paradoxe: *un leader efficace agit tout à fait comme un membre de l'équipe et un membre efficace au sein d'une équipe agit comme un leader*. Le signe le plus sûr de l'efficacité d'une équipe apparaît quand la personne que l'on a traitée au début comme un leader est ensuite perçue comme un autre membre de l'équipe. Dans une équipe efficace, la contribution de tous les membres sera évaluée selon le mérite, non selon le prestige. C'est seulement quand le leader devient un membre comme les autres que ses propres contributions sont acceptées *ou* rejetées, tout comme celles de n'importe quel autre membre de l'équipe, uniquement selon le mérite. Les membres de l'équipe se sentent alors libres de dire au leader: «C'est une bonne idée» plutôt que de penser: «Ce *doit être* une bonne idée puisque c'est celle du chef!»

Quand le leader réussit à adopter ce statut de «membre comme les autres», il *multiplie* ainsi ses contributions à l'équipe, car ses idées seront alors évaluées comme celles de tous les autres membres. À première vue, cela peut sembler contredire complètement les faits: en effet, on pense généralement que c'est en utilisant le prestige et le pouvoir hiérarchique que l'on a un impact plus puissant sur une équipe. On dispose maintenant d'arguments convaincants pour rejeter cette croyance traditionnelle. Nous savons évidemment que les leaders ont plus d'influence sur une équipe; mais de quelle sorte d'influence s'agit-il?

D'abord, les membres d'une équipe acceptent souvent sans les critiquer les contributions du leader parce qu'ils croient que le leader en *sait* plus qu'eux. Alors, si ses contributions ne sont *pas toutes bonnes* (et on peut parier que c'est le cas pour la plupart des leaders), l'efficacité globale de l'équipe s'en trouve réduite. Nous savons aussi que les contributions d'un leader sont quelquefois rejetées uniquement parce qu'elles viennent du leader. C'est une réaction fréquente face à l'autorité, un peu comme le comportement «négatif» des enfants vis-à-vis de leurs parents. Si certaines *bonnes idées* du responsable sont *rejetées* par l'équipe, de nouveau il s'ensuit une diminution de l'efficacité de l'équipe. C'est pourquoi le leader est plus libre d'apporter une contribution utile s'il parvient à réduire ou à éliminer les différences de statut et de prestige entre les membres de son équipe et lui-même. S'il y réussit, il devient un membre productif de l'équipe comme un autre et il peut ainsi apporter sa contribution chaque fois que ses connaissances et son expérience sont appropriées à la situation et utiles à l'équipe.

Qui est responsable?

De nombreux leaders se montrent réticents à l'idée de développer une «équipe de gestion» parce qu'ils se sentent «responsables» de la réussite ou de l'échec de leur équipe de travail; ils pensent donc devoir prendre toutes les décisions et donner les directives.

Dans une entreprise hiérarchisée, les leaders sont tenus responsables des performances de leur équipe de travail. Je préfère cependant utiliser le terme «imputable» — celui qui rend des comptes — plutôt que «responsable». Évidemment, si une équipe de travail n'accomplit pas une performance qui réponde aux besoins de l'entreprise, le leader ne peut pas s'attendre à être excusé par ses supérieurs, en rejetant le blâme sur les membres de son équipe. C'est le leader qui rend des comptes — et non l'équipe.

Sur le bureau du président Harry Truman, on pouvait lire une phrase qui est devenue célèbre: «La décision s'arrête ici.» Cette formule convient au bureau de tout leader. Il doit accepter de rendre compte du travail de l'équipe qu'il dirige. (En fait, il ne peut être «responsable» pour les membres de son équipe, car *chaque membre* doit être responsable de lui-même.)

Cependant, le leader peut choisir de rendre des comptes de décisions auxquelles ses collaborateurs participent, ou rendre des comptes au sujet de décisions qu'il a prises seul. La façon dont les décisions sont prises ne change alors rien à l'imputabilité du leader. (Les supérieurs considèrent évidemment que toutes les décisions lui sont imputables.) Le leader qui, consciemment, décide de prendre les décisions avec la participation des membres de son équipe le fait parce qu'il est persuadé que cette méthode de travail produit des décisions de meilleure qualité, et il se sent donc prêt à en rendre compte.

Cependant, il existe une importante controverse parmi les leaders au sujet de la qualité des décisions prises en équipe. La résolution d'un problème de manière participative produit-elle des décisions de qualité supérieure? Certains leaders sont convaincus qu'aucune bonne décision ne peut émaner d'une équipe; ils citent cette plaisanterie éculée: «Un chameau est un cheval créé par un comité.» Pour certains leaders, il est inconcevable qu'une équipe soit capable de prendre des décisions judicieuses. Pour eux, seuls de sages leaders peuvent prendre de sages décisions. Ce problème est mal posé. La question consiste ici à déterminer si les meilleures décisions sont prises par les membres d'une équipe ou par le leader de l'équipe. En formulant la question ainsi, on compare les membres de l'équipe à leur leader: or, les membres de l'équipe sont ainsi souvent désavantagés, car leur leader possède souvent plus d'information et d'expérience qu'eux.

Je reformule donc la question: un leader peut-il (sans les ressources des membres de son équipe) prendre des décisions plus avisées que l'équipe (*incluant le leader*)? Autrement dit, on compare maintenant l'équipe entière, avec toutes ses ressources, au leader avec ses seules ressources personnelles, nécessairement limitées. Si nous posons ce problème dans le cadre familial, la croyance communément acceptée selon laquelle un parent prend de meilleures décisions peut être remise en question par un jeune perspicace qui peut répliquer: «Oui, mais est-ce qu'un parent peut prendre de meilleures décisions que le parent-plus-les-enfants?»

Même quand une équipe résout des problèmes et prend des décisions en utilisant les ressources de tous ses membres, il n'est pas absolument sûr que toutes les solutions et toutes les décisions soient de bonne qualité. Donc, le même principe s'applique quand les leaders résolvent seuls les problèmes ou prennent seuls les décisions. Les solutions et décisions prises en équipe, tout comme les solutions et les décisions individuelles, peuvent être mauvaises tout comme excellentes. Dans le chapitre 7, je présenterai des méthodes spécifiques pour accroître l'efficacité de la résolution de problèmes en équipe afin de parvenir plus souvent à des décisions de haute qualité.

Ne pas résoudre les problèmes; faire en sorte que les problèmes soient résolus

Dans le chapitre 2, j'ai insisté sur le fait que les leaders efficaces ont les capacités requises pour résoudre les problèmes; mais je ne voulais pas dire par là qu'ils doivent eux-mêmes trouver la plupart des solutions. Certains souhaitent assumer cette lourde responsabilité et sont fiers du fait qu'aucun problème n'échappe à leur attention. Ils paient cher cette attitude. De tels leaders finissent par jouer un «spectacle solo», surveillant d'un œil attentif des employés dépendants, auxquels ils n'ont pas fourni l'occasion de développer leurs propres capacités de résolution de problèmes.

Le bon sens nous dit qu'aucun leader ne peut posséder toutes les réponses. Dans la plupart des équipes de travail, les problèmes sont trop nombreux et trop complexes pour pouvoir être résolus grâce aux seules ressources du leader. Cela est vrai aussi bien pour les problèmes techniques que pour les problèmes humains, souvent plus complexes, particulièrement quand il s'agit d'un problème personnel ou d'un conflit interpersonnel entre deux collaborateurs.

Un leader efficace n'a pas besoin de *résoudre* les problèmes, mais de *faire en sorte qu'ils soient résolus*. Au lieu d'être habile à résoudre les problèmes, le leader efficace doit être un *bon facilitateur de résolution de problèmes*. Pour assurer son efficacité, il est essentiel que le leader comprenne que la résolution d'un problème est un *processus* et qu'il doit apprendre certaines techniques pour déclencher ce processus et le mener à terme avec succès.

Le processus de résolution d'un problème comprend six étapes distinctes.

1. Identifier et définir le problème.
2. Énumérer des solutions possibles.
3. Évaluer ces solutions.
4. Prendre une décision.
5. Appliquer la décision.
6. Évaluer les résultats par la suite.

Dans le chapitre 7, je montrerai comment un leader peut faire appel à la participation des membres de son équipe pour chacune ou certaines de ces étapes. Il est clair que les leaders ont besoin d'aide pour identifier et définir les problèmes au sein de l'équipe de travail (1re étape), car ils n'ont souvent pas conscience des problèmes. Pour ce qui est d'énumérer des solutions possibles (2e étape), les collaborateurs, quand on leur en donne la possibilité, peuvent apporter de nombreuses solutions originales au cours des réunions de «remue-méninges» employées couramment en entreprise. La 3e étape met à contribution l'expérience diversifiée des collaborateurs, ainsi que leurs connaissances techniques, pour évaluer la valeur relative des solutions possibles. L'engagement final où on adopte la «meilleure solution» (4e étape) requiert souvent tout le potentiel intellectuel disponible au sein de l'équipe. La participation des collaborateurs

à la 5ᵉ étape est souvent cruciale, puisque plusieurs décisions doivent être appliquées par les membres de l'équipe
et que ceux-ci souhaitent dire leur mot pour déterminer qui
fait quoi et quand. À la 6ᵉ étape, l'évaluation permet de
vérifier par la suite si la solution choisie a réellement résolu
le problème: les collaborateurs doivent alors souvent
recueillir les données requises pour faire cette évaluation.

Face à certains problèmes, en particulier les problèmes
personnels qui «appartiennent au collaborateur», le leader
ne peut pas participer directement au processus de résolution du problème, mais il agit d'abord et avant tout comme
«facilitateur du processus interne de résolution de problème»; il aide le collaborateur à s'exprimer et ainsi à franchir successivement les six étapes, tout à fait comme le font
les consultants professionnels quand ils aident les gens à
faire face à leurs problèmes personnels. Dans le chapitre
suivant, j'expliquerai cette fonction de consultant du leader
et je décrirai la technique de l'«écoute active», qui est très
puissante pour amener les collaborateurs à résoudre leurs
problèmes eux-mêmes.

Quand les leaders apprennent les techniques qui *facilitent* la résolution d'un problème, cela rend leur travail plus
facile que s'ils s'efforcent de résoudre tous les problèmes
par eux-mêmes — rôle qui exigerait que les leaders détiennent toutes les réponses, connaissent tout, soient pourvus
d'une intelligence surhumaine, ou disposent d'une réserve
inépuisable de connaissances et d'expérience. Je répète et
j'insiste: un leader efficace doit apprendre comment amener
ses collaborateurs à amorcer la résolution de leurs problèmes,
comment développer une équipe capable de surmonter les
difficultés, comment et quand faire appel aux ressources
créatives des membres de son équipe et comment construire des relations où les collaborateurs ne mettent pas de
distance entre eux-mêmes et leur leader. Contrairement à
l'objectif de tout connaître, ces objectifs-là *peuvent* être
atteints.

CHAPITRE 4

Les techniques qui aident les collaborateurs à résoudre leurs problèmes

Quand vos collaborateurs ont des difficultés à satisfaire leurs besoins, l'efficacité globale de votre équipe en souffre. Cela va de soi: quand les gens sont contrariés ou insatisfaits, cela affecte leur travail. Certains n'arrivent plus à se concentrer; d'autres consacrent beaucoup de temps à exprimer leurs sentiments, d'autres encore se plaignent à leurs collègues; d'autres commettent des erreurs ou perdent leur motivation à offrir une bonne performance, ou bien évitent les contacts avec leurs leaders ou avec les autres membres de l'équipe. Évidemment, il est indispensable pour les leaders de percevoir dès que possible chez leurs collaborateurs ces symptômes de problèmes — soit personnels, soit professionnels. Cela leur permet de prendre aussitôt les mesures pour les aider à résoudre leurs problèmes et à retrouver un rythme de travail productif.

Comme chacun le sait, il est souvent difficile de confier ouvertement ses problèmes aux autres. Parfois, il peut être difficile d'exprimer ouvertement ses sentiments, parce qu'on n'est pas conscient de ce qui nous préoccupe. Il n'est pas facile de reconnaître qu'on a un problème face aux autres: on peut craindre d'être jugé, d'être évalué négativement ou soumis à l'irritation ou à la colère d'autrui. Toutes ces inhibitions sont particulièrement vives si la personne à laquelle on s'adresse est son *patron*. Habituellement, les membres de l'équipe ne communiquent donc pas leurs problèmes directement à leur leader.

Même quand les collaborateurs rassemblent tout leur courage pour faire part de leurs problèmes à leur supérieur, ils n'émettent pas toujours des messages très clairs. Néanmoins, quand quelqu'un a un besoin non satisfait, on peut le découvrir à certains signes révélateurs. Par exemple, la personne:

- ne communique pas comme d'habitude;
- boude;
- évite le contact avec les gens;
- s'absente souvent;
- est beaucoup plus irritable que de coutume;
- ne sourit pas comme d'habitude;
- rêvasse;
- est lente, nonchalante;
- paraît abattue et déprimée;
- est sarcastique;
- marche plus lentement (ou plus vite) que d'habitude;
- est écrasée sur sa chaise.

De tels signaux révèlent *l'existence* d'un problème, mais renseignent peu sur *la nature* de ce problème. Le plus dur reste à faire: amener les gens à identifier leur problème. Même ceux qui se montrent ouverts et directs identifient rarement tout de suite la source ou le contenu du problème. En général, on ne met pas le doigt sur le véritable problème tant que l'on n'a pas d'abord exprimé ses sentiments ou émis quelques messages d'ouverture, tels que:

- «Je suis vraiment bouleversé.»
- «J'aurais dû rester au lit aujourd'hui.»
- «Ce maudit service des achats est en train de me rendre fou.»
- «Oh! oublie ça.»
- «On m'avait bien dit qu'il y aurait des jours comme ça.»
- «Laisse-moi tranquille!»
- «Si ce n'est pas une chose, c'en est une autre.»
- «Comment voulez-vous que je fasse mon travail sans information adéquate?»
- «Je ne peux pas supporter le comportement de Sophie lors de nos réunions.»
- «Quelquefois, j'ai envie de démissionner.»

Il est important de comprendre que personne ne *sait* jamais exactement ce qu'une autre personne éprouve, parce qu'il est impossible de se mettre «dans la peau des autres». Tout ce que l'on peut faire, c'est *deviner* ce qui se passe à l'intérieur de l'autre, en se basant sur l'interprétation des messages qu'on reçoit, à la fois en paroles et en gestes. Ce processus de compréhension de l'autre comporte plusieurs étapes. Il commence quand l'émetteur éprouve une quelconque insatisfaction, un déséquilibre interne ou une frustration.

Émetteur

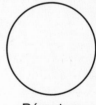

Récepteur

Le récepteur ne peut savoir ce qui se passe dans le «monde intérieur» de l'émetteur, ni en saisir la signification. Mais si l'émetteur veut l'exprimer, il doit d'abord choisir un *code* approprié qui représentera ou symbolisera ses sentiments.

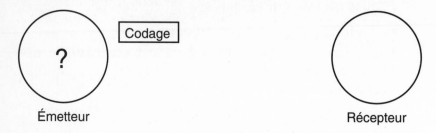

Ensuite, l'émetteur transmet ce code (dans ce cas, un message verbal: «À quoi bon essayer de changer quelque chose ici?»)

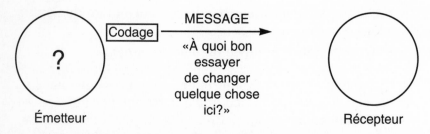

Quand le récepteur entend ce code particulier, il doit amorcer un processus de *décodage*: deviner ou déduire à partir du message ce que l'émetteur éprouve intérieurement. Dans l'exemple présent, on peut dire que le récepteur décode que l'émetteur se sent très découragé.

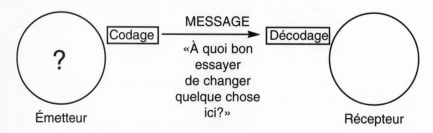

Ce diagramme de la communication entre deux personnes permet de visualiser qu'il ne suffit pas qu'une personne exprime quelque chose pour qu'il y ait communication, comme on le pense généralement. En réalité, la communication nécessite à la fois *l'expression* chez l'émetteur et *l'impression* chez le récepteur. Une communication efficace et complète a seulement lieu quand:

L'impression = L'expression

La compréhension réelle d'une autre personne ne se produit que si l'impression du récepteur (le résultat du décodage) correspond exactement à ce que l'émetteur voulait exprimer.

Malheureusement, une communication efficace comportant une réelle compréhension est beaucoup plus rare qu'on ne le pense parce que:

- Les gens ne se sentent pas toujours libres de dire ce qu'ils pensent réellement.
- Leurs sentiments réels ne sont pas toujours clairs.
- Les sentiments sont quelque peu difficiles à exprimer en mots (il est difficile de trouver un code approprié).
- Les mêmes mots (codes) revêtent des sens différents selon les personnes.
- Parfois, on ne comprend que ce que l'on veut bien comprendre (on décode de manière sélective).
- Comme récepteur, on est souvent si occupé par ce que l'on va dire qu'on ne se préoccupe même pas de décoder le message de l'émetteur (et ainsi on ne comprend pas).
- L'émetteur peut ne pas savoir si le récepteur a correctement décodé le message.
- Le récepteur peut ne pas être certain d'avoir correctement décodé le message.

Bien que ces réactions rendent difficile une réelle compréhension, nous disposons de beaucoup de moyens d'augmenter l'adéquation entre l'impression et l'expression. Nous savons aussi plus précisément ce qui y fait obstacle.

D'abord, un rappel. Comment s'exprime-t-on quand on a un problème? Par des signaux ou par de brefs messages qui laissent entrevoir ses sentiments. On est encore loin d'amorcer le *processus de résolution de problèmes*. La tâche du leader est d'essayer de mettre en marche ce processus et d'aider le collaborateur à franchir les différentes étapes du processus de résolution de problèmes déjà citées, soit:

1. Identifier et définir le problème;
2. Énumérer des solutions possibles;
3. Évaluer ces solutions;
4. Prendre une décision;
5. Appliquer la décision;
6. Évaluer les résultats par la suite.

Le but du leader est de veiller à ce que «le problème soit résolu».

Les réponses qui facilitent la résolution de problèmes

LES INVITATIONS À PARLER

Une fois qu'une personne a émis un bref message qui permet de percevoir son sentiment et qui indique à l'écoutant l'existence possible d'un problème, l'émetteur (la personne qui recherche une aide) ne s'engage pas habituellement dans le processus de résolution du problème, à moins que l'écoutant ne lui tende une perche, ne lui ouvre la voie et ne lui offre son aide.

- Veux-tu en parler?
- Puis-je vous venir en aide pour ce problème?
- Je serais intéressé à savoir ce que tu ressens.
- Cela t'aiderait-il d'en parler?
- Parfois, cela libère de dire ce qu'on a sur le cœur.
- J'aimerais vraiment vous aider si je le peux.
- Parle-moi de ça.
- J'ai du temps, si vous êtes libre. Voulez-vous en parler?

En règle générale, les personnes qui éprouvent un problème ont peur de l'imposer aux autres — de prendre de leur temps, de les déranger, de se décharger sur eux du poids qui les oppresse, et ainsi de suite. Elles ont habituellement besoin que l'écoutant les rassure, en quelque sorte, sur sa disponibilité à assumer le rôle d'agent d'aide. Ses réponses leur apportent la preuve tangible qu'on est «avec» elles, non seulement qu'on les entend mais qu'on les saisit. Les bons récepteurs manifestent ainsi leur disponibilité et leur attention.

L'ÉCOUTE PASSIVE

Comme chacun le sait, quand on a un problème et que l'on se trouve face à quelqu'un qui se tait et qui écoute, on est généralement encouragé à en parler. La disponibilité de l'écoutant et son calme sont habituellement pris comme des signes de son intérêt et de sa sollicitude. Le silence (ou l'écoute passive) est un outil puissant pour amener les gens à parler de ce qui les préoccupe; parler à quelqu'un qui est disposé à écouter peut justement donner le coup de pouce dont une personne a besoin pour avancer.

LES RÉPONSES DE RÉCEPTION

La plupart des personnes dont l'esprit est préoccupé par un problème attendent d'un interlocuteur davantage qu'un silence complet. Elles aimeraient s'assurer que cet interlocuteur n'est pas distrait ou absorbé par ses propres pensées. Elles ont besoin, de temps à autre, qu'il ou elle accuse réception de leurs messages, par des signaux tels que:

- un regard;
- un hochement de tête

ou par des mots tels que:

- «Je vois»;
- «Ah!»;
- «Mm-hmm»;
- «Je comprends»;
- «Intéressant»;
- «Vraiment?»;
- «Continuez»;
- «Je vous écoute»;
- «Oui».

L'ÉCOUTE ACTIVE

Bien que les invitations à parler, l'écoute passive et les signes d'écoute du récepteur aident l'émetteur à parler, elles ne garantissent pas vraiment que:

L'impression = L'expression

Aucune des trois techniques précédentes n'assure l'émetteur que l'interlocuteur le *comprend* réellement. Pour que l'impression de ce dernier corresponde sans risque d'erreur à l'expression de l'émetteur, l'écoutant doit employer une forme d'écoute plus active.

Revenons au dernier diagramme, dans lequel l'émetteur a choisi le message: «À quoi bon essayer de changer quelque chose ici?» Le récepteur a décodé ce message comme: «Il se sent très découragé.» Maintenant, supposons que le récepteur reflète exactement le message dans les termes où il l'a décodé:

«Tu te sens très découragé.»

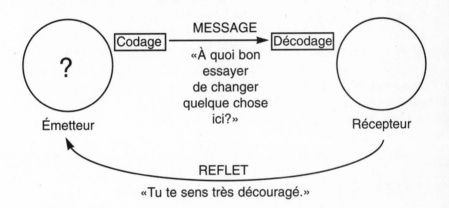

À travers ce reflet, l'émetteur peut réellement vérifier s'il a été compris. Et après l'avoir entendu, il peut soit le confirmer («C'est vrai»), soit le rectifier («Je suis plus furieux que découragé»). La *confirmation* de l'émetteur prouverait à l'écoutant l'exactitude de son «impression». La rectification en montrerait l'inexactitude.

L'écoute active est constituée de reflets fréquents exprimés par le récepteur. On ne peut jamais être absolument certain d'avoir complètement et exactement compris une autre personne; c'est pourquoi il est essentiel de vérifier l'exactitude de notre écoute et de minimiser ainsi les malentendus et les déformations qui se produisent dans la plupart des communications entre les personnes. Les invitations à parler, l'écoute passive et les réponses de réception

montrent seulement que l'écoutant *a l'intention* de comprendre; l'écoute active fournit la preuve qu'il a effectivement compris. Cette preuve encourage l'émetteur à continuer de parler et à approfondir son problème.

L'écoute active n'est pas compliquée. Il suffit pour l'écoutant
de reformuler dans ses propres mots sa compréhension du
message de l'émetteur. Il s'agit simplement d'une vérification: mon impression est-elle acceptable pour l'émetteur?
Cependant, apprendre à employer correctement l'écoute
active nécessite un entraînement long et régulier. Ayant
formé personnellement des centaines de leaders, je confirme que la plupart des participants peuvent acquérir un
niveau acceptable de compétence en quelques semaines.

Pour vous familiariser avec l'écoute active, voici quelques exemples. On y lit d'abord le message, puis la réponse
de l'écoutant (chacune de ces réponses est un reflet exact).
À titre d'exercice, je vous suggère de les lire à voix haute.

1. *Émetteur*: Je ne sais pas comment faire pour
régler ce foutu problème.

   Écoutant: Tu es vraiment bloqué quant à la façon de
le résoudre!

2. *Émetteur*: M... Pourquoi ne puis-je jamais obtenir
des plans exacts du service d'ingénierie?

   Écoutant: Ça te rend furieux de trouver des erreurs
dans leurs plans.

3. *Émetteur*: Désolé, je ne t'écoutais pas. J'avais l'esprit
ailleurs. Je suis préoccupé par un problème
avec mon fils François. Il est complètement
perdu.

   Écoutant: Tu sembles très préoccupé par ton fils.

4. *Émetteur*: S'il vous plaît, ne me parlez pas de ça maintenant.

   Écoutant: Vous n'êtes pas suffisamment disponible pour en parler maintenant.

5. *Émetteur*: J'ai l'impression que l'on n'a pas avancé à la réunion d'aujourd'hui.

   Écoutant: Tu es déçu par notre réunion.

6. *Émetteur*: Je ne vois vraiment pas pourquoi il faudrait que je remplisse deux pages de formulaire chaque fois que je demande quelque chose au service des achats.

   Écoutant: Vous trouvez que ça vous prend beaucoup trop de temps et vous vous demandez si c'est vraiment utile, n'est-ce pas?

Pourquoi employer l'écoute active

Prévenir ou réduire les malentendus dans la communication entre personnes est une raison suffisante pour que les leaders fassent l'effort de devenir compétents en écoute active. Mais d'autres raisons tout aussi importantes motivent cet effort.

Au cours des cinq dernières décennies, certains psychologues ont tenté d'identifier dans les relations humaines les éléments déterminants qui favorisent le développement personnel et la santé psychologique. Cette recherche intensive, qui visait d'abord uniquement à identifier les attitudes et les comportements des agents d'aide professionnels (consultants et psychothérapeutes), a éventuellement conduit certains psychologues à étudier les qualités personnelles des enseignants et des parents efficaces, ainsi que des couples heureux. On en tira une conclusion assez évidente: au moins deux éléments s'avèrent nécessaires dans toute relation pour qu'une personne favorise le développement et la santé psychologique de l'autre: *l'empathie* et *l'acceptation*.

L'«empathie» est la capacité de se mettre «dans la peau des autres» et de comprendre «leur monde personnel et son sens» — comment ils voient leur réalité, comment ils ressentent les choses. L'écoute active favorise cette compréhension essentielle. Un climat où une personne peut fréquemment se sentir comprise avec empathie favorise sa santé psychologique globale et son développement personnel. Je crois que cela se produit d'abord parce qu'un tel climat *facilite la résolution des problèmes,* ce qui résulte en une plus grande satisfaction des besoins. Quand on résout ses problèmes et qu'on réussit à satisfaire ses besoins, on se sent libre de gravir les échelons de la pyramide de Maslow jusqu'aux plus hauts niveaux, découvrant ainsi de nouvelles façons de se réaliser et de se développer.

L'«acceptation», on s'en souvient, consiste à se sentir bien face aux actes d'une personne; les «comportements acceptables» se situent dans la zone supérieure de la fenêtre de perception.

Comportements
acceptables

Comportements
inacceptables

Évidemment, on n'éprouve aucun besoin de changer les comportements acceptables; on peut alors accepter l'autre personne telle qu'elle est à ce moment-là. (Ce comportement ne nous empêche pas de satisfaire nos propres besoins.) L'écoute passive, les messages de réception et tout particulièrement l'écoute active constituent les réponses verbales (ou les outils) pour communiquer clairement l'acceptation. C'est ce que font ces phrases:

- «Je saisis ce que tu ressens.»
- «Je comprends comment vous concevez les choses maintenant.»
- «Je te vois tel que tu es maintenant.»
- «Je me sens intéressé et concerné.»
- «Je comprends où tu en es, maintenant.»
- «Je n'ai nullement l'intention de vous changer.»
- «Je ne te juge pas, je ne t'évalue pas.»
- «Tu n'as pas à avoir peur de mon jugement.»

Contrastant nettement avec l'écoute passive, les réponses de réception et l'écoute active, certains autres messages que nous utilisons souvent communiquent le désir ou l'intention du récepteur de *changer celui qui a recours à son aide,* de diriger sa conduite ou de l'influencer pour l'amener à se comporter différemment. Ces réponses ralentissent ou inhibent la résolution de problèmes, c'est pourquoi je les ai nommées «obstacles». Il en existe douze. Les voici, avec des exemples:

1. *Ordonner, diriger, commander*
   «Tu dois faire cela.»
   «Tu ne peux pas faire cela.»
   «Je m'attends que tu fasses cela.»
   «Arrête!»
   «Va t'excuser auprès d'elle.»

2. *Menacer, avertir, mettre en garde*
   «Tu ferais mieux de le faire sinon...»
   «Si tu ne le fais pas, alors...»
   «Tu ferais mieux de ne pas essayer.»
   «Je t'avertis, si tu le fais...»

3.   *Faire la morale, prêcher, implorer*
«Tu devrais faire cela.»
«Tu devrais essayer.»
«C'est ta responsabilité de faire ceci.»
«C'est ton devoir de faire cela.»
«J'espère que tu vas le faire.»
«Je te recommande de faire cela.»

4. *Conseiller, suggérer, donner des solutions*
«Voici ce qu'à mon avis tu devrais faire...»
«Laisse-moi te suggérer...»
«Ce serait mieux pour toi si...»
«Pourquoi ne pas adopter une approche différente?»
«La meilleure solution est...»

5. *Argumenter, persuader par la logique, faire la leçon*
«Réalises-tu que...»
«Les faits sont en faveur de...»
«Laissez-moi vous exposer les faits.»
«Voici la bonne façon.»
«L'expérience nous dit que...»

6. *Juger, critiquer, donner tort, blâmer*
«Tu n'as pas de jugement.»
«Votre pensée n'est pas rigoureuse.»
«Tu n'es pas sur la bonne voie.»
«Tu n'as pas bien fait cela.»
«Tu as tort.»
«C'est idiot de dire une chose pareille.»

7. *Complimenter, approuver, évaluer positivement, flatter*
«Tu as d'habitude un très bon jugement.»
«Vous êtes une personne intelligente.»
«Vous avez tellement de potentiel!»
«Tu as fait beaucoup de progrès.»
«Tu as toujours réussi dans le passé.»

8. *Étiqueter, ridiculiser, humilier*
   «Tu es négligent.»
   «Tu penses comme tu marches.»
   «Tu parles comme un ingénieur.»
   «Tu as vraiment fait un gâchis encore une fois.»

9. *Diagnostiquer, «psychanalyser», interpréter*
   «Tu dis ça parce que tu es en colère.»
   «Tu es jaloux!»
   «Ce dont tu as vraiment besoin, c'est...»
   «Vous avez des problèmes face à l'autorité.»
   «Tu veux bien paraître.»
   «Tu es un peu paranoïaque.»

10. *Rassurer, sympathiser, consoler, soutenir*
    «Vous vous sentirez différent demain.»
    «Les choses vont s'arranger.»
    «Ça paraît pire que ça ne l'est.»
    «Après la pluie, le beau temps.»
    «Ne t'inquiète pas tant à ce sujet.»
    «Ce n'est pas si grave.»

11. *Enquêter, questionner, interroger*
    «Pourquoi as-tu fait cela?»
    «Depuis combien de temps as-tu cette impression?»
    «Qu'avez-vous fait pour essayer de résoudre cela?»
    «Avez-vous demandé conseil à quelqu'un?»
    «Quand es-tu devenu conscient de ce sentiment?»
    «Qui t'a influencé?»

12. *Distraire, dévier, blaguer*
    «Pense au côté positif.»
    «Essaie de ne pas y penser tant que tu ne te seras pas reposé.»
    «Allons déjeuner et oublie ça!»

«Cela me rappelle le temps où....»
«Tu t'imagines avoir des problèmes!»

Dans ces douze types de réponses le récepteur, implicitement et quelquefois tout à fait explicitement, démontre le désir ou l'intention de *changer* plutôt que d'accepter l'émetteur. Les «obstacles» manifestent le souhait que l'autre pense, sente ou se comporte différemment et ils font pression sur lui en ce sens. Ces douze types de réponses servent de *formules pour communiquer l'inacceptation*. Et nous savons qu'un climat d'inacceptation est très néfaste au développement personnel et à la santé psychologique.

Pourquoi? Il semble que les gens ne résolvent pas très efficacement leurs problèmes quand ils craignent qu'un pouvoir arbitraire ne les fasse changer ou quand ils se sentent menacés, jugés, rabaissés ou analysés dans le but les faire changer. Un tel climat provoque une attitude défensive et une résistance au changement (la personne protège ses besoins de sécurité du 2e niveau); ce climat inhibe aussi l'expression et la recherche de soi-même, qui sont toutes deux nécessaires pour résoudre ses problèmes.

L'écoute remplit une autre fonction très importante pour aider ses collaborateurs à résoudre leurs problèmes: cela leur laisse la responsabilité de résoudre les problèmes qui leur appartiennent. Les douze «obstacles», en revanche, et à divers degrés, tendent à enlever à l'autre la responsabilité de résoudre lui-même son problème pour la remettre dans les mains du leader.

Laisser la responsabilité à celui à qui appartient le problème revêt une grande importance pour deux raisons principales. D'abord, les leaders qui amènent leurs collaborateurs à résoudre leurs propres problèmes font ainsi un judicieux investissement qui a de nombreux avantages: leurs collaborateurs deviennent moins dépendants d'eux, plus autonomes, plus autosuffisants et plus capables de résoudre les problèmes par eux-mêmes.

Ensuite, il est rare que les leaders comprennent suffisamment les complexités et le large éventail des problèmes personnels que leurs collaborateurs rencontrent dans leur vie professionnelle ou privée. Par conséquent, les techniques qui permettent au collaborateur d'être responsable de la résolution de son problème libèrent le leader de la tâche impossible d'apporter des réponses aux problèmes sur lesquels ils n'ont que peu d'information. Même les consultants professionnels, hautement qualifiés, reconnaissent à quel point leur compréhension des problèmes des autres est généralement limitée et ils s'abstiennent d'assumer la responsabilité de fournir des solutions à leurs clients, bien que ceux-ci les poussent souvent à le faire.

Voici un dialogue authentique entre un contremaître et son superviseur. Remarquez comment le contremaître essaie de transférer la responsabilité à son supérieur.

Le contremaître: J'ai un problème: mes hommes sont venus me voir aujourd'hui et m'ont demandé comment il se fait qu'ils ne font aucune heure supplémentaire, alors que les types du service de Lucien viennent le samedi et reçoivent des gratifications.

Le superviseur: Vos hommes souhaiteraient obtenir quelques heures supplémentaires?

Le contremaître: Oui, mais ce n'est pas tellement cela qui m'ennuie. Je veux maintenir les coûts de mon service au plus bas et je n'ai aucune heure supplémentaire à leur proposer; naturellement, ils vont gueuler pour avoir eux aussi des heures supplémentaires, si Lucien le fait pour ses hommes: après tout, c'est tout à fait naturel, vous ne croyez pas?

Le superviseur: Vous ne voulez pas d'heures supplémentaires, mais cela vous met dans une mauvaise posture si les hommes de Lucien viennent et font des heures supplémentaires.

Le contremaître: C'est sûr. Et peut-être que cela ne me regarde pas, mais j'aimerais simplement citer ce fait: Lucien a une bande de nuls, et un bon travailleur pourrait faire ce que trois de ces fainéants font en une journée, c'est pourquoi il doit les faire venir le samedi pour compléter le travail.

Le superviseur: Je vois. Vous avez l'impression que, s'il n'avait pas cette bande de nuls, mais quelques bons ouvriers pour effectuer le travail, il n'aurait pas à faire travailler qui que ce soit en heures supplémentaires. Avez-vous pu en parler à Lucien...?

Le contremaître: Oh! non. À quoi bon? Eh bien! maintenant, laissez-moi vous demander, ne pensez-vous pas que j'ai raison?

Le superviseur commenta plus tard cette conversation et expliqua pourquoi il tenait à laisser le contremaître entièrement responsable de cette situation.

Dans ce cas, il y avait tout un ensemble de conditions. Ce contremaître faisait face aux réactions de ses hommes qui lui causaient des difficultés. D'autre part, il portait un jugement sur les choix et la performance de son collègue contremaître. Et cependant, il ne pouvait l'affronter directement; il disait que c'était mon travail de le faire. Je lui ai dit que je me rendais compte que son problème avec sa propre équipe était pénible, que je pouvais faire part de son problème à l'autre contremaître, mais sans parler de ses jugements sur le personnel médiocre de l'autre service. Je lui ai aussi dit que j'avais beaucoup de réticences à communiquer cela et que j'espérais qu'un jour nous pourrions arriver à ce que chacun se sente libre de transmettre ses sentiments directement aux gens impliqués dans leur problème. Je ne savais vraiment pas si ses opinions étaient justifiées et je le lui ai aussi dit. Cependant, j'ai indiqué que j'étais disposé à les rencontrer ensemble pour discuter avec eux du problème. Le contremaître déclina cette offre.

Voici une autre situation. Un directeur d'usine, formé à l'écoute active, laisse la responsabilité à son collaborateur. Résultat: le contremaître résout seul son problème.

Un jour, un contremaître entra dans mon bureau et referma la porte soigneusement derrière lui. Il dit qu'il avait un grave problème et qu'il voulait m'en parler. Il expliqua qu'il partageait avec un autre contremaître un coffre pour ranger le matériel et qu'il ne parvenait pas à avoir accès à son propre matériel. L'autre contremaître lui avait interdit de se servir du coffre en question.

Il m'expliqua qu'il voulait déterminer soigneusement ce qu'il devait faire. Il voulait que je réfléchisse avec lui. «Je ne veux pas me tromper, disait-il. Je me rends compte de ce qui se passe. Je sais qu'Édouard a quelque chose contre moi; cela dure depuis longtemps. Je n'ai rien contre ce gars, mais je sais qu'il m'en veut; il est en train d'essayer de me couler. Je peux comprendre ce qu'il ressent mais cela remonte loin en arrière et que malheureusement rien ne va changer sa façon de penser. Le problème, c'est que j'ai mon travail à faire et, étant donné ses sentiments actuels, cela me rend la vie dure; j'ai de la difficulté à travailler efficacement. Tout ce que je veux faire c'est de peser sérieusement le pour et le contre afin de trouver la meilleure solution, parce que je sais que si je ne fais rien, il ne changera pas sa tactique; tout ce que je veux, c'est continuer à faire mon travail.»

Une discussion d'une heure s'ensuivit. Le contremaître parlait et je me concentrais pour comprendre ses sentiments. J'essayais de le suivre à mesure qu'il les approfondissait. Il a passé la majeure partie du temps à expliquer les relations médiocres qu'il avait entretenues avec son collègue contremaître et à essayer d'évaluer le comportement de l'autre. Je n'ai ni approuvé ni rejeté son jugement. Quand la discussion prit fin, il avait identifié lui-même quel était, d'après lui, le problème et avait déterminé un plan d'action pour le résoudre.

J'avais l'impression que mon rôle, dans ce cas, consistait à rester en dehors de la friction entre ces deux hommes. Je les avais entendus l'un et l'autre et chacun avait peu à peu révélé ses sentiments profonds. Cependant, il me semblait plus utile de leur fournir un lieu où ils pourraient en toute sécurité régler leurs propres problèmes, plutôt que de m'ingérer dans leur situation pour «créer l'harmonie», «réparer les choses» ou «redresser ces gars». J'ai pensé qu'il valait mieux pour l'un et l'autre laisser leur relation entre leurs mains et leur permettre de la régler, avec le temps. J'avais confiance qu'ils parviendraient à régler leur problème ensemble.

Plusieurs semaines plus tard, j'ai demandé au contremaître qui était venu me voir à propos de ce problème comment il se débrouillait. Il a souri et m'a dit: «Oh! Nous avons réglé tout ça. J'ai découvert la façon de lui parler et je l'ai mis au courant. Faut être organisé dans ces cas-là.»

L'étonnante efficacité de l'écoute active, qui laisse l'entière responsabilité de son problème à la personne à laquelle il appartient (et qui en même temps agit comme un catalyseur pour aider la personne à franchir le processus de résolution de problèmes et, ainsi, trouver sa propre solution) apparaît clairement dans le dialogue suivant entre une directrice et l'une de ses collaboratrices.

Claire: As-tu quelques minutes à m'accorder pour m'aider à résoudre un problème, Nadine?

Nadine: Je dispose d'une demi-heure avant une réunion. Est-ce suffisant?

Claire: Oui, je le pense. Ce n'est pas un problème très compliqué, mais il commence à m'agacer.

Nadine: Ce problème commence à te peser?

Claire: Oui, tout à fait. Une femme qui travaille pour moi me déconcerte au plus haut point. Je ne sais que penser à son sujet. Je pensais que peut-être tu saurais comment agir vis-à-vis de ce type de personnalité.

Nadine: Tu es prise au dépourvu, si je comprends bien?

Claire: Oui. Je n'ai jamais été en contact avec quelqu'un comme elle... Comment la décrire. D'abord, elle est vraiment brillante. C'est sûr. C'est un cerveau. Évidemment, elle le sait... L'ennui, c'est qu'elle pense avoir réponse à tout. Si je lui suggère quelque chose, elle trouve toujours à y redire; elle a toujours une bonne raison pour affirmer que ça ne marchera pas.

Nadine: Ça te frustre quand elle rejette tout ce que tu suggères.

Claire: Oui! Tu peux le dire! Habituellement, elle arrive avec deux ou trois idées qu'elle pense être meilleures, mais ses idées sont si farfelues... Presque chaque fois, ce qu'elle suggère est tout à fait différent de ce que l'on fait actuellement. Ou bien ce sont des idées qui exigent que l'on change nos méthodes de travail ou que l'on mette au point un nouveau gadget quelconque, ou encore que l'on consacre du temps à développer un nouveau modèle, ou quelque chose du genre.

Nadine: Pour toi, ses idées sont trop nouvelles ou trop originales... ou peut-être veux-tu dire qu'elles demandent un trop grand changement des habitudes de travail dans ton service.

Claire: Occasionnellement, je ne refuse pas des suggestions constructives. Mais elle nous donne constamment l'impression, que notre manière de faire les choses est démodée ou vieux jeu! Comme si nous ne progressions pas, comme si nous étions dépassés ou quelque chose comme cela.

Nadine: Tu n'aimes pas qu'on te fasse sentir que tu n'es pas dans le coup.

Claire: Ah! Ça, non! Ces petites jeunes, avec leur diplôme universitaire, sont persuadées qu'on doit tout changer. Je suis fatiguée d'entendre ce refrain tout le temps! Comme si l'expérience ne servait à rien!

Nadine: Tu détestes voir ton expérience dévalorisée et tu en as assez des pressions qu'elle essaie d'exercer sur toi pour que tu changes les choses.

Claire: Oh! Je dois admettre que certaines de ses idées ne sont pas mauvaises. Elle est brillante, c'est vrai. Ce que je voudrais, c'est trouver un moyen de lui faire apprécier ma longue expérience dans ce travail et aussi qu'elle n'agresse pas comme si tout ce que nous faisons était mauvais.

Nadine: Tu reconnais la valeur de certaines de ses idées, mais tu veux aussi qu'elle t'apprécie.

Claire: Je n'ai pas réellement besoin qu'elle m'apprécie. Nous avons notre part de problèmes, mais quel service n'en a pas? Nous n'avons tout simplement pas assez de temps pour les traiter tous.

Nadine: Tu es consciente des améliorations qui pourraient être apportées, mais tu as l'impression de manquer de temps pour t'attaquer à tous les problèmes.

Claire: C'est vrai. J'imagine que nous pourrions tenir une réunion spéciale un soir, après le travail.

Nadine: C'est une possibilité, n'est-ce pas?

Claire: Oui. Alors je ne serai pas la seule à défendre à ses yeux nos méthodes de travail. D'autres dans l'équipe pourraient la convaincre.

Nadine: Tu aimerais que les autres t'aident à te décharger de ce poids.

Claire: Oui, j'aimerais bien ça. Et nous pourrions aussi apporter quelques changements pour lesquels je suis d'accord.

Nadine: Tu penses qu'une réunion pourrait faire d'une pierre deux coups.

Claire: Oui, je le pense. Nous avons besoin de nous serrer les coudes et de faire équipe davantage. Je vais convoquer une réunion la semaine prochaine. Le plus tôt sera le mieux.

Nadine: Tu es tellement contente de cette bonne idée que tu veux passer rapidement à l'action.

Claire: Oui. Maintenant, je dois retourner travailler. Il faut que je trouve une solution pour régler ce méli-mélo que nous avons découvert dans nos commandes en attente. Merci de m'avoir écoutée, Nadine.

Nadine: Tu es toujours la bienvenue, Claire.

Avez-vous remarqué que jamais Nadine n'a pris le problème de Claire en main? Elle a écouté avec empathie, elle a utilisé le reflet après chacun des messages de Claire et elle a évité d'utiliser l'un ou l'autre des douze «obstacles». Il est évident que Claire n'était pas sur la défensive, ce qui lui a permis de trouver une solution qui lui plaît.

Questions fréquentes sur l'écoute active

Jusqu'ici, j'ai choisi soigneusement les exemples d'écoute active, principalement pour vous permettre d'apprendre à reconnaître exactement quel type de réponse elle fournit, comment elle diffère des douze «obstacles» et à quoi ressemble un dialogue entre deux personnes, dont l'une a un problème. Afin de prévenir les malentendus et les erreurs d'interprétation, je vais exposer plus en détail cette technique importante.

DOIT-ON REFLÉTER CHAQUE MESSAGE?

Non, bien sûr. Il faut se rappeler qu'il existe trois autres sortes de réponses qui facilitent la résolution du problème: les invitations à parler, l'écoute passive et les réponses de réception. On se rend compte qu'on les utilise quand on essaie d'être un consultant efficace auprès d'une personne qui a un problème. Ainsi, parfois, quand on ne comprend pas assez bien certains messages pour les refléter, on répondra par le silence ou par quelques «Mm hmm».

PEUT-ON UTILISER QUELQUEFOIS LES «OBSTACLES»?

Il est certainement possible de les utiliser sauf quand une autre personne a un problème. Les réponses d'aide sont plus efficaces quand l'émetteur *a un problème* et demande de l'aide.

Dans ces situations particulières, en utilisant les «obstacles», on *court le risque de bloquer* le flot de la communication et d'entraver la résolution du problème. En d'autres occasions, comme je le montrerai plus loin, en utilisant les «obstacles», *on risque peu* de bloquer la communication: par exemple, dans la zone «sans problèmes». Dans ces cas-là, cela nuit rarement aux relations d'informer, de conseiller, de présenter des solutions, de poser des questions, d'évaluer ou même de plaisanter. Cependant, même dans ces situations, il est essentiel de rester attentif et de reconnaître les signes qui indiquent qu'un membre de l'équipe a un problème et n'est plus productif. C'est alors qu'il est important de recourir à l'écoute active.

PEUT-ON TOUJOURS FAIRE CONFIANCE AUX AUTRES POUR RÉSOUDRE LEURS PROPRES PROBLÈMES?

C'est probablement la meilleure position à adopter. En effet, nous commettons habituellement l'erreur de sous-estimer la capacité des gens à résoudre leurs propres problèmes. Bien sûr, ils ne parviennent pas *toujours* à trouver une solution. Dans certains cas où on offre son aide et où on offre une bonne écoute, on se rend compte que l'autre n'est pas disposé à s'engager, à ce moment-là, dans une résolution de problèmes. Alors, il vaut mieux se retirer et respecter cette décision. Dans d'autres cas, on a la surprise de constater que la personne préoccupée par un problème ne fait que l'exposer et exprimer ses sentiments; et c'est apparemment tout ce dont elle a besoin: pas de solution, juste un peu d'empathie de la part de l'écoutant, et l'occasion de voir ses sentiments acceptés. Dans d'autres situations la personne que l'on aide franchit seulement les 1re et 2e étapes du processus de résolution de problèmes, puis remercie chaleureusement l'écoutant et s'en va. Il n'y a pas lieu d'être déçu! Souvent, elle achèvera seule, plus tard, le processus de résolution de problèmes, ou réclamera peut-être de l'aide ultérieurement. Enfin, on a souvent des problèmes dont la solution exige des ressources (connaissances, instruments, argent) que l'on ne possède pas nécessairement. En voici un exemple:

Collaborateur: Je suis vraiment coincé. J'ai besoin d'argent pour acheter du matériel, mais je ne sais pas si le budget du service me permettrait cette dépense.

Leader: Hélas! Notre budget est serré. Mais laisse-moi voir si nous pouvons trouver un moyen de financer cette dépense. Puis-je t'en reparler?

Nous utilisons le terme de «dépendance légitime» pour de telles situations — ces occasions où quelqu'un dépend légitimement de nous pour obtenir une information ou quelque autre ressource; nous disposons de ce dont l'autre a besoin et qu'il n'a pas. Dans de tels cas, l'écoute active est non seulement d'aucune utilité, mais elle est en plus inappropriée.

L'ÉCOUTE ACTIVE IMPLIQUE-T-ELLE QU'ON EST D'ACCORD?

Il est compréhensible que cette question soit souvent posée. La plupart d'entre nous sommes habitués à un type de communication qui transmet soit l'accord soit le désaccord. Quand on écoute les autres, ils répondent habituellement avec des mots qui signifient que c'est bien ou mal, correct ou incorrect, logique ou illogique, bon ou mauvais... L'écoute active ne communique jamais une appréciation négative ou un désaccord. Cependant, dès qu'ils pratiquent cette technique, certains leaders craignent qu'en reflétant les sentiments d'une personne (en particulier la colère, la haine, le découragement, le désespoir et les sentiments semblables), ils transmettent les messages suivants: «Je pense que tes sentiments sont justifiés», «J'approuve vos sentiments», «Je pense que tu as raison» ou «Je suis d'accord avec toi». C'est pourquoi on me demande souvent: «L'écoute active ne renforce-t-elle pas ou n'accentue-t-elle pas les sentiments négatifs?»

De telles craintes sont fondées sur la confusion entre *l'acceptation* et *l'accord*. Dire: «Tu te sens vraiment désespéré» est tout à fait différent de «Je suis d'accord que la situation est sans espoir».

94

L'écoute active communique: «Je comprends ce que tu ressens» mais ne communique ni l'accord ni le désaccord, et ne juge pas si les sentiments exprimés sont bons ou mauvais. L'écoutant communique seulement l'acceptation de l'existence de ces sentiments. Cette sorte d'acceptation peut fortement désarmer l'émetteur, car il la rencontre rarement. Cet aspect explique l'effet absolument unique de l'écoute active: on laisse à l'émetteur la responsabilité de déterminer si ses sentiments sont appropriés ou non. Et cela conduit souvent à une résolution de problèmes productive.

LES TECHNIQUES D'ÉCOUTE SUFFISENT-ELLES?

Non, mais elles suffisent dans beaucoup de situations lorsque les membres de l'équipe ont des problèmes qui les empêchent de satisfaire leurs besoins. En d'autres occasions, après avoir compris le problème d'un collaborateur, il paraîtra évident qu'il faut aller plus loin.

Jeanne est malheureuse parce que j'ai fréquemment laissé les réunions de service se poursuivre au-delà de l'heure convenue, ce qui lui a fait rater le train qui devait la ramener chez elle.

Charles me dit qu'il n'a pas assez de place à sa disposition pour classer ses dossiers et que son efficacité en souffre; il a besoin d'une autre armoire dans son bureau.

Marc est contrarié parce qu'il ne dispose pas d'assez de temps pour faire taper ses documents au secrétariat central, ce qui provoque des délais coûteux pour la réalisation de ses projets.

Les membres de mon équipe essayent de me persuader que leur productivité est sérieusement réduite à cause d'un règlement de la société qui exige de la paperasse inutile. Cependant, je ne peux pas changer le règlement sans l'approbation de mon supérieur.

François me demande s'il peut quitter une heure plus tôt deux fois par semaine, pour être chez lui quand ses enfants reviennent de l'école. Il me propose de commencer une heure plus tôt chaque fois.

Bien évidemment, chacun de ces problèmes demande des réponses de ma part. Il ne suffit pas d'écouter activement ces collaborateurs énoncer leurs problèmes. Ils ont besoin de réponses, ils demandent que j'intercède pour eux. L'écoute active peut faciliter la définition du problème et la découverte d'une solution; mais la solution elle-même dépend de l'action que je vais entreprendre.

Écouter avec compréhension, empathie et acceptation est une technique essentielle pour un leader efficace, mais ce n'est pas le seul outil pour résoudre les problèmes rencontrés par ses collaborateurs.

QUE FAIRE SI JE N'AI PAS ENVIE D'ÉCOUTER?

Il est important de se rappeler que l'écoute active est une technique d'une grande efficacité pour aider les autres à résoudre leurs propres problèmes; mais c'est seulement un *véhicule,* un moyen de communiquer ses attitudes d'acceptation et de compréhension empathique. Si, pour une raison ou pour une autre, nous ne sommes pas disponibles quand un de nos collaborateurs vient nous faire part de son problème, la technique de l'écoute active ne masquera jamais ce véritable sentiment. Et de toute façon, si on n'a pas l'intention d'être compréhensif, on ne pourra pas faire un bon travail d'écoute.

Prenons un exemple: un collaborateur veut parler d'un problème justement quand on est très occupé par un travail qui doit être achevé immédiatement (finir un rapport que la direction attend, faire plusieurs appels importants ou encore se rendre en toute hâte à une réunion à laquelle on doit assister). Ce n'est pas le moment de commencer l'écoute active, car notre esprit est occupé à autre chose. Mieux vaut dire à cette personne qu'on ne peut pas l'aider pour le moment, en lui en expliquant la raison, et lui demander si elle pourrait revenir plus tard, quand on sera disponible pour l'aider.

J'ai déjà souligné ce point quand j'ai présenté le «principe de la source»: on n'est disposé à aider une autre personne que si l'on est relativement «satisfait» (libre des pressions de ses propres besoins). Si on le fait sans être vraiment disponible, on n'accomplit pas du bon travail. Aider une autre personne à franchir les étapes du processus de résolution d'un problème exige non seulement du temps mais aussi une attitude authentique d'accueil et d'acceptation. Inutile de prétendre qu'on est disponible si on ne l'est pas ou d'offrir son aide si on n'en a pas envie. La plupart des problèmes des membres d'une équipe peuvent attendre quelques heures (ou même quelques jours), jusqu'à ce que l'on soit en mesure d'assumer son rôle d'aide.

Écouter une autre personne avec empathie et exactitude exige une attention soutenue. Aussi, on se rend compte qu'on ne peut pas écouter avec la concentration requise si on est absorbé par ses propres pensées ou préoccupé par quelque chose. Les membres d'une équipe n'ont pas besoin d'un leader qui écoute *toujours*; ils ont besoin d'un leader qui écoute quand ils se sentent vraiment disposés à comprendre, à accepter et à faire preuve de sollicitude.

CHAPITRE 5

Employer les techniques d'écoute au quotidien

D ans les équipes et les entreprises, le nombre de situations qui nécessitent l'usage de l'écoute empathique est presque illimité. On peut dire sans exagération que chaque jour, tout leader a l'occasion de mettre en pratique ses techniques d'écoute. Si on fait l'effort nécessaire pour développer ses capacités d'écoute, on a la grande satisfaction d'en constater l'efficacité. Mais cette habileté ne peut être acquise que par la pratique. Comme pour n'importe quelle autre technique, le meilleur moyen d'apprendre les techniques d'écoute active consiste évidemment à participer à une formation structurée, où l'on est encadré et guidé par un formateur spécialisé. Mais à la longue, chacun devient entièrement responsable de son apprentissage et on ne progresse qu'en pratiquant l'écoute active dans diverses situations. Dans ce chapitre, je montrerai comment on peut employer les techniques d'écoute au quotidien.

Les sentiments sont nos amis

Dès l'enfance, nous sommes conditionnés à considérer les sentiments comme mauvais et dangereux, ennemis des bonnes relations humaines. Ainsi, on grandit dans la peur des sentiments, les siens et ceux des autres, essentiellement parce qu'on a entendu les adultes prononcer ce type de message:

- «Ne me dis jamais que tu détestes ton petit frère.»
- «Tu ne devrais pas être découragé par ce qui arrive.»
- «Si tu n'es pas capable de dire quelque chose d'agréable, alors ne dis rien.»
- «Ne t'inquiète pas, ça ira mieux demain.»
- «Il n'y a aucune raison d'avoir peur.»
- «Serre les dents.»
- «Mets ton orgueil dans ta poche.»
- «Calme-toi, s'il-te-plaît»

Plus tard, on rencontre d'autres situations qui renforcent le puissant interdit envers l'expression des sentiments, notamment dans le monde du travail, où on est averti tout simplement que les sentiments n'y ont pas leur place. En quelque sorte, les émotions et les sentiments sont perçus comme contraires à la rationalité et aux relations superficielles que l'on veut instaurer au travail. Laisser ses soucis à la porte et serrer les dents: tels sont les comportements considérés comme appropriés dans les entreprises. On croit qu'à la longue ces comportements seront valorisés et récompensés.

Cette norme répressive qui régit tout groupe contribue à entretenir une santé psychologique médiocre; elle va aussi à l'encontre de l'efficacité et de la productivité dans l'entreprise. Comme chacun le sait bien, le travail en équipe engendre toutes sortes de sentiments, des plus légers aux plus vifs: irritation, colère, frustration, déception, peine, crainte, démotivation, désespoir, haine, amertume, découragement. Ce qui est malsain, ce n'est pas d'*éprouver* de tels sentiments, c'est de les *réprimer*. Étouffer continuellement ses sentiments est «dangereux pour la santé». Cela peut provoquer des ulcères, des maux de tête, des brûlures d'estomac, de l'hypertension, et de nombreux autres problèmes psychosomatiques. Refouler ses sentiments peut aussi réduire l'efficacité, tout simplement en provoquant des distractions au travail. J'ai demandé un jour à un professeur comment il faisait pour supporter le climat répressif de l'école où il travaillait. Il m'a répondu: «Comme la plupart des professeurs ici, j'utilise la méthode des "trois martinis après le travail".» Le directeur du service des ventes d'une entreprise où j'étais intervenu comme consultant en organisation avait, pour «survivre», adopté la formule suivante: «Je garde la bouche cousue et le nez propre.»

Contrairement à la croyance selon laquelle «les sentiments n'ont pas leur place au travail», on constate avec évidence que l'expression des sentiments accroît vraiment l'efficacité et la productivité d'une équipe. Exprimer ouvertement ce que l'on ressent remplit exactement la même fonction dans une équipe que la douleur dans notre organisme. La douleur est un signal d'alarme qui indique que quelque chose fonctionne mal à l'intérieur du corps; de même, les sentiments des membres d'une équipe sont autant d'indices qui avertissent le leader que quelque chose fonctionne mal à l'intérieur de son équipe. Par conséquent, le leader a tout intérêt à favoriser un climat où les membres de l'équipe peuvent exprimer librement leurs sentiments.

Le leader a tout avantage à traiter les sentiments comme des «amis», et non comme des dangers. Mieux vaut bien accueillir les sentiments parce que ce sont des signaux qui manifestent l'existence d'un problème. Grâce à cette attitude d'accueil, le leader les reconnaît et, plus important encore, n'oppose pas d'obstacle aux personnes qui s'expriment. Il les encourage plutôt, par l'écoute active, à dépasser les sentiments et à atteindre le problème de fond. Comparons ces deux manières de répondre à l'expression des sentiments dans les situations suivantes.

1. *Le collaborateur:* Ça suffit! Je ne veux plus entendre de reproches sur ce que nous faisons dans la boutique!

   a) *Le leader:* Allons, Jean, accepte cela comme une critique constructive. (Faire la morale, prêcher)

   b) *Le leader:* On dirait que tu te sens coincé de tous les côtés. (Écoute active)

2. *Le collaborateur:* Mais pourquoi Martine fait-elle tant d'erreurs?

   a) *Le leader:* Elle subit beaucoup de pression en ce moment. (Sermonner, exposer les faits)

   b) *Le leader:* Tu es vraiment frustré par son manque d'efficacité. (Écoute active)

3. *Le collaborateur:* Je ne me sens pas très sûr de mes capacités.

   a) *Le leader:* Je sais que tu es capable de le faire si tu essaies. (Rassurer)

   b) *Le leader:* Tu as peur que ce travail ne soit trop difficile pour toi. (Écoute active)

4. *Le collaborateur:* Tu ne me feras plus prendre de risques dans les réunions de service.

   a) *Le leader:* Paul, tu étais manifestement hors sujet. (Juger, critiquer)

   b) *Le leader:* Tu regrettes d'avoir affirmé ta position et peut-être en as-tu été blessé. (Écoute active)

Dans chacun de ces exemples, la première réponse donnée au collaborateur bloquera très probablement la recherche et l'identification du problème. Les secondes réponses communiquent l'acceptation, par l'écoute active, et encouragent ce collaborateur à surmonter son malaise et à redéfinir son véritable problème.

Les sentiments peuvent être passagers

Quand quelqu'un dit: «Je déteste ce travail!» ou «Je ne peux pas travailler avec Claudine!» ou «Personne, ici, n'apprécie mon travail!», on est souvent porté à penser que ces sentiments sont pratiquement permanents et immuables. Et en général, plus le sentiment est intense, plus il semble définitif et irréversible. Par exemple, si ma femme m'accueillait à la porte en me lançant «Je suis furieuse contre toi!», ma réaction immédiate serait de penser que, d'une façon quelconque, j'ai compromis mon foyer et que ma femme n'aura plus jamais les mêmes sentiments à mon égard. Les parents, également, ont une réaction semblable quand un de leurs enfants s'exclame: «Je n'irai plus jamais en voyage avec vous, jamais!»

Heureusement, ces sentiments négatifs sont souvent tout à fait passagers. Ce caractère transitoire s'explique en partie ainsi: on choisit exprès d'exprimer de vifs sentiments négatifs comme un code pour communiquer: «Je veux m'assurer d'obtenir toute ton attention» ou «Je veux que tu saches à quel point tu m'as fait mal». Si le récepteur est capable de décoder ce sentiment négatif et d'y répondre en l'acceptant et en le comprenant avec empathie, alors, presque comme par magie, ce sentiment vif disparaît pour faire place à un sentiment bien moins intense et peut-être même à un sentiment positif. J'ai souvent entendu un petit enfant dire à ses parents «Je te déteste» ou «Tu es horrible»; mais en moins d'une minute, pourvu que le parent accepte ce premier sentiment, l'enfant finit par se jeter dans ses bras et par l'embrasser. La même chose se produit entre adultes dans les équipes et les entreprises. Quand les leaders reconnaissent que les sentiments intenses ne sont pas gravés dans la pierre, ils sont moins effrayés d'y faire face et deviennent plus en mesure de les traiter de manière constructive. Encore une fois, l'écoute active constitue le meilleur outil: elle a généralement pour effet de désamorcer le sentiment négatif. L'extrait suivant illustre cela; il provient d'un entretien que nous a accordé le directeur des relations humaines d'une société de produits chimiques.

Un jour, le représentant syndical est entré dans mon bureau très fâché. Il était si profondément plongé dans ses sentiments que je n'avais absolument aucune influence sur lui. J'ai répondu aux questions qu'il me posait, mais cela le choquait encore plus, à tel point qu'il s'est levé et s'est dirigé vers la porte. Alors qu'il était à deux pas de la porte, j'ai légèrement élevé la voix et je lui ai dit: «Tu es vraiment très choqué par cette affaire.» Alors il s'est arrêté, il a hésité, il s'est retourné: il était rouge comme une tomate. Mais il est revenu sur ses pas, il s'est assis et s'est exclamé: «Tu peux le dire! Je suis furieux!» Et puis il a tout déballé; et il est resté dans mon bureau quelques minutes de plus. Quand il est parti, nous avions encore certains problèmes importants, mais la rougeur de son visage avait diminué de moitié. Et je n'avais plus peur qu'il sorte furieux ni ne nous cause du tort. La situation avait été désamorcée. Je pense qu'il espérait que quelque chose arrive qui lui épargnerait d'avoir à agir comme il menaçait de le faire.

La prochaine fois que quelqu'un émet un message chargé d'émotion, cela vaut la peine de s'asseoir et d'employer l'écoute active pour montrer que l'on comprend et que l'on accepte le sentiment de cette personne. Cette émotion peut parfois disparaître aussi vite qu'elle est apparue.

Atteindre le problème réel

Les problèmes sont comme les oignons: ils ont plusieurs couches. C'est seulement après avoir enlevé les peaux extérieures que l'on arrive au cœur du problème. On connaît parfois le problème réel, mais on a peur de commencer par là. Plus souvent, cependant, on n'est même pas conscient de ce qui se trouve sous les couches superficielles. Quand une personne commence à parler d'un problème qui la tracasse, ce que l'on entend n'est généralement que le problème de départ. L'écoute active lui facilite la tâche, lui permet de franchir ce premier niveau et d'atteindre enfin le cœur du problème.

Un directeur, que nous avons rencontré quelques mois après qu'il eut participé à notre formation, nous a décrit comment il avait appris à attendre et à écouter jusqu'à ce que ses collaborateurs soient parvenus à exposer leurs problèmes réels.

> Pendant des années, j'ai pensé que l'un de mes problèmes était de ne pas savoir écouter quand on me parlait. J'ai appris à écouter, sans essayer de penser à l'avance à ce que j'allais répondre. Auparavant, je faisais beaucoup cela. Si un gars venait me voir et critiquait un point quelconque, je commençais tout de suite à penser à ce que j'allais répondre à cet emmerdeur. Je crois que je ne l'écoutais pas du tout. Je me suis beaucoup amélioré. Maintenant quand un gars vient m'exposer un problème, je mets fin à mes propres réflexions, je l'écoute et parfois je prends des notes. Ce qui se passait auparavant, c'est que j'essayais parfois de résoudre le mauvais problème; j'avais les réponses avant qu'il ne m'ait expliqué la moitié de son histoire. C'était une réponse, mais pas la réponse au problème qui le dérangeait vraiment.

Voici un autre exemple: celui d'une directrice du personnel d'une municipalité qui, en employant l'écoute active, a aidé une employée à passer du problème de départ à un problème plus fondamental.

Tout d'abord, l'employée s'est plainte avec amertume de l'appréciation injuste de sa performance que son superviseur venait de lui communiquer. J'étais convaincue qu'elle pensait que les objectifs de travail fixés par son superviseur étaient injustes et impossibles à atteindre. L'écoute active a fini par mettre en évidence le vrai problème: l'employée avait déjà décidé de donner sa démission parce qu'elle allait se marier et déménager. Elle avait peur de ne pas pouvoir obtenir une bonne lettre de recommandation pour son prochain employeur. Quand le vrai problème a émergé, j'ai aidé l'employée à prendre la décision de communiquer directement avec son superviseur et de lui demander une lettre. Et en fait, elle a fini par obtenir de bonnes recommandations.

Dans cette situation, comme cela arrive très souvent, un peu d'écoute du problème de départ a permis de découvrir une préoccupation plus profonde de l'employée et d'y apporter la solution appropriée.

Les gens sont plus sympathiques qu'on ne le pense

On évalue et on juge souvent les autres. Quand on voit des gens se comporter de certaines manières, on a tendance à les juger et à leur accorder ou non notre sympathie. Quand on ne parvient pas à comprendre ce qu'il y a derrière le comportement de ces personnes, surtout si celui-ci est inhabituel, on est porté à ne pas les apprécier. De même, quand on connaît mieux les gens, généralement on les aime mieux. Et, puisque l'écoute active est un moyen efficace pour encourager les gens à parler d'eux-mêmes et de leurs sentiments, il n'est pas surprenant qu'un de ses effets les plus courants soit qu'en écoutant les autres, on découvre qu'ils sont plus sympathiques qu'on ne le pensait au départ.

Le témoignage suivant en donne un exemple frappant. Cet extrait est tiré d'un entretien avec un leader qui avait récemment participé à notre formation.

J'ai quelqu'un dans mon équipe qui est à l'hôpital pour l'instant, mais qui va revenir au travail bientôt. Beaucoup de personnes avaient eu des ennuis avec lui et j'ai fini par en hériter. On m'a dit: «Pierre, prends-le, vois ce que tu peux faire avec lui.» Au début, je ne pouvais pas m'entendre avec lui. Je ne l'aimais pas. Mais ensuite, j'ai appris à le connaître en l'écoutant et en comprenant ce qu'il avait à dire. Maintenant, nous nous entendons très bien, je n'ai plus aucun problème avec lui. De temps en temps, il se met en colère, il entre en disant: «Je ne ferai pas une heure supplémentaire de plus dans cette boîte pour tout l'or du monde!» Alors je le calme, je parle avec lui et lui demande: «Que se passe-t-il, Robert?» Il me dit ce qui ne va pas, il m'explique ce qui est arrivé et je l'écoute. Et le lendemain, il va bien. C'est pourquoi je pense que cette formation est vraiment efficace. Je trouve qu'à la maison aussi j'écoute plus attentivement les membres de ma famille. Même le directeur des ressources humaines a dit: «Pierre a fait plus avec Robert que n'importe qui auparavant.» Je vais vous dire franchement, avant je pensais qu'on aurait dû le mettre dans une clinique psychiatrique. Mais j'ai trouvé ce qui causait ses troubles. Et je vous jure que maintenant, nous fonctionnons très bien ensemble.

Apaiser les esprits

Quand des conflits surviennent entre des personnes, l'intensité des émotions atteint un degré élevé et les protagonistes échangent des paroles agressives. À ce stade, personne ne se trouve dans la disposition voulue pour résoudre le problème de façon constructive; chacun est trop pris par ses propres sentiments et aucun ne peut mener calmement la réflexion qu'exige une résolution de problèmes efficace. C'est là que l'écoute active se révèle très utile: elle permet d'exprimer tous les sentiments que l'on a sur le cœur, préparant ainsi le terrain pour la résolution de problèmes qui doit suivre.

Quand on est en colère ou contrarié, on veut d'abord que cela se sache: «Avant que je consente à résoudre le problème qui me choque, il faut que tu comprennes à quel point je suis furieux ou bouleversé.» Souvent même, on cherche à culpabiliser son interlocuteur: «Regarde comment tu m'as irrité ou contrarié! Et maintenant, le regrettes-tu?» Il y a une autre raison encore pour laquelle on exprime des sentiments intenses dans un conflit: on tente d'effrayer l'autre pour qu'il satisfasse toutes nos exigences: «Si je manifeste assez de colère et si je crie assez fort, j'obtiendrai peut-être ce que je veux.» Cette réaction est semblable à l'accès de colère d'un enfant et, comme les parents le savent très bien, la meilleure stratégie consiste à attendre que ces sentiments se dissipent.

L'incident suivant, que nous a relaté un directeur du personnel, illustre comment l'écoute active peut calmer des personnes en colère et préparer le terrain pour la résolution du problème.

L'écoute active a été réellement bénéfique pour moi lors d'une rencontre avec les représentants syndicaux. Avant, ils montaient sur leurs grands chevaux, formulaient un grief petit ou grand, et faisaient toute une histoire avec la moindre chose. S'ils gueulaient assez fort, quelqu'un de la direction cédait et essayait de leur offrir quelques «bonbons» qui les calmeraient. Après vingt ans comme ça, nous avions déjà octroyé un pourcentage élevé d'augmentations. Eh bien! après avoir participé à cette formation, j'ai pris du papier et j'ai dit: «Je vois, les gars, vous êtes vraiment choqués; mais si vous ralentissez un peu le débit, je pourrai inscrire sur ma feuille ce qui ne va pas.» Ces réunions ont connu un retournement remarquable: d'abord, ils ont continué pendant un certain temps à gueuler et à tempêter. Alors je notais ce qu'ils me disaient, j'écoutais activement et je reflétais leurs propos chaque fois qu'ils disaient: «Tel ou tel contremaître de l'usine n° 5 fait des choses incorrectes et nous allons réagir de telle et telle façon.» Je continuais à refléter en disant «Vous êtes vraiment choqués de...» et j'ajoutais: «Je vais m'informer davantage et voir si l'on peut faire quelque chose à ce sujet.» Puis ils se sont calmé les esprits. Et avant la fin de la réunion, ils étaient devenus très aimables et tenaient des propos comme: «D'accord, nous réalisons qu'il y a des problèmes ici qui ont besoin d'être étudiés. Quand pouvez-vous nous donner une réponse?»

Invariablement, quand ils revenaient, la conversation se déroulait sur un niveau émotionnel tout à fait différent, tel que: «Avez-vous trouvé, au sujet de tel ou tel?» Et je disais: «Oui, voici ce que j'ai trouvé.» Mes réponses n'étaient pas toujours positives et ils n'entendaient pas toujours ce qu'ils espéraient entendre. Mais même dans ce cas, ils semblaient prendre la situation avec une attitude conciliante, sentant qu'ils avaient été réellement compris.

Quand des personnes sont irritées, comme ces représentants syndicaux, je ne connais rien de mieux que l'écoute active pour les amener à sentir «qu'ils ont été réellement compris».

Favoriser le développement personnel de ses collaborateurs

Parfois, un leader a l'occasion de contribuer de façon significative au développement personnel d'un membre de son équipe. Sans la technique de l'écoute active, le leader manquera sûrement des occasions d'aider certains de ses collaborateurs préoccupés par un problème. Le leader qui ignore cette technique fait souvent obstacle à la communication; il laisse ainsi passer une chance d'aider ses collaborateurs à régler leurs problèmes, à faire de nouvelles prises de conscience ou à parvenir à des solutions constructives. Le leader formé à l'écoute active peut régulièrement aider ses collaborateurs à transformer leurs problèmes en occasions de développement personnel.

En général, ces entretiens avec les collaborateurs amé-
liorent sensiblement leur rendement au travail: par exemple,
une personne timide se sent plus à l'aise pour prendre la
parole dans les réunions; un collaborateur approfondit les
causes de sa négligence et prend des mesures pour y remé-
dier; un contremaître autoritaire réalise qu'il agit en dicta-
teur et commence à traiter les membres de son équipe avec
plus de compréhension; une personne qui lit trop lentement
surmonte sa crainte de retourner à l'école et décide de
s'inscrire à un cours de lecture rapide; une comptable perfectionniste rend ses normes plus réalistes et accroît son
rendement, comme on le voit dans l'exemple suivant.

Yves: Christine, je suis réellement désolé du tour qu'a
pris notre conversation de ce matin à propos de
tes réactions et de ta charge de travail. J'ai
l'impression que l'affaire n'est pas résolue et
j'aimerais voir à nouveau si nous pouvons régler
cela. Es-tu d'accord pour en reparler?

Christine: Avec plaisir. Moi non plus, je ne suis pas satisfaite
du résultat de notre discussion. Je pense que tu
n'as pas réellement compris à quel point ce problème me tenait à cœur.

Yves: Tu étais vraiment contrariée et je n'ai pas eu l'air
de m'en rendre compte, n'est-ce pas?

Christine: C'est vrai, parce que ce que je te disais, Yves, c'est
que ce problème affecte réellement mon travail.

Yves: Mm hum.

Christine: Je n'aime pas avoir le sentiment que je suis en
retard et que je ne fais pas vraiment ma part de
travail.

Yves: (Silence)

Christine: Je me sens coupable et je me sens mal quand je rentre chez moi le soir.

Yves: Cela t'affecte vraiment?

Christine: Oui, vraiment, et j'aimerais faire quelque chose à ce sujet.
(Pause)

Yves: Je vois.

Christine: Tu sais bien, Yves, que je suis consciencieuse. J'aime que mon travail soit bien fait.

Yves: Mm hum.

Christine: Parfois, même, je pense que je suis peut-être trop consciencieuse et que je suis parfois trop tatillonne.

Yves: En fait, tu mets beaucoup de conscience professionnelle dans ton travail et tu veux que ce soit absolument parfait; mais tu commences à te demander si cela ne te prend pas trop de temps et d'efforts de faire quelque chose de si parfait.

Christine: Oui. Je crois. Parfois, je vérifie mes calculs trois ou quatre fois, alors que dans mon for intérieur je sais bien que ce n'est pas nécessaire, parce que je trouve rarement une erreur.

Yves: (Silence)

Christine: Parfois, comment dire, j'aimerais faire mes calculs une fois, mettre le travail de côté et passer à une autre tâche. Mais quelque chose en moi me dit «Je ferais mieux de refaire mes calculs» parce que je ne veux pas que qui que ce soit découvre une erreur dans mon travail.

Yves: Tu réalises que tu fais trop de vérifications; mais quelque chose en toi, une certaine peur d'être prise en flagrant délit d'erreur, te pousse et te contraint à revérifier.

Christine: Oui, j'ai toujours été comme cela. Non seulement dans mon travail, mais dans beaucoup d'autres domaines.

Yves: Je vois.

Christine: Je n'aime pas que l'on me prenne en faute. Je crois que je suis un peu perfectionniste.

Yves: Tu réalises que cette manière d'être se manifeste dans toute ta vie. Tu crois que tu dois être, à tout moment, parfaite et à l'abri de toute critique.

Christine: Oui, mais c'est souvent un véritable fardeau, car être parfait prend du temps. Et parfois, c'est comme si je me nuisais à moi-même. Je manque beaucoup de choses parce que je ne veux pas m'y engager si je ne suis pas sûre de les faire parfaitement.

Yves: Ce désir de perfection t'empêche vraiment de faire plus de choses et de mener une vie aussi remplie qu'elle pourrait l'être.

Christine: Oui, je commence à m'apercevoir que c'est vrai. Depuis longtemps, je voulais jouer au tennis et, il y a deux mois, je me suis inscrite à un cours.

Yves: Vraiment!

Christine: Mes amis me téléphonent souvent pour me demander de jouer avec eux, et, même si j'aime beaucoup jouer, je dis non, je ne veux pas jouer.

Yves: Ah!

Christine: Je donne comme raison que je veux avoir pris davantage de leçons pour être plus sûre de moi.

Yves: Je comprends.

Christine: Ainsi, quand je jouerai avec des amis, ils ne me verront pas commettre d'erreur; en fait, je crois que je veux qu'ils voient comment je joue bien.

Yves: Heu... Tu sembles presque avoir saisi que ce besoin de bien paraître t'empêche d'avoir des contacts avec d'autres, de t'amuser, d'être libre, et que cela t'enlève beaucoup de plaisir dans la vie.

Christine: C'est vrai. Pour en revenir à mon travail, je suis sûre que j'en ferais davantage si je pouvais devenir moins obsédée par la perfection.

Yves: Tu sembles avoir une idée de solution à ton problème: réduire ta tendance excessive à l'anxiété et à la vérification. Tu verras bien comment cela marchera.

Christine: Oui, parce que cela ne sert à rien de vérifier certaines choses trois ou quatre fois. Il pourrait y avoir une erreur, mais je pense que ce n'est vraiment pas catastrophique dans notre domaine. (Pause)

Yves: Je comprends.

Christine:En comptabilité, on fait tellement de contre-vérifications qu'il n'est pas nécessaire que je refasse chaque colonne de mes calculs... et que je les refasse encore.

Yves: Je vois.

Christine: Je pense que cela m'a retardée.

Yves: Tu te rends compte qu'il n'y a pas grand-chose à perdre si une erreur t'échappe une fois tous les six mois, comme tu crois que ce serait peut-être le cas.

Christine: Oui, tout à fait!

Yves: Tu te sens prête à vérifier cette hypothèse.

Christine: Je vais essayer pendant une semaine et je verrai si je peux vraiment changer. Je ne suis pas sûre d'en être capable, mais cela semble tellement mieux que j'aimerais essayer. Je te reverrai s'il faut trouver une autre solution.

Yves: Mm mmm

Christine: J'ai comme une vague impression que ça pourrait réduire... de beaucoup... ce tas de travail qui s'accumule sur mon bureau.

Yves: Tu n'es pas tout à fait certaine des résultats à venir, mais tu es prête à faire l'essai.

Christine: Oui. Je suis prête.
(Pause)

Christine: D'accord, je pense que je vais retourner travailler et essayer ça. Merci de m'avoir écoutée.

Yves: Tu es toujours la bienvenue, et je suis vraiment content de cette discussion.

Christine: Moi aussi.

Yves: Bien.

Cet entretien où Christine consulte Yves vaut la peine d'être relu afin de ne manquer aucun des éléments importants de ce bref dialogue. À remarquer, notamment:

1. Yves utilise presque exclusivement l'écoute passive, les réponses de réception et l'écoute active.
2. Christine confirme généralement l'exactitude des réponses d'écoute active d'Yves en disant: «Oui», «Certainement», «C'est vrai», «Tout à fait».
3. Christine a progressé du problème initial (être en retard dans son travail) vers le problème personnel plus fondamental (le besoin de bien paraître aux yeux des autres).
4. L'écoute active d'Yves laisse la balle dans le camp de Christine. C'est ainsi qu'elle prend la pleine responsabilité de résoudre son problème et de prendre une décision.

La plupart des leaders n'ont pas une maîtrise suffisante de l'écoute pour agir comme consultant auprès de leurs collaborateurs. Par conséquent, ils laissent passer d'innombrables occasions de contribuer au développement personnel de leurs employés et de les aider à satisfaire leurs besoins d'estime de soi, de réalisation et de développement. Comme je l'ai signalé à plusieurs reprises, satisfaire les besoins fondamentaux de ses collaborateurs est un élément essentiel de l'efficacité d'un leader. Et cela demande une bonne capacité d'écoute.

Le leader en tant qu'enseignant

Le leader agit souvent comme «enseignant»: il donne des instructions, explique de nouvelles politiques ou de nouvelles procédures, assume la formation sur le terrain. Mais encore trop peu de leaders ont reçu une formation spéciale pour assumer cette importante fonction.

Ils n'évaluent pas à quel point il est difficile d'enseigner efficacement à d'autres personnes; cela est bien plus complexe qu'on ne le pense généralement.

Tout d'abord, on ne comprend généralement pas à quel point les gens résistent à apprendre quelque chose de nouveau. C'est difficile parce que cela exige qu'on abandonne des manières de faire habituelles et des façons de penser familières. Apprendre exige qu'on change, et changer peut être dérangeant et même menaçant, parfois. De plus, le rôle de «l'apprenant» dans sa relation avec «l'enseignant» est souvent vécu comme dégradant, sans aucun doute parce que chacun de nous se rappelle avoir été rabaissé, puni et traité avec condescendance par les professeurs à l'école. Cela signifie que quand un leader enseigne, il doit éviter d'utiliser des méthodes d'enseignement qui feraient sentir à leurs collaborateurs qu'ils sont «traités comme des enfants».

Prenons pour exemple la situation, hélas trop fréquente, où le leader découvre qu'un membre de son équipe accomplit mal sa tâche et qu'il a besoin d'apprendre une meilleure méthode de travail. À première vue, il s'agit tout simplement de corriger la façon de travailler du collaborateur et de lui en faire découvrir une meilleure, mais c'est rarement aussi simple. Les membres de son équipe réagissent de façons diverses lorsqu'il veut leur apprendre quelque chose: embarras, irritation, attitude défensive, colère. Ou encore, il peut être difficile, au premier abord, pour le collaborateur de comprendre les instructions du leader ou d'accomplir sa tâche selon une nouvelle méthode. Généralement, certaines répliques révèlent ces réactions:

- «J'ai toujours fait comme cela avant.»
- «En quoi ma méthode est-elle mauvaise?»
- «Personne ne m'a dit de faire autrement.»
- «Bien, ça c'est ta façon de le faire.»
- «Je ne saisis pas ce que vous dites.»
- «Oh! je ne pourrai jamais apprendre à procéder ainsi.»
- «Je me sens si maladroit, ce n'est pas naturel.»
- «Vous allez trop vite.»
- «Je n'y arrive pas — je ne dois pas être assez intelligent.»
- «Je n'apprendrai jamais à le faire de cette façon.»

Ces messages, cela va sans dire, signalent que l'intervention du leader cause un problème au collaborateur. On se rappelle la fenêtre de perception:

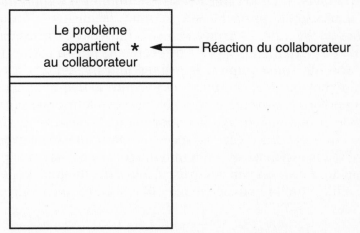

Après avoir situé la réaction du collaborateur dans la zone appropriée de la fenêtre, on sait quelle technique convient. Il est temps alors de faire preuve de compréhension, d'empathie et d'acceptation grâce à l'écoute active. Le collaborateur apprendra peu ou pas du tout tant qu'on n'aura pas reconnu ses sentiments et qu'on ne l'aura pas aidé à les exprimer d'une certaine manière. On doit cesser d'enseigner jusqu'à ce que l'on constate que le collaborateur est de nouveau prêt à apprendre.

C'est le principe le plus important de l'enseignement efficace. Tout comme on ne peut pas être un leader si on n'a pas de collaborateurs, on ne peut pas enseigner si on n'a pas en face de soi des personnes disposées à apprendre.

Une autre application de l'écoute active se révèle très utile dans la relation enseignant-apprenant. On sait que dans le processus d'apprentissage, l'apprenant apprend beaucoup plus quand il est actif que lorsqu'il est passif. Cependant, la plupart du temps, l'enseignant agit comme un émetteur actif, c'est-à-dire qu'il parle, qu'il explique, qu'il fait des conférences, des exposés, et l'apprenant est un récepteur passif. À mener les apprenants à participer plus activement au processus d'apprentissage est la marque distinctive d'un enseignant efficace.

Un moyen d'y parvenir consiste à donner à l'apprenant plus d'occasions de parler sur le sujet; là encore, l'écoute active s'avère utile. Le truc consiste à faire ses exposés ou à donner ses explications assez brièvement, puis à inviter les membres de son équipe à exprimer leurs réactions à ces «mini-exposés». Puis on emploie l'écoute active pour montrer que l'on comprend et que l'on accepte leurs messages.

Ce procédé encourage les apprenants à énoncer à voix haute leurs réactions face à l'enseignement qu'ils reçoivent; il facilite les réponses qui aident à diagnostiquer si les explications sont bien ou peu comprises, à la suite de quoi on peut déterminer quelle nouvelle explication s'avère nécessaire.

CHAPITRE 6

Comment parvenir à satisfaire ses propres besoins

O n sait maintenant comment être efficace pour aider les autres; mais on doit aussi savoir comment s'aider soi-même. Pourquoi certaines personnes réussissent-elles à satisfaire leurs besoins dans leurs relations avec les autres? Comment influencer une personne pour qu'elle change son comportement quand celui-ci nous pose un problème, sans lui faire perdre la face ou susciter chez elle du ressentiment à notre égard?

- Louise travaille trop lentement et retarde les autres.
- Mon patron ne me donne pas tous les renseignements dont j'ai besoin.
- Marc arrive régulièrement en retard aux réunions.
- Marie est sèche et impolie quand elle est au téléphone avec les clients.

- Le directeur d'un autre service ne veut pas coopérer avec moi.
- Laure ne répond pas rapidement aux lettres.
- Georges se porte volontaire pour certains travaux, mais souvent il ne les mène pas à terme.
- Un de mes collaborateurs est beaucoup trop lent.
- Francine ne me tient pas informée des activités de son service.
- Dans l'équipe de travail d'Henri, le taux de remplacement du personnel est élevé.

Ces comportements, et beaucoup d'autres du même genre, se situent dans la partie inférieure de la fenêtre de perception parce qu'ils nuisent à la satisfaction des besoins du leader.

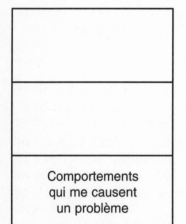

Comportements qui me causent un problème

Le problème *m'appartient*

De tels problèmes exigent un traitement très différent de celui qu'on utilise quand on essaie d'aider les autres à régler les problèmes qui leur appartiennent.

Quand le problème appartient à l'autre	*Quand le problème m'appartient*
• Je suis le récepteur	• Je suis l'émetteur
• Je suis un consultant	• Je cherche à influencer
• Je veux aider l'autre	• Je veux m'aider moi-même
• Je suis un miroir	• Je veux me faire entendre
• J'aide l'autre personne à découvrir sa propre solution	• J'ai besoin de trouver moi-même une solution
• Je peux accepter la solution de l'autre; il n'est pas indispensable que je sois satisfait	• Je dois être satisfait de la solution
• Ma préoccupation principale concerne les besoins des autres	• Ma préoccupation principale concerne mes propres besoins
• Je suis plus passif	• Je suis plus affirmatif

Quand le problème appartient à l'autre personne, on emploie les *techniques d'écoute*. Quand le problème m'appartient, je dois employer des *techniques d'affirmation*. Ces deux sortes de techniques sont fort différentes. Beaucoup de leaders ne s'affirment pas. C'est pourquoi, pour diverses raisons, ils trouvent difficile de confronter les personnes dont le comportement leur cause des problèmes.

Chacun de nous hésite à dire aux autres que leur comportement est inacceptable ou nous crée un problème. Nous courons le risque que l'autre personne se sente blessée, se fâche et ne nous aime plus. De telles craintes pourraient être justifiées. Qui aime s'entendre dire que son comportement est inacceptable? Les gens réagissent souvent de façon négative; ils n'aiment pas entendre des critiques. Ils peuvent commencer à discuter, ou répliquer par une critique à leur tour; ils peuvent s'éloigner, blessés ou irrités; ils peuvent adopter une attitude défensive et désagréable. Voilà pourquoi s'affirmer et confronter les autres demande une certaine dose de courage.

J'ai connu dans des entreprises des leaders qui ne savaient pas s'affirmer et ne parvenaient pas à affronter les autres. Évidemment, ils payaient cher cette attitude; les problèmes disparaissaient rarement d'eux-mêmes; ils souffraient en silence, résignés, ou accumulaient du ressentiment envers la personne qui leur causait un problème. Quand la partie est perdue d'avance et qu'elle tourne à l'avantage de l'autre, on éprouve toujours un sentiment d'injustice. On qualifie souvent d'attitude «permissive» le fait de tolérer une relation inéquitable. Les leaders permissifs, tout comme les parents permissifs, sont perdants, et ils n'aiment guère cela!

Il existe encore une autre raison pour laquelle les leaders abordent la confrontation avec tant d'inquiétude: en effet, le langage particulier qu'ils emploient (à l'origine, appris des adultes par lesquels ils ont été confrontés quand ils étaient enfants) risque fort de provoquer la résistance et les représailles, ou la dégradation de la relation. Dans notre formation, nous utilisons un exercice simple qui démontre chaque fois que, quand les leaders affrontent quelqu'un qui leur cause un problème, leur langage devient irritant, menaçant, empreint de jugement, moralisateur, condescendant, sarcastique ou blessant pour l'estime de soi de la personne confrontée. Prenons par exemple cette situation.

Michel, un de mes collaborateurs, m'interrompt à plusieurs reprises ainsi que certains des autres collaborateurs lors des réunions de service et cela réduit l'efficacité de l'équipe de résolution de problèmes. Comme il l'a encore fait aujourd'hui, j'ai décidé d'aborder ce sujet avec lui, après la réunion.

Voici quelques messages typiques que les leaders émettent en réaction à cette situation simulée dans nos formations.

- «Arrête, Michel, et laisse parler les autres avant de prendre la parole. Ne parle pas tant!» (*Ordonner, diriger*)
- «Si tu continues d'interrompre tout le monde dans nos réunions, Michel, personne ne pourra te supporter.» (*Avertir, menacer*)
- «C'est la courtoisie la plus élémentaire, Michel, que de laisser les autres terminer ce qu'ils ont à dire avant de prendre la parole.» (*Moraliser, prêcher*)
- «La nature nous a donné deux oreilles et une bouche; c'est pour écouter deux fois plus que l'on ne parle.» (*Faire la leçon, sermonner*)
- «Michel, la prochaine fois que nous aurons une réunion de service, puis-je te suggérer d'attendre que tout le monde se soit exprimé avant de le faire toi-même?» (*Conseiller, donner des solutions*)
- «Michel, tu manques vraiment de courtoisie dans nos réunions.» (*Critiquer, juger*)
- «Michel, je sais que tu es très brillant et que tu as toujours de bonnes idées, mais laisse une chance aux autres dans nos discussions.» (*Complimenter, flatter*)
- «Tu agis, dans nos réunions de service, comme si tu connaissais tout.» (*Étiqueter*)
- «Je suis sûr que tu peux facilement corriger ton habitude d'interrompre les autres, Michel.» (*Rassurer*)
- «Je pense que tu te sers de nos réunions pour faire étalage de tes connaissances et de ta vaste expérience.» (*Psychanalyser*)
- «Pourquoi faut-il que tu accapares la discussion, que tu coupes la parole si souvent ou que tu interrompes tout le monde?» (*Enquêter, questionner*)
- «Michel, tu devrais essayer de surmonter ta timidité dans nos réunions; nous n'entendons jamais tes opinions.» (*Dévier, blaguer*)

Bien qu'il existe de nombreuses variantes sur ces types d'intervention, les leaders affrontent les autres en émettant des messages typiques qui correspondent à l'une de ces douze catégories. Ne vous semblent-elles pas familières? Ce sont à nouveau les douze «obstacles à la communication». Et ils sont tout aussi inefficaces pour confronter les autres quand on a un problème que pour aider les autres quand ils ont un problème.

Examinons chacun de ces douze types de message. Ils ont tous une nette tendance à «pointer l'autre du doigt» et à lui donner tout; ce sont des messages «tu», tels que:

- Ne parle pas tant;
- Si tu continues d'interrompre...;
- Tu ne devrais pas faire ça;
- Tu devrais savoir que...;
- Il faut que tu fasses cela;
- Pourquoi n'essaies-tu pas de...?
- Tu manques de courtoisie;
- Laisse une chance aux autres;
- Tu agis comme si tu...;
- Tu peux te corriger;
- Pourquoi faut-il que tu...;
- Tu te sers de nos réunions pour...;
- Tu devrais essayer...

Pour une raison évidente, j'appelle ces types de confrontation *messages «tu»*. On n'aime guère recevoir des messages «tu». Ces messages risquent fort de détériorer les relations, car:

1. Ils culpabilisent.
2. Ils peuvent être ressentis comme un blâme, une humiliation, une critique, un rejet.
3. Ils peuvent communiquer un manque de respect de l'autre personne.

4. Ils provoquent souvent une réaction ou des représailles.

5. Ils peuvent porter atteinte à l'amour-propre de l'autre.

6. Ils peuvent provoquer de la résistance au changement plutôt qu'une ouverture.

7. Ils peuvent blesser l'autre personne qui peut, par la suite, en éprouver du ressentiment.

8. Ils sont souvent ressentis comme des punitions.

En plus de nuire aux relations, les messages «tu» n'atteignent généralement pas leur but, à savoir: influencer l'autre personne pour qu'elle change le comportement que l'on trouve inacceptable. Il y a probablement trois raisons à cela. D'abord, on n'aime pas se faire dire quoi faire (ou quoi ne pas faire); alors on se cabre et on résiste obstinément à tout changement. Ce trait fait partie de la nature humaine: on préfère prendre soi-même l'initiative du changement, quand cela devient évident que son comportement interfère avec les besoins d'un autre. Mais les messages «tu» nous privent de cette opportunité. Voici un exemple: «Ta lettre contient beaucoup de fautes de frappe. Tu dois la reprendre.» En disant «Tu dois la reprendre», on retire à sa secrétaire l'occasion d'offrir d'elle-même de retaper la lettre, ne lui laissant aucune chance d'obtenir une reconnaissance méritée pour s'être portée volontaire pour le faire.

Une autre raison déterminante explique l'inefficacité des messages «tu»: ils pointent le doigt du blâme sur le destinataire du message. Ils communiquent ceci: «Tu causes un problème»; «Tu es méchant»; «Tu aurais dû le savoir»; «Tu es irréfléchie et étourdie».

Le blâme est injustifié dans la plupart des situations. Je suis presque certain que l'on est rarement conscient que son comportement est inacceptable pour l'autre. En général, le comportement est uniquement motivé par le désir de satisfaire ses propres besoins; le geste n'est pas fait dans l'intention délibérée d'empêcher les autres de satisfaire les leurs. Mais quand on émet un message «tu», on communique l'idée suivante: «Tu as tort de faire quelque chose pour satisfaire tes besoins» — une notion plutôt ridicule, de toute évidence.

Enfin, les messages «tu» sont inefficaces parce qu'ils sont des «codes de mauvaise qualité». On se souvient du diagramme du processus de communication: l'émetteur code et le récepteur décode. Quand on n'accepte pas le comportement de quelqu'un, il est clair que l'on a soi-même le problème: on est soi-même inquiet, contrarié, dérangé, déçu, effrayé, etc.

Prenons l'exemple d'un membre de l'équipe qui oublie de ranger les outils dans l'atelier; admettons que cela me contrarie parce que je perds beaucoup de temps à chercher inutilement l'outil dont j'ai besoin. Évidemment, le code approprié à mes sentiments serait:

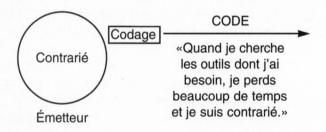

On remarque que ce code contient le pronom «je» et non «tu». Quand quelqu'un me cause un problème, le message clair et approprié devrait toujours se présenter sous la forme d'un message «je»: «Je suis déçu»; «Je déteste me faire interrompre»; «Je suis inquiet»; «Je suis frustré»; «J'ai perdu beaucoup de temps». Un message «tu» se rapporte à l'autre personne et ne précise pas les sentiments de celui qui a le problème.

Voilà pourquoi émettre des messages «je» est quelquefois appelé «face à face» ou «confronter»: cela signifie être ouvert, franc et direct avec les autres dans la vie. Peut-être est-ce là que réside la force des messages «je». Ils communiquent: «Je suis un être humain qui a des problèmes et éprouve des sentiments comme tout le monde.» En un sens, un message «je» est un *appel à l'aide* lancé par celui qui a un problème; et chacun sait combien il est difficile d'ignorer un tel appel. C'est pourquoi les messages «je» ont tendance à influencer l'autre à modifier son comportement. Voici un bref exercice. Imaginez que vous recevez de votre patron chacun des messages «je» suivants; observez ce que vous ressentez et notez si ces messages vous motivent à changer votre comportement par considération pour les besoins de votre patron:

1. «Quand je ne suis pas tenu informé de ce qui se passe dans ton service, je m'inquiète et commence à m'imaginer que tu as toutes sortes de problèmes qui ne sont pas résolus.»

2. «Quand j'entends dire que des clients potentiels n'ont pas reçu de réponse à leurs lettres depuis des semaines, je suis vraiment contrarié parce que j'ai peur que nous perdions des commandes ou des contrats et que nous donnions une mauvaise image de notre entreprise.»

3. «Quand tu es absent de nos réunions de service, je sens nettement que notre efficacité est réduite parce que nous ne bénéficions pas de ton expérience et de tes connaissances dans le domaine du marketing.»

4. «Je suis vraiment anxieux quand je vois que vos coûts dépassent de beaucoup les prévisions budgétaires et je suis réellement embarrassé parce que je ne vois aucune mesure prise pour corriger la situation.»

5. «Quand j'ai vu les premiers exemplaires de nos nouvelles brochures, j'ai été très déçu par leur qualité; j'ai peur que cela nuise à nos ventes.»

Bien entendu, ce n'est pas de gaieté de cœur que vous avez reçu ces messages (personne n'aime entendre dire que son comportement est inacceptable pour l'autre), mais vous vous sentez probablement beaucoup plus disposé à modifier volontairement votre comportement que si on vous avait dit quoi faire, si on vous avait menacé, humilié, blâmé ou fait la leçon.

Une participante à notre formation nous a livré le récit d'un entretien avec un de ses superviseurs dans un centre de service social municipal.

> Un bureau supplémentaire était devenu disponible dans l'immeuble où je travaille comme coordonnatrice des services. J'ai dit à Georges (un employé d'un autre centre qui offre ses programmes et fournit ses services dans nos bâtiments) d'utiliser ce bureau pour entreposer quelques-unes de ses fournitures. Je lui ai aussi donné carte blanche pour arranger la pièce (peinture, nouvelle décoration) et en faire ainsi un lieu de rencontre convenable pour quelques-uns de ses bénévoles. Cependant, je l'ai informé que Suzanne, une autre employée, utiliserait encore le bureau le jeudi soir afin de superviser un centre de rencontre pour les jeunes. Ce centre est adjacent au bureau à partager. Le jour où Georges a commencé à arranger la pièce, je suis revenue voir comment les choses se passaient. Voici la conversation qui a eu lieu.

La coordonnatrice: Tu as posé des affiches d'interdiction de fumer dans le bureau et dans la pièce réservée au centre des jeunes; je me demande comment ces jeunes et Suzanne vont accepter cela. Cela me préoccupe passablement.

Georges: Je pense qu'il est temps qu'ils comprennent qu'ils ne doivent pas fumer dans cette pièce; après tout, le local n'est pas très grand.

La coordonnatrice: Tu crois qu'on doit faire un règlement pour les empêcher de fumer dans cette pièce?

Georges: Bien sûr. De plus, tu m'as donné carte blanche pour arranger le bureau comme je le veux.

La coordonnatrice: Tu te demandes pourquoi je te questionne sur les affiches d'interdiction de fumer alors que je t'ai donné carte blanche pour arranger le bureau.

Georges: Eh bien! après tout, tu semblais dire que je pouvais l'arranger comme je voulais.

La coordonnatrice: Oui, j'ai dit ça. Cependant, je me préoccupe des réactions possibles des jeunes et de Suzanne. Il n'y a jamais eu de plainte à leur sujet concernant la cigarette, si ce n'est que la cendre peut brûler les tables de billard et faire un trou dans le feutre. Que penses-tu que nous devrions faire à propos de ce problème d'affiche?

Georges: Je peux peut-être enlever l'affiche dans la pièce des jeunes et laisser un «défense de fumer» seulement dans le bureau.

La coordonnatrice: Tu es disposé à faire ce compromis?

Georges: Oui, en fait je pense que je ne poserai aucune affiche; je demanderai tout simplement de ne pas fumer quand je suis dans le bureau.

La coordonnatrice: Alors tu es prêt à laisser tomber complètement les affiches?

Georges: Oui.

La coordonnatrice: Acceptes-tu cela?

Georges: Oui.

La coordonnatrice: Je pense que je vais demander à Suzanne de nous aider en imposant un nouveau règlement dans le centre des jeunes: ne pas fumer autour des tables de billard. Cela évitera que les tables ne soient brûlées.

Les éléments essentiels d'un message «je»

Que ressent-on quand on est confronté à une personne qui dit seulement ce qu'elle ressent — rien de plus? Par exemple:

- «Je suis choqué.»
- «Je suis vraiment déçu.»
- «Je suis inquiète.»
- «Je ne suis pas bien avec toi.»

De tels messages laissent chacun embarrassé et déconcerté. Aussi a-t-on probablement comme première réaction de demander à son interlocuteur pourquoi il se sent choqué, déçu, inquiet ou mal à l'aise. Ou peut-être de répliquer: «Qu'est-ce que j'ai fait?»

Si on dit seulement à quelqu'un ce que l'on *ressent,* cela constitue une confrontation incomplète; elle ne contient qu'un seul des trois éléments d'un message «je» complet. Le message «je» consiste à 1) *décrire clairement et brièvement le comportement* que l'on trouve inacceptable; 2) *exprimer franchement les sentiments* que l'on éprouve; 3) *expliquer l'effet tangible et concret* d'un tel comportement sur soi.

Évidemment, pour éliminer l'inévitable question: «Qu'est-ce que j'ai fait?», on doit informer exactement la personne du *comportement* que l'on trouve inacceptable. Deuxièmement, on doit mentionner *son effet* pour convaincre la personne que l'on a réellement une raison logique et rationnelle pour désirer un changement de comportement (on explique comment sa propre vie se trouve réellement affectée de manière concrète). Enfin, il est généralement nécessaire *d'exprimer directement et franchement ses sentiments* afin de souligner l'intensité du malaise émotionnel que l'on éprouve face à ce comportement.

Quand on apprend comment émettre des messages «je», on trouve extrêmement utile de se souvenir de cette formule: DÉCRIRE LE COMPORTEMENT DE L'AUTRE + EXPLIQUER SES EFFETS SUR MOI + EXPRIMER MES SENTIMENTS, bien qu'il ne soit pas rigoureusement nécessaire de respecter cet ordre.

Durant la phase initiale où l'on apprend à émettre des messages complets en trois parties, on se sent souvent embarrassé: on a l'impression d'appliquer une formule mécanique. Progressivement, et avec la pratique, ces messages deviennent beaucoup plus naturels et demandent moins de réflexion. Mais la pratique est essentielle, comme pour n'importe quelle autre nouvelle technique: apprendre un nouveau truc au tennis ou au golf, faire de la voile, apprendre à skier ou à se servir d'un ordinateur.

Dans l'exemple suivant, tiré d'une entrevue avec un directeur d'usine, on observe un bon message «je» en trois parties, ainsi que le changement d'attitude du directeur envers son personnel.

J'ai un vieil employé qui pense toujours qu'il peut se souvenir des chiffres. Il travaille au magasin et croit posséder en mémoire tout ce qu'il y a dans l'entrepôt. Or sa mémoire n'est pas si bonne; en fait, il donne fréquemment de mauvais chiffres, et cela plus souvent que les nouveaux employés, qui ne se fient pas à leur mémoire et qui cherchent, vérifient et inscrivent les chiffres exacts. En le faisant venir dans mon bureau et en m'asseyant avec lui, je pense lui avoir fait comprendre le problème. La situation s'est améliorée. Je lui ai dit: «Nous avons un problème parce que certains de vos bons de commande sont erronés; cela me préoccupe beaucoup, car cela fausse complètement notre inventaire.» Je lui ai expliqué toute la situation et les inconvénients. Et j'ai dit: «Comme je vieillis, ma mémoire n'est pas aussi bonne.» En fait, je ne l'ai pas accusé d'avoir une mémoire qui flanche, et je pense avoir employé une façon détournée sans le mettre sur la défensive. Eh bien! il a reconnu que nous avions un problème et que cela entraînait beaucoup d'erreurs dans notre inventaire. Et cela a aidé un peu. Je pense qu'il se sentait mieux quand il est parti, et sans l'amertume qu'il aurait ressentie si je lui avais dit: «Vous feriez mieux de corriger cela et de faire les choses comme il faut, sinon...» ou quelque chose de semblable. Je pense que je n'ai pas sous-estimé son intelligence. C'est là une erreur fréquente chez les cadres: sous-estimer ou déprécier les gens. J'admets que j'étais un peu comme cela, au début, quand je suis devenu contremaître. Mais maintenant, je réalise que mes collaborateurs sont en fait des personnes intelligentes... Je pense que chaque fois que l'on peut s'adresser à quelqu'un sans le rabaisser, on conserve ainsi son respect. Je crois qu'il aura de bien meilleures réactions que si on lui dit: «C'est moi le patron et vous ferez ceci ou cela.» On peut communiquer avec lui d'une manière franche: on a un problème et on essaie seulement de le résoudre.

Qu'arrive-t-il quand on émet un message «je»?

Lorsqu'on émet un message «je» pour influencer quelqu'un à changer, plusieurs choses peuvent se produire.

Ce message initial constitue seulement la première étape du processus de changement, mais il est important, car il donne le ton à ce qui va se passer par la suite. En examinant en profondeur l'interaction entre deux personnes lors d'une confrontation, on comprendra mieux la dynamique du changement. En effet, dans ces situations, la personne qui émet un message «je» souhaite que l'autre change, mais c'est l'autre qui aura à prendre l'initiative, puis à effectuer et à assumer le changement.

À QUI APPARTIENT LE PROBLÈME?

Il est essentiel de garder à l'esprit cette question fondamentale: «À qui appartient le problème?». Quand on décide d'essayer de faire en sorte qu'une autre personne dont le comportement nous empêche de satisfaire nos propres besoins soit transformée, on a soi-même un problème et non l'autre. Cette dernière n'a pas de problème; en fait, elle est en train de satisfaire ses besoins en agissant d'une manière qui nous empêche de satisfaire nos besoins — on ne peut pas reprocher à une personne de combler ses besoins! On voit donc qu'il est inutile de se fâcher contre la *personne* dont le comportement nous cause un problème; toutefois, il est tout à fait compréhensible d'être fâché par le *fait* d'avoir un problème. C'est cette attitude que le message «je» communique en évitant de donner tort à l'autre, contrairement au message «tu» qui donne tort.

L'AUTRE CONSERVE L'INITIATIVE

Certes, quand on affronte l'autre en l'informant que l'on a un problème, on en assume la responsabilité; mais en dernière analyse, c'est l'autre qui doit finalement décider de changer ou non. C'est chez l'autre que se situe le «lieu de responsabilité». Comme on a un problème, on dépend de l'autre et de sa disposition à changer. Et c'est encore le message «je» qui communique le plus efficacement et le plus exactement cette attitude: il expose le problème que l'on a, mais ne dit à l'autre ni qu'il doit changer ni comment il doit changer. Je rappelle que les messages «je» sont des *demandes d'aide*; cela explique leur puissance étonnante. La plupart des gens répondent mieux à un appel à l'aide ouvert et franc qu'à une exigence, à une menace, à l'imposition d'une solution ou à un sermon.

L'IMPORTANCE DE «CHANGER DE POSITION»

Bien que les messages «je» aient plus de chances d'influencer l'autre à changer que les messages «tu», l'autre est malgré tout contrarié à la perspective de devoir changer. Il réagira souvent à ce message «je» en devenant anxieux, choqué, sur la défensive, blessé, désolé ou coincé, comme le démontrent les deux exemples suivants.

1. *Leader* (celui qui veut faire changer le comportement de son collaborateur qui lui cause un problème): «Je suis réellement contrarié quand je trouve plusieurs erreurs importantes dans ton rapport; quand je l'ai présenté à la réunion du conseil, je suis passé pour un incompétent.»

   Collaborateur (celui que le leader souhaite voir changer de comportement): «Tu étais si pressé de l'avoir que je n'ai pas eu le temps de vérifier tous mes calculs.»

2. *Leader:* «Quand j'entends les patients se plaindre que tu ne réponds pas immédiatement à leurs appels, je m'inquiète, car je détesterais que l'on me tienne responsable d'un ennui ou d'un accident qui pourrait arriver à l'un de nos patients.»

Collaborateur: «Je ne peux pas être à deux endroits différents à la fois et, de plus, certains de nos patients nous appellent pour des choses qu'ils peuvent très bien faire eux-mêmes.»

Dans chacune de ces deux situations, même un message «je» parfaitement bien formulé a causé un certain degré de malaise et une réaction défensive. Le message «je» a causé un problème à l'autre. Cela n'est guère étonnant: quelle que soit la manière dont la personne s'exprime, on aime rarement se faire dire que son comportement est inacceptable.

Quand l'autre réagit émotivement, il est généralement inutile d'en rajouter avec des messages «je» successifs; dans de telles situations, ce qui s'impose est un passage à l'écoute active. Ce passage à l'écoute active dans les deux situations présentées ci-dessus pourrait ressembler à:

1. *Leader:* «Tu étais tellement pressé que tu n'as pas pu trouver le temps de vérifier tes calculs, n'est-ce pas?»

2. *Leader:* «Tu veux dire que tu ne peux pas voir l'appel quand tu es dans la chambre d'un autre patient. Je crois aussi comprendre que tu deviens irrité quand les patients t'appellent pour faire des choses qu'ils pourraient faire eux-mêmes.»

Passer de la position d'émetteur à celle d'écoutant remplit plusieurs fonctions extrêmement importantes dans le cas d'une confrontation.

1. Cela démontre que l'on a compris et accepté la position de l'autre (sans être nécessairement d'accord avec elle, bien sûr), ses sentiments, ses réactions, ses raisons. Cela augmente la disposition de l'autre à comprendre et à accepter notre position. («Il m'a écouté, maintenant je vais l'écouter à mon tour.»)

2. Cela aide à dissiper les réactions émotives de l'autre (qui peut être blessé, embarrassé, fâché, ou encore regretter son geste), et prépare ainsi le terrain à un

changement possible ou bien, comme je le décrirai plus tard, à une résolution conjointe du problème.

3. Et souvent, cela suscite un changement dans notre propre attitude: en effet, auparavant on trouvait inacceptable le comportement de l'autre; maintenant on découvre qu'il est acceptable. («Oh! je vois maintenant pourquoi tu n'as pas répondu à certains appels des patients: tu ne pouvais pas les voir.»)

Une fois passé à l'écoute active, il est peut-être approprié de répéter le premier message «je» ou mieux encore d'en émettre un autre, modifié. (Par exemple: «Je comprends pourquoi tu n'as pas vérifié tes calculs, mais je ne peux cependant pas aller à une réunion de planification avec des rapports inexacts.»)

Voici un exemple de changement de position efficace, rapporté par un superviseur qui, auparavant, trouvait difficile de confronter ses collaborateurs.

J'ai d'abord trouvé très difficile d'utiliser les messages «je» et de passer ensuite à l'écoute active, car je n'aime pas les réactions vives. Mais un jour, au travail, cela s'est très bien passé. Une employée est entrée dans mon bureau alors que j'étais littéralement débordé; j'étais sous pression. Cette personne aime venir me voir, s'installer et parler. Si je n'avais pas participé à cette formation, si je n'avais pas connu le message «je» et l'écoute active, je n'aurais probablement pas su comment réagir à cette situation. Donc, elle est entrée, elle s'est assise et je lui ai transmis un message «je»: «Quand tu entres dans mon bureau et que tu t'assois pour parler, je ne peux pas terminer mon travail et cela me contrarie vraiment.» Automatiquement, sa réaction a été de se justifier. Elle a dit: «Eh bien! justement, ce dont je voulais te parler te concerne aussi.» J'ai conservé mon équilibre émotionnel et je suis passé à l'écoute active: «On dirait que tu es fâchée.» «Oui, en effet, je le suis!» a-t-elle dit. Puis je lui ai dit: «Tu es vexée parce que je ne veux pas t'écouter tout de suite.» Puis elle a dit: «Oui, je suis vexée. Je sais que tu es occupé, mais tu as certainement assez de temps pour m'entendre.» Et nous sommes convenus de déjeuner ensemble. Cela s'est donc très bien terminé. J'étais très content car c'était la première fois que j'utilisais un message «je» dans le cadre du travail et que j'étais capable de traiter la réaction émotive de l'autre autrement que comme une agression à mon égard. C'est effrayant de devoir affronter quelqu'un au sujet d'un problème. Mais une fois que j'ai réalisé que les autres ont généralement une réaction émotive et que l'on peut les apaiser en les écoutant, j'ai pris confiance, sachant que je peux transmettre un message «je» puis fixer mon attention sur les sentiments de l'autre personne et non sur les miens.

Ayant appris dans notre formation que l'on réagit souvent émotivement quand on est confronté, ce superviseur a été capable de surmonter sa peur de la confrontation.

FAVORISER LES EFFORTS D'UNE PERSONNE POUR CHANGER

Bien qu'un bon message «je» puisse susciter un changement immédiat de comportement, les gens ont parfois besoin d'être soutenus par la personne qui souhaite ce changement. Je le rappelle: il n'est pas facile de changer. Changer son *comportement* exige en effet souvent qu'on abandonne une façon de faire habituelle et ancrée, pour une nouvelle qui n'a pas encore fait ses preuves. Cela exige du leader qu'il participe activement au processus de changement; il doit habituellement agir comme catalyseur et facilitateur; mais parfois, il doit participer plus activement à la résolution du problème, en coopération avec son collaborateur.

Une manière efficace de poursuivre le processus de changement est de «guider l'autre personne dans un processus de résolution du problème». Je rappelle les six étapes de la résolution de problèmes.

1. Identifier et définir le problème.
2. Énumérer des solutions possibles.
3. Évaluer ces solutions.

4. Prendre une décision.

5. Appliquer la décision.

6. Évaluer les résultats par la suite.

Je rappelle également que j'ai défini le leader efficace comme «celui qui fait en sorte que les problèmes soient résolus.» C'est exactement ce qu'on doit souvent faire après avoir confronté une personne au sujet de son comportement, si on veut qu'un changement se produise; on doit «soutenir la personne qui aura à changer» afin de l'aider à trouver et à appliquer une solution qui soit acceptable pour les deux.

Voici comment un leader s'est acquitté de cette tâche.

Superviseur: Robert, je t'ai appelé parce que j'ai un problème. Après avoir parlé de l'heure de sortie des ateliers, je pensais que tu avais compris notre règlement et que tu avais l'intention de le respecter. J'ai donc été très surpris, hier, de te voir partir avant 17 h. J'en suis contrarié.

Ouvrier: Charles, j'ai vraiment tout essayé pour ne pas partir avant 17 h. Jusqu'à hier, ça faisait deux mois que je ne l'avais pas fait.

Superviseur: Tu as été efficace récemment. Il y avait quelque chose de particulier, hier.

Ouvrier: En milieu d'après-midi, j'ai reçu un appel de celui qui me ramène chez moi en voiture. Il a dit qu'il devait partir à 17 h précises et que si je n'étais pas dans la rue, il partirait sans moi.

Superviseur: Tu étais coincé, hein?

Ouvrier: En effet! Un jour où il était malade, j'ai dû prendre l'autobus et il m'a fallu une heure et demie pour rentrer chez moi.

Superviseur: Tu as détesté ce trajet, n'est-ce pas?

Ouvrier: Avec lui, cela me prend seulement une demi-heure.

Superviseur: Donc, tu étais partagé entre perdre du temps et respecter le règlement.

Ouvrier: Oui, et je t'ai cherché durant l'après-midi. J'imagine que tu étais sorti parce que je n'ai pas réussi à te trouver.

Superviseur: Tu espérais obtenir mon accord si tu me le demandais!

Ouvrier: J'en étais sûr.

Superviseur: Apparemment, tu penses que c'est très important pour toi de rentrer à la maison et de ne pas manquer le copain qui te ramène, même si tu dois enfreindre le règlement.

Ouvrier: C'est une situation qui arrive de temps à autre. Il me semble que deux minutes, ce n'est pas une affaire grave. Je suis parfois au travail le matin vingt minutes avant l'heure.

Superviseur: Je comprends ça. Tu es toujours à l'heure. Mais nous avons deux règlements: l'un, d'arriver ici à l'heure et l'autre, de ne pas partir avant l'heure. Et on doit appliquer les deux.

Ouvrier: Je ne pense pas que ceci se reproduise, ou peut-être alors très rarement.

Superviseur: C'est ce que je pensais aussi après notre dernière conversation, Robert. Mais il est arrivé quelque chose et ça s'est reproduit.

Ouvrier: J'ai dit à mon copain que je devais rester jusqu'à 17 h et habituellement, il attend. Excepté hier. Mais il a été assez gentil pour m'appeler.

Superviseur: Penses-tu pouvoir faire quelque chose pour éviter cela à l'avenir? Ce règlement ne doit pas être enfreint, sauf pour une urgence plus sérieuse que celle-ci qui, selon moi, n'est pas le type d'urgence justifiant que tu partes plus tôt. As-tu une idée de ce que tu pourrais faire pour éviter que ça ne se reproduise?

Ouvrier: Je pourrais m'assurer que tu sois prévenu que je pars plus tôt — si jamais mon copain a besoin de partir avant 17 h.

Superviseur: Cette solution ne me satisfait pas, et je ne pense pas pouvoir y donner mon accord. Je ne crois pas que je pourrais te donner ma permission pour cette sorte d'urgence.

Ouvrier: Pas même dix ou quinze minutes?

Superviseur: Pas pour ça. Nous devrions essayer de trouver une solution qui nous satisfasse tous, toi, moi et le règlement de la société.

Ouvrier: Peut-être devrais-je prendre l'autobus ces jours-là.

Superviseur: En d'autres termes, tu pourrais prendre l'autobus si tu avais à le faire?

Ouvrier: Oui. Mais il me semble qu'une heure et demie d'autobus, c'est long pour seulement dix ou quinze minutes. Cela ne me semble pas raisonnable, un règlement comme cela!

Superviseur: Tu penses que si tu observes le règlement la plupart du temps, c'est acceptable d'y manquer une fois à l'occasion.

Ouvrier: Il me semble.

Superviseur: Si les vingt personnes qui travaillent dans notre service adoptaient la même attitude, presque chaque soir quelqu'un partirait plus tôt. Je ne pense pas que ce serait fonctionnel.

Ouvrier: Non. Je pourrais peut-être trouver quelqu'un ici qui me ramènerait chez moi ces jours-là. Et même, cela ne me dérangerait pas de marcher un peu.

Superviseur: Tu penses que cela résoudrait le problème.

Ouvrier: Oui. Comment faire pour trouver quelqu'un?

Superviseur: Je pense que M. Pépin a une liste au département du personnel.

Ouvrier: D'accord, j'irai le voir aujourd'hui.

Superviseur: Parfait, Robert. J'apprécie la manière dont tu as résolu ce problème.

Ce superviseur a largement fait usage de l'écoute active («changement de position») dans cette situation. Mais il a aussi agi comme catalyseur, aidant Robert à franchir les six étapes de résolution de problèmes: «As-tu une idée de ce que tu pourrais faire pour éviter que ça ne se reproduise?» et «Nous devrions essayer de trouver une solution qui nous satisfasse tous, toi, moi et le règlement de la société». Charles a également aidé Robert à appliquer la décision retenue: «Je pense que M. Pépin a une liste au département du personnel.»

D'autre part, Charles a constamment laissé à Robert la responsabilité de décider ce qu'il allait faire. Grâce à l'écoute active, il a aussi fait comprendre à Robert qu'il acceptait le fait que celui-ci éprouve des difficultés liées à la recherche d'une solution. Cependant, Charles n'a jamais renoncé à satisfaire ses propres besoins. Il s'est affirmé calmement mais fermement et il a expliqué sa propre position à Robert.

Souvent, après la confrontation, le leader doit jouer un rôle encore plus actif pour aider son collaborateur à changer. Dans une société où j'ai travaillé comme consultant, le directeur général trouvait très inacceptable que ses collaborateurs (les vice-présidents de division) ne tiennent pas de réunions de service avec leur personnel. Après les avoir confrontés à ce sujet, il réalisa qu'ils n'avaient pas suffisamment confiance en eux-mêmes pour animer des réunions de service «participatives» et pour laisser l'équipe prendre des décisions. Après les avoir écoutés exprimer leur anxiété, le directeur général leur demanda s'ils voulaient bien qu'il assiste à une ou deux des réunions de service de chacun d'entre eux; de cette façon, il pourrait observer la réunion, puis leur fournir une certaine formation et un enseignement. Les vice-présidents acceptèrent cette suggestion.

En plus d'aider ses collaborateurs à changer par la formation et l'enseignement, le leader peut trouver avantageux de fournir à ses collaborateurs de nouvelles données en leur faisant des observations sur leur façon de fonctionner (comme le coût mensuel et le calcul des revenus, les rapports de ventes, les coûts de production et ainsi de suite). Si, par exemple, on veut que ses responsables de service réduisent les coûts, il est indispensable de leur fournir des rapports périodiques sur les coûts réels.

QUE DOIT-ON SAVOIR DE L'AUTRE QUAND ON SOUHAITE LE VOIR CHANGER?

Ce modèle, que je propose pour *influencer les autres à changer,* demande peu ou pas d'information «diagnostique» sur les individus que l'on souhaite voir changer. Cette approche diffère de celle qu'utilisent traditionnellement la plupart des leaders dans les entreprises. J'appelle l'approche traditionnelle «le modèle du diagnostic» et la mienne «le modèle de la confrontation».

Le modèle du diagnostic exige que le leader connaisse parfaitement les membres de son personnel: leur personnalité, leurs façons de penser et de faire habituelles, les causes de leur comportement. Une telle information, prétend-on, aidera le leader à déterminer quelles sortes d'influence il devra mettre en œuvre pour les amener à changer.

Dans le modèle du diagnostic, on trouve, implicitement présente, l'idée que c'est le leader qui assume la responsabilité de susciter le changement. Ce modèle sous-entend que plus un leader sait de choses *sur* ses collaborateurs, plus il est habile à choisir les méthodes pour les amener à changer. Trop souvent, cela implique une forme subtile de manipulation: le leader utilise l'information qu'il a sur ses collaborateurs pour leur faire adopter les *solutions prédéterminées* par lui. Peut-être avez-vous entendu comme moi des paroles du genre:

- «Quelle est la meilleure approche à adopter avec une personne comme Alain?»
- «Je ne connais pas suffisamment ce qui fait réagir Isabelle pour savoir sur quelles ficelles je dois tirer.»
- «Le seul moyen de faire accepter ces nouvelles procédures à Yves est de lui faire croire que c'est lui qui en a eu l'idée.»
- «On doit traiter les femmes différemment.»
- «Je n'arrive pas à cerner le problème de Vincent. Il n'est pas suffisamment motivé.»

Ces expressions proviennent du «langage du contrôle», bien plus présent dans le monde des entreprises et des institutions que le «langage de l'influence», dont découle le modèle de la confrontation.

Dans le modèle de la confrontation, la manière dont le leader comprend le problème de Vincent n'est pas aussi importante que la manière dont Vincent comprend son propre problème.

Dans le modèle de la confrontation, le leader n'a pas besoin de penser aux ficelles à tirer pour changer Isabelle.

Il est beaucoup plus important pour lui de confronter Isabelle ouvertement et franchement et de l'aider à trouver ses propres ficelles.

Dans le modèle de la confrontation, le leader n'a pas à se soucier de savoir si la personne est un homme ou une femme, si elle est jeune ou vieille, libérale ou conservatrice, ingénieur ou vendeur. Le leader voit, chez les êtres humains, infiniment plus de ressemblances que de différences; de plus, même si les différences existent, c'est plus important pour lui de connaître *ce que* les personnes ressentent plutôt que *pourquoi* elles le ressentent.

Dans le modèle de la confrontation, ce qui se cache derrière les sentiments et les comportements est l'affaire des personnes concernées, et non celle du leader. La tâche du leader consiste à comprendre ses propres sentiments et à les communiquer aux autres, ouvertement et franchement.

Dans le modèle de la confrontation, le leader ne manipule pas les autres en se fondant sur leur «histoire de cas personnelle»; il utilise plutôt des méthodes permettant de parvenir à des solutions acceptables à la fois pour lui-même et pour les membres de son équipe.

En réalité, le modèle du diagnostic emprisonne sérieusement le leader et l'empêche souvent de prendre une action décisive quand ses collaborateurs lui causent des problèmes. S'il croit nécessaire de comprendre les raisons et les motifs du comportement de ses collaborateurs avant d'aborder un problème, le plus souvent il n'y parvient pas, car il obtient rarement toute l'information qu'il pense lui être indispensable. Les êtres humains sont complexes et il est pratiquement impossible d'acquérir une compréhension complète de «ce qui les fait réagir». Plusieurs leaders négligent ou évitent l'action qui permettrait de résoudre des problèmes humains, à cause du peu d'information dont ils disposent au sujet d'autrui, information qu'ils croient leur être nécessaire pour comprendre pourquoi certains sont non productifs, peu coopératifs, peu enthousiastes et ainsi de suite.

Avec le modèle de la confrontation, un leader a seulement besoin de comprendre ses propres besoins et sentiments et de trouver la manière de les communiquer sans donner tort à l'autre; il a aussi besoin de mettre en œuvre les techniques d'écoute de façon à élaborer avec ses collaborateurs des solutions mutuellement acceptables.

Confronter ses collaborateurs et résoudre le problème avec eux est plus simple (et certainement plus direct et plus loyal) que de tenter de cerner l'autre afin de mieux le manipuler pour faire adopter notre propre solution.

CHAPITRE 7

Comment rendre son équipe efficace

Certains partent du principe qu'«une réunion est un groupe de personnes qui ne peuvent rien faire individuellement, mais qui décident collectivement que rien ne peut être fait». Considérant à quel point beaucoup de réunions sont improductives et ennuyeuses, il n'est pas surprenant que tant de directeurs, d'administrateurs et de superviseurs les dédaignent tellement et les emploient si peu pour résoudre des problèmes. Cependant, un leader peut rarement résoudre les problèmes seul. Et, comme je l'ai souligné au chapitre 3, parce qu'il ne possède pas tous les éléments, un leader a nécessairement besoin des ressources des membres de son équipe pour l'aider à résoudre certains problèmes. Donc, les réunions ne risquent pas de disparaître. Je ne connais aucun autre moyen de construire une équipe efficace.

Tout en étant inévitables, la plupart des réunions peuvent certainement être grandement améliorées — mais non sans un effort considérable de la part du leader de l'équipe.

Est-il valable qu'un leader fasse l'effort d'acquérir la compétence nécessaire pour construire une équipe? À la longue, les avantages s'avéreront considérables, comme je l'ai souligné au chapitre 3: meilleur développement du personnel, diminution de la dépendance des membres de l'équipe envers leur leader, meilleure identification aux objectifs de l'équipe, élimination des différences de statut qui font obstacle à une bonne communication, possibilité pour les collaborateurs de satisfaire leurs besoins de niveaux supérieurs (appartenance, acceptation, estime de soi, accomplissement) et, dans plusieurs cas, prise de décisions de plus grande qualité grâce à la sagesse de l'équipe.

De tels avantages, toutefois, ne se concrétisent pas sans que les leaders examinent soigneusement les questions suivantes: Qui devrait participer à telle réunion? Comment établir un ordre du jour? Comment s'assurer de toujours avoir un compte rendu? Comment assurer la confidentialité? Quelles règles adopter pour prendre les décisions et quelles procédures employer pour évaluer l'efficacité de l'équipe? Dans ce chapitre, j'aborderai ces sujets importants. Je donnerai des suggestions et des consignes pour aider les leaders à faire fonctionner leur équipe beaucoup plus efficacement.

Qui fera partie de l'équipe?

Si on doit former une équipe dans le but de traiter et de résoudre les problèmes, il est important de décider qui fera partie de l'équipe; et il est tout aussi important que ces personnes le sachent aussi.

Souvent, la réponse est donnée tout simplement par l'organigramme: ce seront tous ceux dont on est *directement* responsable, l'ensemble de son équipe de travail, comme on le voit dans le graphique suivant où le leader coordonne une équipe de cinq personnes.

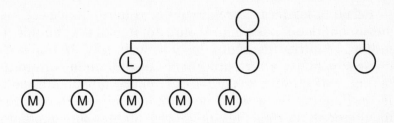

Certains leaders ont du personnel supplémentaire, des adjoints chargés de certaines fonctions professionnelles (secrétaire, directeur du personnel, conseiller juridique, adjoint) comme dans l'équipe de travail ci-dessous:

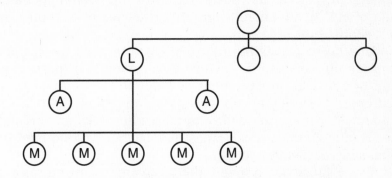

Dans ce type d'équipe, le leader doit décider d'inclure ou non ses adjoints dans l'équipe de gestion. Ont-ils des connaissances spécifiques que ne possèdent pas les principaux membres de l'équipe? Veulent-ils participer régulièrement aux réunions de l'équipe? Peut-on se permettre de leur accorder le temps d'y assister? Ces personnes ont-elles besoin d'être au courant des problèmes de l'équipe (et des solutions qu'on y apporte) pour remplir leur fonction efficacement? Ces personnes veulent-elles progresser et devenir qualifiées pour assumer des postes de responsabilité dans l'entreprise? Leurs connaissances sont-elles si spécialisées qu'elles ne peuvent pas tellement contribuer à la résolution des problèmes, compte tenu du type de questions dont l'équipe traite généralement?

Certains leaders, après avoir considéré ces questions, choisissent de ne pas inclure leurs adjoints dans l'équipe de gestion. D'autres tiennent à les y inclure. Il n'existe pas de «bonne» réponse à cette question. Cependant, je suis plutôt en faveur de donner aux adjoints l'opportunité de faire partie de l'équipe de gestion et de voir comment les choses fonctionnent. Parfois, les membres du personnel adjoint décident d'eux-mêmes qu'il est préférable de ne pas assister aux réunions d'équipe, pour diverses raisons: ils sentent que leur contribution est minime, ils veulent s'acquitter uniquement de leur tâche, ils n'aiment pas les échanges qu'entraîne la résolution de problèmes en équipe, ou encore ils n'aspirent pas à un poste exigeant un développement approfondi. Évidemment, on doit respecter et accepter de tels sentiments.

Une autre possibilité (que j'ai essayée dans ma propre entreprise) consiste à inviter ouvertement le personnel adjoint à assister aux réunions de l'équipe de gestion chaque fois qu'on y traite un problème qui les concerne. Cette façon de procéder n'exclut pas les membres du personnel adjoint des réunions, mais n'exige pas leur participation quand ils n'en sentent pas la nécessité.

Il y a plusieurs années, j'ai essayé sans grand succès d'élargir mes propres réunions d'équipe de gestion en y incluant non seulement les six responsables de services qui se rapportent directement à moi, mais aussi tous ceux qui, dans l'entreprise, voulaient assumer la responsabilité de participer à la résolution des problèmes et à la prise des décisions. À cette époque, notre entreprise ne comptait que vingt-cinq employés: je pensais donc que cela pouvait fonctionner. De nombreuses raisons nous ont amenés à ne pas appliquer cette procédure.

Le nombre de personnes dans l'équipe rendait le consensus très difficile. Certains ne participaient pas, certains décrochaient, certains assistaient irrégulièrement aux réunions. Depuis, j'ai constitué mon équipe permanente de gestion seulement avec les huit personnes qui se rapportent directement à moi (aussi bien ceux en «ligne horizontale» que ceux en «ligne verticale»). Nous nous rencontrons, tous les neuf, une fois tous les quinze jours. Cette équipe est responsable de toutes les décisions de gestion; cependant, n'importe quel employé peut participer à une réunion particulière (ou y être invité) si l'équipe traite un problème par lequel il se sent concerné ou sur lequel il possède des données pertinentes. Au moment d'écrire ce livre, je favorise cet arrangement et cela semble bien fonctionner, mais je n'exclus pas la possibilité de pouvoir essayer dans le futur une autre variante. Les entreprises doivent rester souples et s'adapter aux changements de personnel et à leurs nouveaux objectifs.

Quand les membres de cette équipe ont été identifiés, on peut aussi envisager la possibilité que chaque membre permanent désigne un remplaçant qui assistera aux réunions en son absence. Cette pratique permet à l'équipe de ne pas retarder inutilement la prise d'une décision affectant le service dont le représentant est absent; cela fournit également un entraînement et une formation au remplaçant.

Que faire si on a tellement de membres dans son équipe que la résolution de problèmes et la prise de décisions deviennent trop difficiles et prennent trop de temps? (Dans plusieurs écoles, le directeur peut être responsable de cinquante enseignants ou plus. Une équipe de gestion de cette envergure est habituellement très difficile à encadrer.)

Il est possible d'opter pour une forme de gestion «représentative». Tous les enseignants peuvent élire un petit nombre d'entre eux qui, avec le directeur, forment l'équipe de gestion. Ce peut être, par exemple, un enseignant de chaque niveau ou de chaque matière. On peut tenir des élections chaque année ou tous les deux ans; ainsi, après un certain temps, tous les enseignants auront participé à l'équipe de gestion.

Les différents types de réunions

Une raison pour laquelle les réunions d'équipe sont utilisées inefficacement ou pas utilisées du tout est qu'il manque une structure cohérente pour les réunions; les leaders connaissent mal les diverses fonctions qu'elles sont censées remplir. Ils emploient un type de réunion quand ils devraient en employer un autre. Ou encore ils utilisent une réunion pour atteindre plusieurs objectifs, au lieu d'en organiser plusieurs, chacune devant avoir un seul objectif. Sans ligne de conduite, ils voient leurs réunions se transformer en bavardage, en discussions sans fin où on n'accomplit rien.

D'abord, distinguons deux catégories de réunions:

1. Réunion d'information.
2. Réunion de résolution de problèmes.

Les réunions d'information ont pour objet le développement personnel, la formation continue, l'information sur les activités des autres membres de l'équipe (y compris le leader). Dans de telles réunions, on ne devrait pas tenter de résoudre des problèmes. Habituellement, il n'est pas nécessaire de limiter le nombre des participants. Les réunions d'information seraient appropriées pour des situations telles que celles-ci:

1. Le leader (ou un membre de l'équipe) rapporte à l'équipe ce qu'il a appris lors d'une conférence ou d'une visite dans une autre entreprise.
2. On embauche un consultant extérieur pour exposer à l'équipe une innovation prometteuse.
3. Chaque membre de l'équipe (par exemple, les chefs de département) informe les autres des activités de son département.
4. Le leader fait régulièrement un rapport à son équipe sur les actions et les décisions prises par l'équipe de direction générale, dont il fait lui-même partie.

Dans de telles réunions d'information, on peut poser des questions ou faire des commentaires, mais il est important de ne pas entamer une démarche de résolution de problèmes et, bien sûr, de ne prendre aucune décision. Si un problème se présente, et cela arrive souvent, on devrait alors l'inscrire à l'ordre du jour de la prochaine réunion de résolution de problèmes.

On compte plusieurs types de réunions de résolution de problèmes. Chaque type correspond à une, ou plusieurs, des six étapes du processus de résolution de problèmes avec lesquelles nous sommes déjà familiers. Les voici:

- Réunion d'identification de problèmes (1re étape)
- Réunion de recherche de solutions (2e étape)
- Réunion d'évaluation des solutions et de prise de décisions (3e et 4e étapes)
- Réunion d'application (5e étape)
- Réunion régulière de gestion participative (de la 1re à la 6e étape)

LA RÉUNION D'IDENTIFICATION DE PROBLÈMES

Toutes les entreprises ont des problèmes et on ne devrait pas les considérer comme «mauvais» ou pathologiques. Une entreprise sans problème est une organisation qui ne grandit pas, ne change pas, ne s'adapte pas.

Malheureusement, les chefs d'entreprise, éloignés des niveaux opérationnels où se produisent les problèmes, n'ont pas toujours conscience de leur existence. Les employés hésitent souvent à admettre l'existence de ces problèmes devant leurs supérieurs. Ils croient que c'est trop risqué (ils craignent d'être mal jugés ou blâmés). Finalement, les problèmes demeurent non résolus, noyés dans la routine journalière des choses à faire.

Les leaders ont tout intérêt à faire volontairement l'effort de découvrir et d'identifier les problèmes. Ils ont avantage à aller au-devant des problèmes parce qu'il est possible que les problèmes ne viennent pas toujours à eux.

La réunion d'identification de problèmes offre une méthode pour le faire. Une telle réunion peut rassembler tous les membres de l'équipe ou seulement quelques-uns. Cette réunion peut être convoquée chaque mois ou à intervalle régulier de quelques mois.

L'objectif de la réunion d'identification de problèmes est très limité: identifier autant de problèmes que possible dans un laps de temps précis, sans chercher de solutions.

Le leader peut choisir de ne pas être présent à cette réunion pour enlever aux membres de l'équipe toute crainte d'être jugés par lui. S'il existe dans l'équipe un climat d'ouverture et si les membres sont habitués à révéler les problèmes sans crainte de jugement ou de censure, le leader peut choisir de participer à la réunion, étant sûr que sa présence ne gênera pas l'identification des problèmes.

Des techniques simples peuvent faciliter la bonne marche de la réunion. Il y a la «méthode de la fiche». Anonymement, les participants écrivent chaque problème sur une fiche et on place ces fiches dans une boîte. Dans la «méthode du tableau», le leader ou un membre de l'équipe inscrit au tableau chaque problème pour que tous les participants les voient. On peut noter l'identité de la personne qui soumet chaque problème en inscrivant ses initiales à la suite de l'énoncé; on peut tout aussi bien garder l'anonymat.

Le rôle du leader n'est pas compliqué. Il doit d'abord «structurer» la réunion: définir l'objectif, expliquer la procédure, énoncer les règles de base (pas de jugement, pas besoin de lever la main pour demander la permission de parler, pas de documentation, pas d'exemple ou d'explication interminable, pas de solution) et fixer la durée de la réunion. Si les problèmes sont exposés oralement, le leader peut employer l'écoute active pour clarifier le message de chaque membre de l'équipe et montrer qu'il accepte, sans l'évaluer, la personne qui soumet le problème.

La réunion d'identification des problèmes est tout spécialement indiquée quand d'importants changements qui risquent d'affecter l'équipe doivent survenir: nouvelle politique provenant des niveaux supérieurs, introduction imminente de nouvelles méthodes, de nouveaux équipements, de nouveaux formulaires, etc. La question posée à l'équipe pourrait être quelque chose comme: «Pour notre équipe, quels problèmes peuvent résulter des changements à venir?»

Utilisée dans ce contexte, la réunion d'identification de problèmes s'avère un excellent outil qui permet aux leaders d'accomplir une tâche essentielle à un leadership efficace dans une entreprise structurée: aider les membres de l'équipe à faire face d'une façon constructive à l'impact que les changements peuvent produire dans leur existence. La réaction au changement dépend de la façon dont l'interprètent ceux qui doivent le subir. Leur interprétation personnelle reflétera psychologiquement la façon dont ils ont été préparés au changement et la manière dont ils croient pouvoir y faire face. Évidemment, une pleine participation à l'identification des problèmes qu'ils anticipent face à ce changement constitue un premier pas très important pour aider ceux qui font face au changement: l'extrait suivant, tiré d'une entrevue avec un directeur, illustre ce point:

Utiliser la méthode sans-perdant (voir le chapitre 9) est tout à fait étranger à certains contremaîtres. Habitués à opérer d'une certaine façon, ils ont l'impression qu'ils sonneraient faux s'ils changeaient. Certains d'entre eux utilisent maintenant la méthode sans-perdant. Ils amènent leur personnel à participer davantage à la résolution des problèmes et aux prises de décisions, comme l'achat d'un nouvel équipement. Prenons l'exemple des poinçonneuses, des nouveaux tours pour l'acier et de la perceuse verticale. Cela fait une véritable différence. Avant, quand nous achetions quelque chose de nouveau pour l'atelier, les mécaniciens trouvaient toujours quelque chose à redire. Maintenant, ils participent au choix et donnent leur avis sur l'emplacement. Nous n'avons eu aucune plainte sur le tour, la perceuse ou les poinçonneuses: ils disent que ce sont des machines formidables.

Certains leaders réunissent régulièrement les membres de leur équipe uniquement pour leur permettre d'exprimer leurs plaintes et leurs griefs et pour découvrir les problèmes. Dans une entrevue, un chef d'équipe nous a exposé comment il faisait un usage efficace de la réunion d'identification de problèmes.

Maintenant, quand nous avons une réunion de libre discussion, je leur dis: «Si quelqu'un veut parler de quelque chose, peu importe le sujet, je suis d'accord. Parlons-en ouvertement.» Si cela a un rapport avec quelque chose que je fais, je demande toujours: «Que pensez-vous de moi comme patron?» Et je vous jure, j'obtiens beaucoup de réponses positives. Je joue cartes sur table et je leur dis: «Il n'y a que vous et moi: je ne suis pas patron et vous n'êtes pas employés. Nous ne sommes que des personnes. Je veux savoir ce que vous pensez de moi et je vous dirai ce que je pense de vous.» Je trouve que ça réussit très bien dans la plupart des cas... Ils ont leurs problèmes et moi les miens. Nous nous asseyons et nous en discutons. J'essaie de faire passer mon message et d'écouter ce qu'ils ont à dire. Je ne suis pas l'homme le plus intelligent du monde — j'avais des camarades, pendant ma formation, qui saisissaient les choses plus rapidement que moi. Mais je me dis toujours que si je ne retiens qu'une chose du cours, j'aurai accompli beaucoup. Cela m'a permis de regarder sous un meilleur angle les gens qui travaillent pour moi.

LA RÉUNION DE RECHERCHE DE SOLUTIONS

On appelle souvent ce genre de réunion «remue-méninges» ou «brainstorming». Ce terme a sans doute été inventé par Alex Osborne pour décrire une méthode qui aide à faire émerger la créativité d'une équipe devant un problème à résoudre. L'équipe prend un problème (ce pourrait être un de ceux qu'on a identifiés dans une réunion d'identification de problèmes) et concentre son énergie sur l'énumération de solutions possibles. Par exemple:

- Comment diminuer la fréquence et la durée des appels téléphoniques interurbains?
- Comment réduire la paperasse?
- Que faire pour augmenter les ventes de tel ou tel produit?
- Que faire dans notre école pour rendre l'apprentissage plus passionnant pour les jeunes?
- Que faire pour approcher le zéro défaut de fabrication de tel ou tel produit?
- Comment améliorer les soins donnés aux malades dans l'hôpital?

Parce que la créativité ne s'épanouit pas dans un climat de jugement et de critique (d'inacceptation), les séances structurées de remue-méninges devraient être encadrées par certaines règles de base:

- Aucune évaluation d'aucune sorte.
- Laisser aller son imagination, faire de la libre association, ne pas censurer ses propres idées.
- Enchaîner sur les idées des autres.
- Regarder le problème sous plusieurs angles différents.

Étant donné qu'on vise la quantité, on met les membres de l'équipe en garde contre la tentation de justifier ou d'expliquer leurs idées: mieux vaut faire des commentaires brefs et garder un rythme rapide.

Un membre de l'équipe (souvent le leader, mais pas nécessairement) note rapidement les idées présentées, sur des fiches ou sur un tableau. Ensuite, on peut les classer par catégories pour faciliter l'étape suivante: l'évaluation (effectuée habituellement au cours d'une réunion ultérieure).

Le leader a pour principales fonctions de rappeler à l'équipe que les évaluations sont interdites lorsque quelqu'un se met à en faire, ainsi que d'encourager l'équipe à être créative et à garder un rythme rapide. Quand le temps est écoulé, les équipes aiment bien qu'on relise toutes les idées émises, sauf, bien sûr, si elles ont été écrites sur un tableau.

Ces réunions peuvent être amusantes; elles suscitent généralement l'enthousiasme et l'excitation. Les membres de l'équipe sont toujours étonnés par la quantité et l'originalité des solutions qu'ils ont proposées.

LA RÉUNION D'ÉVALUATION DES SOLUTIONS ET DE PRISE DE DÉCISIONS

Quand, au cours des réunions précédentes, le problème a été identifié et des solutions énumérées, les leaders peuvent convoquer une réunion spéciale pour poursuivre la résolution du problème par les 3ᵉ et 4ᵉ étapes: évaluation des solutions et prise de décisions. Ordinairement, ces deux étapes fonctionnent mieux ensemble puisque l'évaluation conduit naturellement à décider quelle(s) solution(s) est la meilleure.

À la différence des deux premiers types de réunion, la réunion d'évaluation des solutions et de prise de décisions est beaucoup plus efficace si on limite le nombre de participants. Au-delà de douze à quinze participants, il devient tout à fait inefficace de tenter de prendre des décisions par consensus; les équipes font alors l'erreur de se replier sur la procédure de vote pour parvenir à des solutions. (J'expliquerai plus tard les inconvénients du vote.)

LA RÉUNION D'APPLICATION DE LA DÉCISION

Un leader peut convoquer une réunion séparée uniquement dans le but de faire participer les membres de l'équipe à la détermination de la manière d'appliquer une décision prise précédemment: on y détermine *qui fait quoi et quand?* J'ai constaté que plusieurs équipes de gestion arrivent à des décisions de grande qualité, mais négligent l'étape tout aussi importante qui consiste à dresser des plans pour appliquer ces décisions.

Certains leaders peuvent évidemment remplir cette tâche seuls, ou assigner arbitrairement à différents membres de l'équipe la responsabilité d'appliquer les différentes parties d'une décision. Mais il ne faudrait pas oublier que les membres de l'équipe possèdent beaucoup d'information pertinente qui peut influencer la meilleure façon de transformer la décision en action. Qui jouit d'une expérience antérieure appropriée? Qui dispose de temps? Qui *veut* s'engager dans l'application et qui ne le veut pas? Qui dispose d'un personnel suffisant? Qui a les ressources pertinentes (les connaissances, les données, les techniques, l'équipement)? Et ainsi de suite. En recourant à la participation des membres de l'équipe, on établit souvent de meilleurs plans pour faire fonctionner les décisions prises que si le leader assume seul cette responsabilité.

LA RÉUNION RÉGULIÈRE DE GESTION PARTICIPATIVE

On me demande souvent ce que je considère comme les conditions essentielles d'un leadership efficace. Ma réponse est toujours: «Des réunions régulières de résolution de problèmes et de prise de décisions avec son équipe de gestion.» Cela implique que les leaders apprennent à animer efficacement ces réunions.

Pour adapter un vieux cliché, on pourrait dire: «Montrez-moi une entreprise ou une équipe inefficace et je vous montrerai un leader soit qui ne tient pas de réunions de gestion participative du tout, soit qui les anime de façon médiocre.» Certains peuvent y voir une généralisation abusive, mais mes années d'expérience comme consultant auprès d'une grande diversité d'entreprises et d'équipes m'ont donné confiance dans la véracité de cette affirmation.

Au risque de paraître académique, j'ajouterai que la plupart des livres et des articles scientifiques qui traitent de la gestion d'entreprise montrent un accord plutôt constant des experts sur le fait que les leaders efficaces sont surtout ceux qui favorisent des concepts comme «la formation d'équipe», «la gestion participative», «la communication réciproque», «la satisfaction mutuelle des besoins», «la consolidation d'équipe», «une relation d'échange équitable», «la théorie Y» (modèle de leadership de Douglas McGregor fortement axé sur la collaboration et la participation) ou le «modèle II» (l'approche démocratique de Argyris et Schon, impliquant que les leaders partagent leur pouvoir avec toute personne ayant une compétence pour maximiser la contribution de chaque membre de l'équipe).

Ces idées demeureront des abstractions servant uniquement au divertissement intellectuel de professeurs et d'étudiants dans les universités et les écoles d'administration à moins que des leaders, dans notre société, soient motivés à instaurer des réunions de gestion participative et apprennent comment les faire fonctionner.

Au chapitre 3, j'ai présenté une liste de nombreux arguments en faveur des réunions de gestion participative. Maintenant, je suggère des indications pour les faire fonctionner efficacement.

Indications pour rendre efficaces les réunions de gestion participative

Beaucoup d'administrateurs, de directeurs et de superviseurs ont peu d'idées sur la manière d'organiser des réunions de gestion participative régulières, et sur la façon de les faire fonctionner efficacement. Ce n'est pas par hasard que certaines équipes de résolution de problèmes fonctionnent bien et efficacement; elles ont développé leur efficience avec le temps. M'appuyant sur mon expérience acquise à aider les leaders à développer des équipes de gestion efficaces, j'ai identifié dix-sept problèmes de procédure et de structure auxquels les leaders et leur équipe doivent faire face.

L'ensemble de mes consignes ne convient pas à toutes les équipes. Certaines conviennent davantage à des réunions de cadres intermédiaires ou supérieurs qu'aux cadres de premier niveau. C'est pourquoi certaines suggestions décrivent ce qu'un leader doit faire *idéalement*; en pratique, certaines circonstances peuvent empêcher les leaders de suivre certaines de mes recommandations, par exemple, de tenir les réunions dans une salle de conférence avec tableau (j'ai vu des réunions efficaces où les membres de l'équipe étaient assis dans un coin de l'usine sur de vieux tabourets en bois).

Enfin, je soulignerai que ces consignes s'adressent à des supérieurs prêts, dans leurs intentions et dans leurs comportements, à réunir leurs collaborateurs, à créer une équipe cohérente pour résoudre les problèmes et prendre les décisions, et également prêts à fournir à tous les membres de leur équipe l'opportunité de participer à *chacune des six étapes du processus de résolution de problèmes*.

1. *La fréquence des réunions*
   La fréquence à laquelle une équipe a besoin de se réunir est particulière à chacune et dépend du nombre de problèmes qu'elle doit résoudre, de leur complexité ainsi que de l'efficacité de l'équipe.

   Il est préférable que l'équipe se réunisse toujours à la même heure, le même jour et selon un calendrier régulier.

Les équipes nouvellement formées doivent souvent se réunir plus fréquemment au début, à cause de leur inexpérience et d'un ordre du jour chargé.

Une équipe accumule une expérience qui lui permet de déterminer la fréquence à laquelle elle a besoin de se réunir pour résoudre ses problèmes.

Pour certaines équipes, il est utile de tenir une courte réunion chaque matin. Il est souhaitable que les équipes se réunissent et procèdent comme d'habitude, en l'absence d'un des membres ou même de celle du leader.

2. *La durée des réunions*

Les réunions doivent commencer et finir à des heures précises et rigoureusement respectées.

Les équipes ne devraient pas se réunir plus de deux heures sans faire une pause.

Mieux vaut tenir une réunion additionnelle plutôt qu'une seule qui soit trop longue.

Après avoir accumulé une certaine expérience, l'équipe fixera la longueur des réunions, en tenant compte des besoins de l'entreprise et du facteur fatigue.

3. *La priorité des réunions*

Au début, l'équipe décidera de l'importance de ses réunions en fonction des autres obligations de l'entreprise.

Il est souhaitable que la participation aux réunions d'équipe passe avant la plupart des autres obligations de l'entreprise.

Chaque membre de l'équipe s'assurera de ne pas recevoir d'appels téléphoniques et de ne pas s'absenter pendant la réunion.

L'équipe peut souhaiter déléguer au leader la responsabilité de décider si une autre obligation est plus importante que la présence à la réunion d'équipe.

4. *Les participants remplaçants*
Chaque membre de l'équipe désignera un remplaçant pour assister aux réunions en son absence.

Chaque membre de l'équipe tiendra son remplaçant constamment informé, afin que celui-ci ait une connaissance suffisante pour pouvoir jouer un rôle actif au sein de la réunion.

Chaque membre de l'équipe déléguera à son remplaçant l'entière responsabilité de parler au nom de son département au sein de la réunion.

5. *Le lieu de la réunion*
Les réunions tenues avec déjeuner ou dîner en dehors de l'usine ou du bureau sont rarement efficaces.

Des salles de conférence privées, tranquilles, confortables, avec des sièges adéquats, sont des endroits préférables.

6. *L'aménagement matériel*
Il est souhaitable qu'un tableau à craie ou à feuilles soit disponible à toutes les réunions.

Les participants seront assis de façon à se voir les uns les autres.

Le leader, pour ne pas afficher un statut distinct, ne se placera pas systématiquement en bout de table. Des tables seront mises à la disposition des participants pour leur permettre de prendre des notes.

Les participants devraient pouvoir se servir librement à même des boissons mises à leur disposition.

7. *Le compte rendu*
   L'équipe établira la propre méthode qui lui semble la plus adéquate pour produire le compte rendu des réunions.

   Dans certaines équipes, on nomme un secrétaire permanent; dans d'autres chacun remplit cette fonction à tour de rôle. Il n'est pas souhaitable que le leader agisse comme secrétaire; il est préférable qu'il utilise son temps pour occuper d'autres fonctions.

   L'équipe décidera elle-même ce qu'elle veut retenir de la réunion. De préférence, l'équipe notera seulement les décisions, les plans d'action pour régler les problèmes non résolus, les problèmes identifiés lors des discussions, qu'on devra ensuite inscrire dans un prochain ordre du jour, les tâches assignées à chacun et les actions de suivi.

   Après avoir noté une action spécifique de l'équipe, celui qui rédige le compte rendu vérifiera ce qu'il a compris de cette action auprès de l'équipe entière, afin de s'assurer de l'avoir rédigée correctement.

   Il n'est pas utile de prendre en note les discussions qui ont conduit l'équipe à prendre telle ou telle décision. Plus le compte rendu des délibérations sera bref, plus il aura de chances d'être lu et revu par la suite.

   Une formule très pratique de compte rendu comprend: 1) un bref exposé du problème et 2) qui fait quoi et quand.

8. *L'élaboration de l'ordre du jour*
   L'équipe, plutôt que le leader, devrait avoir la responsabilité d'établir l'ordre du jour. C'est un point déterminant.

Certaines équipes préfèrent avoir un ordre du jour officiel préparé à l'avance: les membres de l'équipe assument alors la responsabilité de présenter les points à mettre à l'ordre du jour à quelqu'un qui en dresse la liste, puis qui l'envoie à tous les membres de l'équipe avant la réunion. Ou bien les membres de l'équipe peuvent, pendant la semaine, écrire les sujets à traiter sur un tableau accessible à tous.

Certaines équipes préfèrent établir l'ordre du jour au début de chaque réunion; dans ce cas on demande aux membres, au tout début de la réunion, les points qu'ils veulent soumettre à l'ordre du jour. On les inscrit alors au tableau. On ne doit discuter d'aucun point à l'ordre du jour tant que la liste n'est pas complète.

Les ordres du jour préparés à l'avance offrent l'avantage d'informer les membres de l'équipe des problèmes qui seront abordés, ce qui leur permet de bien se préparer à la réunion. Même dans ce cas, il est souhaitable de demander au début de la réunion s'il y a des points à ajouter à l'ordre du jour, car de nouveaux problèmes peuvent avoir surgi après la préparation de l'ordre du jour officiel.

9. *L'établissement des priorités de l'ordre du jour*
   L'équipe devrait établir une procédure pour déterminer l'importance relative de chaque point de l'ordre du jour, de façon à traiter les plus importants en premier. Cela peut être fait rapidement au début de chaque réunion. Dans le cas d'un ordre du jour préparé à l'avance, ceux qui soumettent des sujets devraient indiquer leur degré d'importance. L'équipe peut alors établir les priorités au début de chaque réunion.

   Chaque membre informera l'équipe du degré d'importance des sujets qu'il propose. Cela diffère de l'usage habituel où le leader détermine l'ordre du jour.

10. *La répartition du temps de parole*
L'équipe élaborera ses propres règles pour faciliter la communication pendant la réunion.

Il est préférable qu'il y ait peu de règles ou pas de règle du tout. Les équipes de résolution de problèmes efficaces fonctionnent habituellement d'une façon tout à fait informelle afin de permettre aux membres de l'équipe de parler quand ils en ont envie, sans demander la permission au leader.

Dans les équipes de résolution de problèmes expérimentées, chaque participant déterminera la pertinence et la durée de ses propres contributions et aidera les autres à s'exprimer.

Le leader doit être particulièrement attentif à ne pas inhiber la contribution des autres en dominant ou en contrôlant la communication au sein de l'équipe. Il doit renverser la tendance des gens à se sentir inhibés en présence de la personne qui occupe un poste de leadership.

11. *Les types de problèmes appropriés à l'équipe*
Chaque membre de l'équipe aura une connaissance précise des types de problèmes qu'il est utile de traiter en réunion.

En général, les problèmes qui concernent l'équipe sont: 1) ceux dont la solution demande des données spécifiques détenues par l'ensemble des membres de l'équipe; 2) les problèmes dont la résolution affecte les membres de l'équipe ou dont ils devront appliquer la solution.

Les membres de l'équipe détermineront la pertinence des problèmes qu'ils soumettent à l'équipe et filtreront ceux qui concernent seulement leur propre zone de responsabilité.

Chacun devrait toujours être conscient que certains problèmes ne concernent pas l'ensemble de l'équipe; ces derniers seront référés directement à la (ou aux) personne(s) concernée(s) qui les résoudra en dehors de la réunion.

Chaque personne, y compris le leader, dira à l'équipe exactement ce qu'on attend d'elle sur chaque point, soit 1) une décision; ou 2) des idées de solution à la suite de quoi cette personne choisira la solution définitive ou 3) un sondage pour tester la solution qu'elle envisage de choisir.

12. *Les types de problèmes inappropriés pour des réunions*

L'équipe ne devrait jamais employer son temps pour résoudre des problèmes 1) qui concernent seulement quelques-uns de ses membres, 2) qui ne sont pas assez importants pour être réglés par elle, 3) qui exigent du personnel une étude et une cueillette de données préliminaires ou 4) qui sont en dehors du champ de liberté.

Tous les membres de l'équipe assumeront à tout moment la responsabilité de dire s'ils croient qu'un problème particulier ne concerne pas l'ensemble de l'équipe.

13. *Les règles pour la prise de décisions*

Les équipes s'efforceront d'obtenir un accord de tous sur tous les problèmes. Si elle en a le temps, l'équipe continuera de discuter d'un problème jusqu'à ce qu'on parvienne à une solution acceptable par chacun.

167

Quand certains membres de l'équipe ne se sentent pas sûrs de la valeur de leur position, il est souhaitable qu'ils se rangent à l'avis de la majorité.

Les membres de l'équipe se montreront particulièrement réceptifs aux moments où ils constatent qu'en justifiant leur position ils ont fort peu de chances de voir la majorité changer sa position.

On ne vote jamais, sauf à titre de sondage pour savoir si l'équipe est bien d'accord sur un problème précis.

Pour certains types de problèmes, les membres de l'équipe s'en remettront à ceux qui ont la responsabilité d'appliquer la solution, ou encore aux membres qui sont concernés logiquement et concrètement par le problème.

Quand l'horaire ne permet pas de poursuivre suffisamment la discussion pour obtenir un accord complet, l'équipe peut déléguer la prise de la décision finale à un, deux ou trois de ses membres agissant comme sous-groupe, ou au leader.

14. *La confidentialité des réunions d'équipe*

Il est extrêmement important que chaque membre de l'équipe respecte la confidentialité des propos tenus au cours de la réunion. Dans les équipes de résolution de problèmes efficaces, les membres sentent qu'ils peuvent exprimer leurs opinions ou leurs sentiments, quels qu'ils soient, et sont assurés que les autres ne rapporteront pas leurs commentaires à des personnes extérieures à l'équipe.

La seule chose que les membres de l'équipe divulgueront en dehors de l'équipe sera ce qui aura été consigné dans le compte rendu.

Dans certains cas, l'équipe peut décider qu'on ne diffusera pas en dehors de l'équipe une décision particulière, ou seulement sous certaines conditions établies par l'équipe.

Chaque membre de l'équipe adoptera l'attitude d'un membre d'une famille, et considérera qu'on ne communique pas les discussions familiales à des personnes qui n'en font pas partie.

15. *Le traitement des points à l'ordre du jour*
À chaque réunion d'équipe, les points à l'ordre du jour seront traités jusqu'à l'adoption de l'une ou l'autre des dispositions suivantes: 1) parvenir à une solution; 2) reporter le problème afin de l'étudier plus à fond en dehors de l'équipe; 3) déléguer l'étude du problème à une personne (ou à un sous-groupe) afin qu'elle fasse une recommandation à l'équipe; 4) inscrire le problème à l'ordre du jour d'une prochaine réunion; 5) retirer le problème de l'ordre du jour (c'est le membre qui l'a soumis qui peut le faire) ou 6) redéfinir le problème en d'autres termes.

En aucun cas, le problème ne devrait être laissé en suspens.

16. *Le compte rendu de la réunion*
Aussitôt que possible, on imprimera et distribuera le compte rendu à tous les membres de l'équipe.

L'équipe établira des règles précises concernant qui peut voir les comptes rendus et qui, en plus des membres de l'équipe, en recevra copie.

Certains membres de l'équipe pourront communiquer personnellement les résultats importants de la réunion à leurs collaborateurs, plutôt que de courir le risque que le compte rendu ne fasse l'objet de malentendus.

Si une secrétaire tape et photocopie le compte rendu des réunions, on lui soulignera que celui-ci est confidentiel.

Enfin, le compte rendu de chaque réunion contiendra au moins les points suivants: 1) toutes les décisions prises par l'équipe; 2) un procès-verbal des dispositions prises pour chaque point à l'ordre du jour; 3) toutes les tâches assignées lors de la réunion avec les dates d'échéances: en somme QUI fait QUOI et QUAND.

17. *La procédure pour une évaluation continue de l'efficacité de l'équipe*
Soyons réalistes: les équipes, comme les gens, ne fonctionnent pas toujours efficacement. Une appréciation fréquente des résultats facilite l'apprentissage. Ainsi, les équipes efficaces utilisent habituellement des techniques spécifiques pour évaluer leur propre efficacité.

L'équipe mettra au point sa propre méthode pour évaluer son fonctionnement. Certaines équipes le font à la fin de chaque réunion; d'autres le font régulièrement mais moins souvent. Certaines utilisent des fiches d'évaluation à remplir par écrit, d'autres font une évaluation orale.

Responsabilités des participants dans les réunions de gestion participative

Une équipe de gestion ne fonctionnera jamais efficacement dans ses réunions à moins que tous les membres n'apprennent à remplir certaines fonctions importantes et à assumer certaines responsabilités. Bien que tout le monde reconnaisse qu'un style efficace de leadership est crucial pour la réussite des réunions, on entend rarement parler du *comportement efficace des participants*. Cependant, le comportement des participants peut faire en sorte que les réunions réussissent ou échouent. En fonction de mon expérience, il n'est pas exagéré de dire que la plupart des membres d'une équipe n'ont pas la moindre idée de la manière de fonctionner efficacement dans une équipe de résolution de problèmes participative. Comment pourraient-ils le savoir? De toute leur vie, la plupart des gens n'ont jamais fait partie d'une telle équipe. Cela signifie que quand on décide d'instaurer des réunions, on est handicapé par l'inexpérience profonde des membres de l'équipe. Pire encore, la plupart des participants ont vécu beaucoup d'expériences de réunions menées selon le style autocratique, où le leader ne laissait aux membres de l'équipe aucune chance de participer de façon constructive.

Je rappelle une explication donnée au début de ce livre: les leaders «héritent des mécanismes d'adaptation» de leurs subordonnés, tendances issues de comportement acquis dans de précédentes relations avec des leaders autoritaires. Afin de former une équipe efficace pour mes réunions, je dois réussir à remplacer ces mécanismes d'adaptation par des comportements plus constructifs.

En étant simplement un leader différent de ceux que mes collaborateurs ont connus, je susciterai certains changements dans le comportement de mon équipe; ils commenceront par imiter le comportement de leur leader. Mais je peux faire plus: donner des instructions aux membres de mon équipe et leur transmettre des consignes de «comportement souhaitable en équipe». Ce sera pour le personnel une révélation, puisque la plupart de ces attitudes seront nouvelles pour eux. Ces instructions les aideront aussi à comprendre clairement le comportement que j'attends d'eux dans ces réunions d'équipe.

Responsabilités des membres de l'équipe avant chaque réunion

1. Relire le compte rendu de la réunion précédente pour vérifier si toutes les tâches assignées lors de la réunion précédente ont été remplies.

2. Faire le nécessaire pour éviter d'être dérangé par des appels téléphoniques ou des visiteurs durant la réunion.

3. Prendre les dispositions pour arriver à l'heure à la réunion.

4. Avoir clairement à l'esprit les points qu'on veut inscrire à l'ordre du jour.

5. Préparer le matériel ou les données nécessaires à l'équipe pour aider les membres à traiter les problèmes à l'ordre du jour.

6. Si l'ordre du jour est connu à l'avance, l'étudier et se préparer pour discuter des problèmes en connaissance de cause.

7. Si on doit être absent, informer et préparer son remplaçant.

Responsabilités des membres de l'équipe pendant la réunion

1. S'assurer de soumettre ses points à l'ordre du jour. Les exposer très clairement, sans entrer dans les détails.

2. Quand on a une opinion ou un sentiment, l'exprimer franchement et clairement — ne pas le garder pour soi.

3. Parler seulement du sujet traité et aider les autres à s'y tenir.

4. Quand on ne comprend pas ce que dit quelqu'un, demander des explications.

5. Participer activement; quand on a quelque chose à dire, le dire.

6. Assumer la responsabilité de contribuer au fonctionnement du processus et de fournir des suggestions pour faciliter la résolution des problèmes, comme par exemple:

   • poser des questions;
   • aider l'équipe à ne pas s'écarter du sujet;
   • exiger une décision;
   • clarifier les points de vue des participants;
   • résumer;
   • écouter les autres;
   • établir l'ordre du jour rapidement;
   • noter les points importants au tableau.

7. Protéger le droit des autres à exprimer leurs opinions ou leurs sentiments; encourager les membres silencieux à parler.

8. Écouter attentivement les autres, clarifier ce que les autres disent quand c'est utile.

9. Essayer d'être créatif et de penser à des solutions qui peuvent résoudre les conflits; vérifier leur utilité auprès de l'équipe.

10. Éviter les commentaires qui perturbent l'équipe: blagues, sarcasmes, distractions, apartés, plaisanteries, remarques désobligeantes.

11. Prendre des notes sur ce qu'on accepte de faire après la réunion.

12. En toute occasion, se poser les questions: «Que puis-je faire maintenant pour aider l'équipe à progresser et à résoudre ce problème? Que puis-je faire pour aider l'équipe à agir plus efficacement? Quels sont les besoins de l'équipe? Comment puis-je aider?»

Responsabilités des membres de l'équipe après la réunion

1. Accomplir les tâches choisies et remplir ses engagements.
2. Transmettre à ses collaborateurs les décisions ou l'information qu'ils devraient connaître.
3. Ne pas divulguer ce qui a été dit ou fait durant la réunion, à l'exception des décisions finales.
4. S'abstenir de se plaindre d'une décision à laquelle on a donné son accord. Ne pas en rendre les autres responsables.
5. S'abstenir de faire appel au leader en dehors de la réunion. Ce qu'on ressent face à l'équipe doit être exprimé dans l'équipe.
6. Ne pas demander au leader de revenir sur une décision. En parler à la réunion suivante.

Les responsabilités spécifiques du leader

Évidemment, si on considère que le leader d'une équipe en est aussi un membre, tout ce qui précède s'applique autant à lui qu'aux autres. Toutefois, le leader a habituellement des responsabilités spécifiques dans les réunions, en vertu de sa position particulière dans l'équipe et de la perception des membres de l'équipe, qui le voient comme tenant un rôle différent du leur. En fait, dans les entreprises structurées, les leaders possèdent plus d'«autorité» et, en dernier ressort, ils sont responsables de la réussite ou de l'échec de l'équipe. Le statut spécial de sa position confère nécessairement au leader certaines fonctions spécifiques.

Un leader peut dire à son personnel qu'il veut former une équipe pour résoudre les problèmes et prendre des décisions, mais il doit confirmer ses paroles par ses actes.

Dans une entreprise où j'ai agi comme consultant auprès de l'équipe de direction, un des membres, un vice-président, s'est exprimé ainsi, en parlant des réunions de gestion participative:

> David (le président de la société) nous a dit qu'il voulait faire de nous une équipe démocratique et prendre les décisions en équipe; mais en fait, il a toujours la décision dans sa poche. Nous étions supposés discuter des problèmes et en arriver aux décisions, mais il fallait que ce soit ses décisions qui priment. J'ai fini par abandonner et me taire. Pourquoi perdre son temps à participer quand on sait qu'on finira toujours par faire ce que le patron veut?

Mes propres observations sur leurs réunions de gestion participative m'ont confirmé le sentiment du vice-président: le président ne mettait pas en pratique ce qu'il préconisait. Et aucun membre de son équipe n'était dupe. Tous les membres savaient qu'il n'était pas disposé à faire confiance à la sagesse de l'équipe et à lui permettre d'assumer la responsabilité de la prise de décision.

J'ai observé d'autres leaders qui préconisaient de favoriser un «climat de confiance» dans lequel les membres de l'équipe se sentiraient libres d'exprimer leurs opinions ou leurs désaccords avec le leader, mais s'avéraient incapables, dans les réunions, de réprimer leur tendance à utiliser des obstacles tels qu'évaluer négativement, moraliser, sermonner, faire la leçon et psychanalyser. Par conséquent, les membres de leur équipe avaient peur d'être francs et ouverts dans les réunions; les risques d'être rabaissés étaient trop grands.

Durant les premières étapes, alors qu'il essaie d'amener une équipe à devenir responsable, le leader doit souvent faire de grands efforts pour éviter d'inhiber la participation des membres et pour s'abstenir de tout comportement qui pourrait être interprété comme une façon de contrôler ou de diriger l'équipe. Cela peut signifier que, d'entrée de jeu, on limite ses propres contributions à des réponses verbales qui favorisent un climat d'acceptation et de non-évaluation. Les principaux outils de communication pour créer un tel climat sont l'écoute active, l'écoute passive, les invitations à parler et les signes d'attention. Il est risqué d'assumer un rôle plus actif avant que les membres de l'équipe aient diminué leur dépendance envers le leader et avant qu'ils aient perdu la crainte d'être évalués par celui-ci. En tant que leader, on ne peut pas devenir un participant à part entière tant que les membres de son équipe n'ont pas acquis assez de confiance pour participer librement et pour accepter ou rejeter ses contributions selon leur mérite, comme ils le font pour celles des autres membres de l'équipe.

En fait, une fois que les membres de l'équipe commencent à croire le leader quand il parle de «notre» équipe et non pas de «votre» équipe, une fois qu'ils commencent à sentir qu'ils peuvent apporter leur contribution en toute sécurité, et une fois qu'ils sont certains que le leader ne les manipule pas subtilement pour arriver à ses propres solutions préétablies, il sera davantage perçu comme un membre de l'équipe que comme le leader. Quand le leader en sera arrivé là, il pourra en toute sécurité participer plus activement et plus pleinement aux réunions. Mais cela prend du temps.

Comment un leader sait-il exactement quand les membres de son équipe le perçoivent plus comme un membre de l'équipe que comme leur supérieur? On ne sait jamais exactement quand, mais certains signes indiquent que l'équipe est prête à agir avec soi de la même façon qu'avec tout autre membre de l'équipe.

- Les membres de l'équipe ne s'adressent pas au leader de façon plus formelle qu'aux autres membres de l'équipe.
- Les membres de l'équipe n'attendent pas que le leader ouvre la réunion (ou qu'il la clôture).

- Les membres de l'équipe adressent leurs remarques à chacun des membres de l'équipe plutôt qu'au leader.
- Les membres de l'équipe prennent la parole spontanément, sans en demander la permission au leader.
- Les membres de l'équipe commencent à manifester leur désaccord avec le leader ou à mettre en question ses opinions.
- Beaucoup de membres de l'équipe émettent de brillantes idées.
- L'équipe arrive à des décisions sans vérifier auprès du leader pour obtenir son jugement final.
- Les membres de l'équipe utilisent les ressources et les expériences des autres plutôt que de se fier uniquement à celles du leader.
- Les membres de l'équipe jouent un rôle actif en apportant leur contribution pour améliorer le fonctionnement de l'équipe.
- Plutôt que de s'adresser au leader pour qu'il les confronte, les membres de l'équipe confrontent eux-mêmes les autres membres qui dérangent l'équipe ou entravent sa progression.

Grâce à mon expérience des équipes, dans ma propre entreprise et comme consultant dans d'autres organisations, j'ai découvert certains principes qui semblent particulièrement utiles aux leaders lorsqu'ils cherchent à faire de leur équipe une équipe efficace.

1. Plus l'équipe est dépendante de son leader, plus les contributions de ce dernier entravent la participation des autres membres.

2. Plus la différence de statut entre le leader et les membres de l'équipe (telle que perçue par les membres) est grande, plus il est vraisemblable que les

contributions du leader vont freiner la participation des membres.

3. Une fois que le leader devient un membre de l'équipe comme un autre, toute tentative de sa part de participer trop fréquemment sera traitée beaucoup plus facilement par l'équipe que lorsqu'il est perçu comme le supérieur. Chacun se sent alors libre d'exercer un certain contrôle sur la participation des membres de l'équipe, et il n'a plus peur de limiter la participation du leader.

4. Quand un leader a conscience de l'effet d'inhibition qu'il peut produire sur les membres de son équipe, il lui est plus facile de contrôler sa participation. Cette conscience rend probablement le leader plus sensible à certains signes subtils qui révèlent que les membres de l'équipe sont inhibés.

5. Trouver le juste milieu entre écouter les autres et apporter ses propres idées dans une discussion d'équipe est un problème non seulement pour le leader, mais aussi pour les autres. Même quand un leader réussit à limiter son rôle de leader et qu'il acquiert un statut de participant, il doit encore faire face à un problème: trouver un juste équilibre entre écouter et s'exprimer.

6. Une fois que le leader est perçu comme tout autre participant, les membres de l'équipe acceptent ou rejettent ses contributions selon leur mérite, plutôt que de les accepter sans critiquer ou les rejeter sans raison (quand le leader représente une figure de l'autorité).

CHAPITRE 8

Les conflits:
Qui gagne? Qui perd?

Un conflit, selon le dictionnaire, est un affrontement ou un désaccord, une controverse ou une querelle, une opposition ou un heurt, une lutte ou une bataille. Le mot sous-entend quelque chose de grave et d'intense. Et, comme chacun le sait par expérience, les conflits sont désagréables et entraînent des ruptures dans les relations. Ils sont aussi improductifs et coûteux pour une équipe que pour une entreprise. Cependant, qu'on le veuille ou non, certains conflits sont inévitables dans les relations humaines. Il ne nous reste que deux choses à découvrir: comment diminuer le nombre de conflits et comment résoudre ceux que l'on ne peut prévenir.

Alors que les conflits ne peuvent jamais être complètement évités dans les relations, on peut certainement en prévenir plusieurs, en particulier si le leader utilise les techniques et les méthodes décrites dans les chapitres précédents. Ces méthodes, et d'autres qui s'y rapportent, empêchent que, par escalade, les situations ne débouchent sur une lutte de pouvoir.

La technique d'écoute. Un leader qui sait comment aider ses collaborateurs ou ses collègues à résoudre les problèmes qui *leur appartiennent* fait un travail de prévention. Après tout, les problèmes des collaborateurs peuvent affecter la qualité de leur travail, ce qui pourrait évidemment causer un problème au leader, et éventuellement créer un conflit entre eux.

Supposons qu'un jour, je découvre qu'un de mes collaborateurs semble plus morose ou plus préoccupé que d'habitude. Bien que ce comportement ne me soit en aucune façon inacceptable — cela arrive à tout le monde —, je suis néanmoins inquiet: si cela dure plusieurs jours, la qualité de son travail pourrait en souffrir et j'ai justement besoin de cette personne pour réaliser un projet important. Il serait certainement prudent de faire l'effort d'aller vers ce collaborateur et de lui demander si je peux l'aider: «Robert, j'ai remarqué aujourd'hui que tu sembles préoccupé par quelque chose. Cela t'aiderait-il d'en parler? J'ai du temps, maintenant.»

Souvent, quelques minutes d'écoute accordées à quelqu'un peuvent faire des merveilles: il exprime ses sentiments, qui se dissipent, il commence à résoudre son problème et peut même parvenir à une solution. Cela comporte un autre avantage: j'ai ainsi manifesté que je m'intéresse à la personne. Si le problème est résolu, mon écoute a servi de *prévention.* J'ai réussi à empêcher un comportement inacceptable: par exemple, que la personne ne réalise pas le projet prévu.

La technique de confrontation. Évidemment, le but de la confrontation directe est d'influencer la personne à changer le comportement qui me cause un problème. Un bon message «je» augmente mes chances d'y parvenir; cela aura pour effet de prévenir un conflit qui se serait développé plus tard entre cette personne et moi, comme dans la situation suivante:

Le directeur: Je dois te dire ce qui me trotte dans la tête, Simon. Quand je voyage et que j'entends nos meilleurs clients se plaindre de retards de livraison, je suis d'abord embarrassé, puis contrarié, parce que je crains que nous ne perdions certains de ces clients.

Simon: Je te comprends, Lucien. Je suppose que tu ne sais pas que j'ai manqué de personnel ici pendant deux semaines.

Le directeur: Non, je ne le savais pas. J'aurais aimé le savoir avant aujourd'hui. Je suis convaincu que nous ne devrions jamais laisser le manque de personnel nuire à nos relations avec nos clients.

Simon: Comment pouvons-nous empêcher cela, Lucien? En faisant appel à des travailleurs temporaires?

Le directeur: C'est certainement quelque chose que tu peux faire.

Simon: Je ne savais pas que j'en avais le pouvoir. Cela augmente les coûts, tu sais.

Le directeur: Tu ne t'es pas senti libre de prendre cette décision de ta propre initiative.

Simon: C'est vrai.

Le directeur: Pourrions-nous nous entendre à ce sujet, Simon: à l'avenir, tu as le pouvoir d'embaucher temporairement une personne; mais si jamais tu en avais besoin de plus d'une, tu viens en discuter avec moi?

Simon: Cette solution me convient tout à fait. J'aime ça. Je pense que ça va résoudre le problème.

Le directeur: Je le pense aussi, Simon. Je suis beaucoup moins inquiet au sujet des retards de livraison et du mécontentement des clients.

La réunion de gestion participative. Les leaders qui réussissent à amener leurs collaborateurs à former une équipe efficace pour résoudre les problèmes et pour prendre les décisions évitent bien sûr beaucoup de conflits. En effet, les problèmes non résolus d'aujourd'hui seront la cause des conflits de demain. C'est pourquoi, dans les réunions de gestion participative efficaces, on établit des politiques et des règles; et, comme leur objectif est d'aider les gens à comprendre clairement ce que l'on peut ou ne peut pas faire, elles permettent de réduire les comportements «inacceptables», ce qui évidemment prévient les futurs conflits.

Dans ma propre entreprise, par exemple, l'équipe de gestion a récemment pris une décision qui a effectivement éliminé certaines causes de conflits survenus dans le passé. Nous avons adopté une politique d'horaire flexible, ce qui donne à tous les employés la possibilité de choisir leur heure d'arrivée et de départ, ainsi que la durée du déjeuner, pourvu qu'ils fassent quarante heures de travail par semaine. Cette politique a permis, à elle seule, d'éviter bon nombre de conflits et de malentendus.

Évidemment, le même règlement ne convient pas à toutes les entreprises. Il illustre comment des décisions prises par des équipes de gestion peuvent servir à prévenir les conflits.

Le message «je» de prévention. Une variante du message «je» de confrontation est le «message "je" de prévention», une simple affirmation de ce dont on a besoin ou de ce que l'on veut. Habituellement, ce type de message «je» est employé *avant* que ne se produise le comportement inacceptable — d'où le terme de message «je» de prévention. En affirmant: «J'ai besoin d'être complètement seul aujourd'hui pour faire mon rapport», je communique mon besoin personnel et j'indique que je souhaite éviter tout dérangement, ce qui me serait particulièrement inacceptable aujourd'hui et conduirait peut-être à des conflits avec les membres de mon équipe. Là encore, je souligne que le message «je» de prévention est beaucoup plus efficace qu'un message «tu» comme: «Aujourd'hui, vous ne devez me déranger sous aucun prétexte.»

Le message «je» de révélation. Une autre forme de message «je» communique (révèle) ce que l'on pense, croit ou valorise. De tels messages préviennent souvent des conflits, parce qu'ils font savoir aux gens ce qui est important pour moi: le message «Je suis fermement convaincu que la courtoisie au téléphone est indispensable aux bonnes relations avec les clients» révèle clairement ce que je valorise et informe les membres de mon équipe que je considère le manque de courtoisie envers la clientèle comme inacceptable. Maintenant qu'ils savent ce que je ressens, ils peuvent éviter un conflit possible avec moi en faisant consciencieusement un effort de courtoisie au téléphone.

Bien que ces méthodes et techniques préviennent beaucoup de conflits, un leader serait naïf d'espérer qu'aucun conflit ne se produise dans ses relations avec les autres. En fait, comme je l'ai dit, on peut démontrer que *l'absence* de conflit peut être le symptôme d'une entreprise ou d'une équipe qui ne fonctionne pas efficacement, n'évolue pas, ne change pas, ne s'adapte pas, ne s'améliore pas et ne fait pas face à de nouveaux défis avec créativité. Mon expérience m'a convaincu que le *nombre* des conflits dans les équipes (y compris les familles) n'indique aucunement leur niveau de «santé». Le véritable critère consiste à savoir si on résout les conflits et par quelle méthode on les résout. Il est déterminant de résoudre les conflits. Or, plusieurs leaders ont tendance à éviter de les aborder, à ne pas les résoudre, dans l'espoir qu'ils disparaîtront d'eux-mêmes.

J'ai entendu des directeurs décrire leurs équipes ou leurs entreprises avec fierté en disant: «Ici, nous formons une grande famille heureuse, nous nous entendons bien, sans problèmes.» Je suis toujours sceptique devant de telles déclarations de la part de leaders, comme devant celles des époux qui disent: «Nous sommes mariés depuis vingt ans et nous n'avons jamais eu une dispute.» Cela signifie générale-ment qu'ils n'ont pas laissé émerger ni traité leurs con-flits.

On craint beaucoup les conflits. On se sent anxieux et mal à l'aise face aux conflits et on adopte souvent une atti-tude de «paix à tout prix». On ne veut pas se «mettre les pieds dans le plat»; l'essentiel devient alors de «sauver la face». On évite donc de s'engager dans tout ce qui a trait à un conflit. Mais on paie cher cette attitude parce qu'en évi-tant les conflits, on peut s'attendre à des effets négatifs tout à fait prévisibles.

1. *Accumuler du ressentiment.* C'est vrai dans toutes les relations, pas seulement dans les relations entre leader et collaborateurs. Quand les conflits restent non résolus, le ressentiment s'accumule graduelle-ment. Alors, quand un problème mineur surgit, ce qui peut survenir des mois plus tard, tout le ressen-timent accumulé éclate au grand jour. Il est souvent hors de proportion avec le problème initial.

2. *Déplacer son ressentiment vers d'autres personnes ou vers des objets.* Le leader qui ne résout pas ses conflits au bureau peut rentrer chez lui et se défouler sur sa famille: il (ou elle) se plaint à son conjoint, gronde les enfants ou crie après son chien.

3. *Se plaindre, critiquer les autres, colporter des rumeurs, être de mauvaise humeur.* Un des signes les plus sûrs de conflits non résolus au sein des entreprises est l'atmosphère qui y règne: plaintes excessives, critique sournoise ou commérage inces-sant.

On ne peut donc se permettre de fuir les conflits, sinon on accumule du ressentiment, on déplace son sentiment; ou encore, on voit apparaître des symptômes de mécontentement et d'hostilité qu'on éprouve quand il y a des conflits dans un milieu de travail. Il est préférable de mettre à jour les conflits et de les résoudre plutôt que de les glisser sous le tapis et de les refouler.

Si les conflits sont inévitables dans la plupart des entreprises et des équipes, comment se produisent-ils et qui s'y trouve impliqué?

Certains conflits surviennent quand les messages «je» ne réussissent pas à pousser l'autre personne à changer un comportement inacceptable pour un comportement acceptable. On peut même s'attendre que de bons messages «je» n'atteignent pas leur objectif; cela se produit généralement quand l'autre personne a de bonnes raisons de maintenir un tel comportement, ou de grandes craintes de changer, comme dans les situations suivantes.

Dans une entreprise que je connais, le président estimait qu'on ne l'informait pas assez fréquemment des progrès (ou de l'absence de progrès) de la division «recherche et développement» de la compagnie. Le président a confronté le chef de la division avec des messages «je» appropriés et a reçu l'assurance que la situation serait corrigée. Des mois plus tard, aucun rapport n'avait encore été remis. Une autre confrontation n'obtint pas plus de succès. Manifestement, il y avait un conflit entre les besoins du président et les besoins du chef de division. Plus tard, ils abordèrent ensemble ce conflit lors d'une rencontre face à face. Le président apprit que le chef de division ressentait une grande réticence à lui demander son avis, car il craignait d'être critiqué, ou encore que le président ne fasse d'importants changements au projet qu'il considérait comme son «bébé» et dans lequel ses propres intérêts étaient en jeu.

Dans un petit cabinet d'avocats, les associés étaient mécontents de la manière dont on nettoyait leurs bureaux. Des messages «je» convainquirent le préposé à l'entretien de faire un travail plus soigné pendant quelque temps, mais une semaine plus tard il revint à ses vieilles habitudes de négligence.

Le président d'une usine a confronté son comptable à propos de ses rapports mensuels, qui étaient extrêmement compliqués et difficiles à comprendre; cependant, quelques mois plus tard, il ne put constater que peu d'amélioration.

Dans les réunions de gestion participative, un conflit émerge souvent juste au moment où l'équipe arrive à l'étape de la prise de décision dans le processus de résolution de problème. La plupart des membres de l'équipe favorisent une solution, mais un ou deux s'y opposent fortement; malgré une discussion prolongée, on n'aboutit pas à un accord. Récemment, j'ai vu ce genre de conflit se produire dans une équipe de gestion au sujet de la question très controversée de passer ou non de la semaine de travail de quarante heures à la semaine de trente-sept heures et demie.

En tant que dirigeant, on peut s'attendre à être impliqué dans des conflits avec tout un éventail de personnes: avec l'ensemble de son équipe, avec un ou deux membres de son équipe, avec son propre superviseur, avec le directeur d'un autre service ou d'une autre division. Et enfin on peut être entraîné dans un conflit entre deux des membres de sa propre équipe.

Voici, résumé sommairement, ce que j'ai dit au sujet des conflits: ils peuvent être graves, déplaisants, et causes de rupture; ils sont inévitables dans les relations humaines; certains peuvent être prévenus si on utilise des techniques de communication efficaces; les conflits se produisent dans les entreprises qui évoluent et changent; ils émergent souvent quand les messages «je» n'ont pas suffi; ils font surface, pendant la résolution d'un problème, au moment où en équipe on essaie de parvenir à une décision; et on peut aussi être impliqué dans un conflit avec l'une ou l'autre des personnes avec qui on entre en relation dans l'entreprise.

Trois différentes méthodes pour résoudre les conflits

Souvent, comme leader, on ne comprend pas en quoi consiste une résolution de conflit; cela semble complexe et on se sent mal préparé et mal outillé. On craint les conflits, on éprouve de la tension et de l'anxiété (ainsi que du découragement) face à ces situations, ou encore on éprouve de la colère et du ressentiment à l'égard des gens dont le comportement a engendré la controverse et le désaccord. On considère quelquefois les conflits comme des symptômes de son incompétence comme leader, et comme un signe certain de sa défaite imminente.

De telles réactions ne sont pas surprenantes: elles sont enracinées dans des expériences passées et remontent loin dans l'enfance. En effet, la plupart des gens sont entrés en lutte avec leurs frères et sœurs et avec leurs camarades ou avec leurs parents, leurs professeurs, leurs directeurs d'école quand ils étaient enfants: cela a alors provoqué en nous de la colère et de la crainte, cela a accéléré leur rythme cardiaque, cela a engendré des cris et des hurlements et la rupture de certaines relations. La plupart des conflits passés ont tourné à la lutte de pouvoir. Quelqu'un devait gagner et quelqu'un devait perdre. Inévitablement, la relation en souffrait.

Cette expérience négative presque universelle s'explique facilement. Tout au long de sa vie, dans la plupart de ses relations, on a employé (ou la personne avec qui on était en conflit a employé) des *méthodes gagnant-perdant* pour résoudre un conflit, ce qui implique inévitablement que quelqu'un perd et que quelqu'un gagne. Il y a deux méthodes gagnant-perdant et on emploie très souvent l'une ou l'autre.

Méthode autoritaire: Je gagne, tu perds.
Méthode permissive: Tu gagnes, je perds.

Pratiquement inconnue des leaders et rarement employée dans les entreprises, une troisième méthode existe pour résoudre les conflits entre les gens: *la méthode sans-perdant*. Cette méthode, que j'appelle aussi troisième méthode, est facile à comprendre. Nous avons appris aux leaders à l'utiliser dans toutes sortes de situations impliquant des conflits avec les autres. Acquérir un haut niveau de compétence dans la pratique de la méthode sans-perdant n'est pas aisé; cela demande de l'entraînement. Pour l'utiliser, les leaders doivent apprendre à employer les techniques de communication (techniques d'écoute et d'affirmation); cela exige aussi que le leader se défasse des modèles habituels de relation avec les autres qui sont fermement ancrés en lui.

La suite de ce chapitre explique les deux méthodes gagnant-perdant: comment elles fonctionnent et les résultats qu'on peut attendre quand on les utilise. Dans le chapitre suivant, j'expliquerai et j'illustrerai la méthode sans-perdant.

Comment fonctionnent les méthodes autoritaire et permissive

Je me mets à la place d'André, chef de département, avec cinq superviseurs qui me sont rattachés. Je reçois une note de l'un d'eux, Thomas, m'informant de son intention de congédier François, un de ses employés. Je ne comprends pas. François fait partie de l'entreprise depuis plusieurs années et c'est un excellent employé. Je confronte Thomas et lui fais part de mon étonnement. Je lui exprime le souhait qu'il reconsidère sérieusement sa décision. Thomas refuse et répète qu'il est convaincu que François doit être renvoyé.

C'est le conflit! Maintenant, si je dis à Thomas qu'il ne peut pas congédier François et qu'il doit essayer d'arranger les choses avec lui, j'utilise, pour résoudre le conflit, la méthode autoritaire: je gagne, Thomas perd. On peut représenter la méthode autoritaire par le schéma ci-dessous.

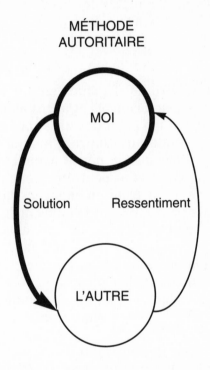

MÉTHODE
AUTORITAIRE

Dans la méthode autoritaire, j'impose une solution qui me permet d'arriver à mes fins aux dépens de l'autre. Mes besoins sont satisfaits, les besoins de l'autre ne le sont pas. Ma solution prévaut, la sienne est rejetée. Inévitablement, le perdant éprouve du ressentiment envers le gagnant, parce que cela lui semble injuste. Selon la terminologie de la théorie de l'«échange social», cela est un «échange social inéquitable», car les bénéfices penchent fortement en ma faveur. Et, comme je le soulignerai plus tard, je peux m'attendre à des réactions négatives qui mineront ma relation avec Thomas.

La méthode autoritaire, de toute évidence une méthode gagnant-perdant de résolution des conflits, porte aussi d'autres noms:

- Prise de décision unilatérale
- Prise de décision autoritaire
- Prise de décision centrée sur le leader
- Domination

Après avoir confronté Thomas en lui exposant mes objections au renvoi de François et après avoir pris note de son refus de changer son point de vue, supposons qu'au lieu d'appliquer la méthode autoritaire, j'abandonne à contre-cœur et je cède. Bien que je pense avoir raison, je laisse Thomas agir à sa guise. J'ai peut-être peur de perdre son amitié ou encore je déteste m'engager dans un conflit grave. Je souhaite peut-être que Thomas me voie comme un «bon gars». Peu importe les raisons, je laisse Thomas gagner et je perds. Ses besoins sont satisfaits, mais pas les miens. Sa solution prévaut et je la ressens alors comme un «échange social inéquitable» pour moi. J'éprouve du ressentiment envers Thomas. Plus tard, comme nous le verrons, Thomas subira les conséquences de mon ressentiment.

Dans cette façon de faire, j'utilise la méthode permissive, diamétralement opposée à la méthode autoritaire, mais toutefois une méthode gagnant-perdant aussi. On lui donne souvent les noms suivants.

- Direction douce
- Prise de décision centrée sur l'employé
- Subordination
- Leadership du style «laisser-faire»

On peut représenter la méthode permissive par le schéma de la page suivante.

Il est clair que les méthodes autoritaire et permissive ont toutes les deux, dans le passé et encore actuellement, forte-

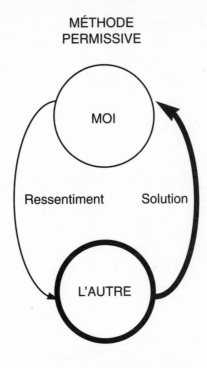

MÉTHODE
PERMISSIVE

MOI

Ressentiment   Solution

L'AUTRE

ment polarisé la pensée de beaucoup de ceux qui ont ensei-gné ou écrit sur le leadership dans l'entreprise et le déve-loppement des organisations. Au cours des années passées, des centaines d'articles et de livres ont été publiés par des auteurs qui affirmaient avec force leur conviction que «le leader doit prendre la décision finale», «le directeur doit diriger», «la prise de décision est la prérogative du patron», «les décisions arbitraires sont inévitables», «on doit utiliser l'autorité *mais* l'exercer avec sagesse», «les leaders doivent être justes mais fermes», «les directeurs trop gentils per-dent toujours la partie» et autres variations sur ce thème. Les arguments récents en faveur des leaders exerçant leur pleine autorité dans la prise de décisions proviennent sans doute d'un retour aux anciennes valeurs, après plusieurs décennies de ce qu'on a appelé «le mouvement des relations humaines», qui mettait l'accent sur la participation des employés, sur le leadership non autoritaire, sur les décisions d'équipe, sur la supervision centrée sur les employés, sur l'attention aux besoins des membres d'une équipe, sur l'importance de traiter les subordonnés comme des égaux, et ainsi de suite.

Les opposants à l'école de pensée des «relations humaines» ont attaqué ses partisans en arguant que ces derniers préconisent le «leadership permissif», la «gestion douce» ou une attitude de «laisser-faire» à l'égard des employés. Bref, ils assimilent souvent la théorie des «relations humaines» à la méthode permissive, dans laquelle les besoins des subordonnés sont satisfaits aux dépens de ceux du leader. Naturellement, les défenseurs du leadership autoritaire disent qu'«il est primordial que les besoins du leader soient satisfaits et donc qu'un leader doit user d'autorité». Mais alors cela ressemble étrangement à la méthode autoritaire.

J'estime qu'*aucune de ces écoles de pensée n'est adéquate* et que les leaders paient *nécessairement* un prix très élevé quand ils utilisent une méthode qui satisfait leurs besoins aux dépens des membres de l'équipe (méthode autoritaire), de même que lorsqu'ils utilisent une méthode qui sacrifie leurs besoins en faveur des besoins des membres de leur équipe (méthode permissive). Quel prix les leaders doivent-ils payer exactement pour l'une ou l'autre attitude? Je traiterai d'abord de la méthode permissive, parce que les résultats de la méthode autoritaire sont considérablement plus complexes et requièrent une analyse approfondie du concept de *pouvoir.*

Ce qu'il en coûte d'utiliser la méthode permissive

Qui aime perdre dans un conflit? Une solution qui néglige les besoins de l'un au bénéfice de la satisfaction des besoins d'un autre n'est jamais ressentie comme équitable. Si je perds, j'éprouve du ressentiment et de la colère et je ne me sens pas à l'aise dans cette relation. Je ramène ces sentiments à la maison et je me plains à mon conjoint. Je peux même me fermer et être désagréable avec la personne qui vient de gagner. Il y a plus grave: je peux entretenir des sentiments d'insécurité au sujet de mon emploi parce que je crains que l'autre personne ait gagné au détriment de ce qui est nécessaire à l'entreprise pour réussir. Quand le leader se soumet aux volontés et aux désirs des membres de son équipe dans le but de travailler avec des gens heureux et satisfaits, il en paie le prix: il se retrouve avec une équipe non productive et «non centrée sur la tâche». Je rappelle qu'un leader efficace doit diriger des équipes qui développent à la fois de bonnes «relations humaines» et une forte productivité.

Il en est de même pour les parents permissifs avec leurs enfants et les enseignants envers leurs élèves. À la maison, avec des parents permissifs, les enfants deviennent indifférents aux autres, égoïstes, individualistes, inconséquents et souvent totalement intraitables. Les classes des enseignants permissifs sont invariablement chaotiques, pleines d'enfants agressifs, bruyants et turbulents, rendant par la suite toute éducation impossible, car les jeunes ne peuvent pas apprendre ni les enseignants enseigner.

À la longue, la méthode permissive porte en elle-même sa propre défaite, ce qui explique le fait que la plupart des leaders n'aiment pas vraiment être permissifs. Ils choisissent simplement cette méthode parce qu'elle leur paraît préférable à l'autoritarisme et surtout, parce qu'ils ne connaissent pas de troisième voie.

Ce qu'il en coûte d'utiliser son pouvoir

Amener les gens à accepter et à appliquer une décision à laquelle ils sont opposés, et qui leur donne le sentiment d'être perdants, requiert inévitablement l'usage du pouvoir, soit qu'on l'emploie effectivement, soit qu'on menace de l'employer. Mais qu'est-ce que le pouvoir? Et d'abord, comment arrive-t-on à l'obtenir?

Premièrement, une personne détient le pouvoir quand elle possède les moyens de priver les autres de quelque chose dont ils ont besoin. L'exercice réel du pouvoir implique une certaine action qui amène les autres à se comporter d'une certaine manière en dépit de leur opposition et leur impose de faire quelque chose qu'autrement ils n'auraient pas fait. Les psychologues appellent «punition» les moyens de priver les autres parce qu'être privé de quelque chose que l'on veut ardemment est ressenti comme une punition. «Si tu ne fais pas ce que je veux, alors je te priverai de quelque chose dont tu as besoin!» L'usage de cette forme de pouvoir est *coercitif,* car la personne visée se sent contrainte de se soumettre à la solution du leader.

Une autre source de pouvoir provient de la possession de moyens de fournir aux autres ce dont ils ont besoin, en échange de leur soumission aux désirs de la personne qui détient le pouvoir. «Si tu fais ce que je veux, alors je te donnerai quelque chose dont tu as besoin.» La soumission, dans ce cas, est obtenue par la promesse de bénéfices ou de *récompenses ou* par la crainte d'être privé de ces récompenses.

Punitions et récompenses sont alors les sources d'où une personne tire son pouvoir. C'est la définition spécifique du pouvoir employée tout au long de ce livre. Plus tard, je ferai la différence entre le pouvoir et deux autres concepts importants: l'influence et l'autorité.

Pour que le pouvoir fonctionne à mon avantage dans une relation avec une autre personne, il faut que celle-ci soit relativement *dépendante* de moi pour la satisfaction de ses besoins. Pour que les membres de mon équipe appliquent une décision que j'ai prise unilatéralement malgré leur opposition, ils ne doivent pas seulement désirer fortement les récompenses que j'offre mais aussi être relativement incapables d'obtenir ces récompenses ailleurs. Plus les membres de mon équipe sont dépendants de moi pour obtenir la satisfaction de leurs besoins, plus j'ai de pouvoir.

Par exemple, pendant une période où le taux de chômage est élevé à cause d'une récession, les employés sont beaucoup plus dépendants de leur employeur pour obtenir leur salaire, parce qu'évidemment il leur serait difficile de trouver un emploi ailleurs.

Un vieil employé qui cotise pour sa retraite depuis des années est très dépendant de son employeur, car s'il donne sa démission avant l'âge de la retraite, il pourrait perdre le bénéfice de ses cotisations.

Si un des membres de mon équipe possède un savoir-faire particulier, qui est très utile pour mon entreprise mais difficilement applicable aux autres, sa dépendance envers moi peut être très grande.

Une autre condition nécessaire pour que le pouvoir fonctionne est que les membres de mon équipe ressentent un certain degré de *peur*. Il faut qu'ils craignent que je les punisse réellement s'ils ne se soumettent pas à la décision qu'ils n'aiment pas. Avoir les moyens de priver ou de punir quelqu'un est une chose, mais le faire réellement en est une autre. *L'existence du pouvoir d'un leader est visible seulement par son utilisation.* Plus ce pouvoir est employé fréquemment, plus les membres de l'équipe auront peur de leur leader. Réciproquement, leur peur diminuera s'il n'exerce pas du tout ce pouvoir.

Selon mon expérience, la plupart des leaders ne connaissent pas ces conditions pour que le pouvoir fonctionne. S'ils les connaissaient, ils comprendraient le prix élevé qu'ils doivent payer pour utiliser le pouvoir: des membres dépendants et soumis au sein de leur équipe, maintenus dans un état de peur et d'anxiété. Si paradoxal que cela puisse paraître, bien que la plupart des leaders croient fermement qu'ils ont besoin du pouvoir pour être efficaces, peu d'entre eux veulent des membres d'équipe dépendants et peureux. Cependant, c'est exactement ce qu'il faut pour que le pouvoir fonctionne.

Peut-être voit-on maintenant clairement pourquoi tant de leaders dans tellement d'organisations de notre société découvrent qu'ils ne peuvent plus compter fortement sur le pouvoir. Ou bien ils n'en ont pas du tout, ou bien ils en ont beaucoup trop peu. Au fil des années, la différence de pouvoir entre les leaders et ceux qu'ils doivent mener a grandement diminué dans la plupart des entreprises; c'est le résultat de plusieurs facteurs, tels que:

1. L'apparition des syndicats et corporations, qui ont réduit les possibilités d'actions coercitives des employeurs envers les employés.

2. L'augmentation de la mobilité de la main-d'œuvre: il est maintenant possible pour les travailleurs de trouver un emploi dans d'autres entreprises.

3. La difficulté de licencier les employés des services publics, comme les enseignants et les fonctionnaires.

4. L'augmentation du nombre de travailleurs hautement qualifiés dû aux nombreux progrès de la technologie; pour les entreprises, cela rend coûteuse la formation de nouveaux employés après le renvoi des anciens.

5. La tendance à transférer au service du personnel certains pouvoirs des directeurs et superviseurs, par exemple: la gestion des salaires, les bénéfices sociaux des employés, les procédures de griefs, etc.

Dans certaines entreprises, on s'assure que le pouvoir des leaders soit soigneusement encadré et sérieusement limité par des règlements et des procédures. Dans certaines entreprises, les leaders sont élus par les membres de l'équipe et s'ils deviennent autoritaires et coercitifs ils peuvent être destitués ou révoqués. Dans les organisations où les membres sont bénévoles (associations, amicales, groupes civiques, partis politiques et d'autres du même genre), les leaders n'ont presque pas de pouvoir.

En résumé, la méthode autoritaire exige que les leaders utilisent le pouvoir de manière à contraindre les gens à faire quelque chose qu'ils ne veulent pas faire. Mais le pouvoir provient de la possession des moyens de punir ou de récompenser les gens pour obtenir leur soumission. Pour que le pouvoir fonctionne avec les gens, — il faut, et c'est là la difficulté —, que ces gens soient très dépendants de leurs leaders et aussi qu'ils craignent. Dans la plupart des entreprises, cependant, les subordonnés ne sont nullement dépendants ou n'ont pas peur: ils possèdent de leur côté un pouvoir considérable.

Comment les gens réagissent au pouvoir

Les défenseurs de l'utilisation de la méthode autoritaire dans la résolution des conflits ignorent pratiquement tout des effets du pouvoir coercitif sur les personnes et sur leurs relations. Personne n'aime perdre, personne ne se réjouit de relations qui font pencher la balance des bénéfices du côté de l'autre personne; personne ne veut être contraint de faire quelque chose qui aura pour résultat une privation. Il n'est pas étonnant que le pouvoir provoque une telle variété de réactions chez les gens: on le combat, on l'évite, on se défend contre ce pouvoir, on essaie d'en annuler les effets sur soi. Le terme technique désignant de telles réactions au pouvoir est «mécanismes d'adaptation».

RÉDUIRE LA COMMUNICATION AVEC LE LEADER

Un des effets les plus destructeurs du pouvoir sur l'efficacité des entreprises est que les membres de l'équipe réduisent leur communication avec leurs leaders. Les leaders qui utilisent fréquemment les récompenses et les punitions se plaignent, et ce n'est pas surprenant, qu'ils ne savent jamais ce qui se passe. «Personne ne me dit rien.» «Je suis la dernière personne à le savoir.»

Toute personne qui a travaillé pour un leader qui utilise la méthode autoritaire sait pourquoi. Les subordonnés d'un leader autoritaire sont réticents à révéler leurs problèmes, car ils savent que leur patron leur imposera très probablement ses solutions unilatérales. Ils ne se sentent pas en confiance et redoutent les conséquences désagréables qui peuvent s'ensuivre s'ils attirent l'attention du patron sur certains faits. «Ce que le patron ne sait pas ne me fait pas mal»: telle est l'attitude des gens qui ont peur de leur patron.

Le pouvoir ne réduit pas seulement *la fréquence* des communications ascendantes, mais en affecte aussi *l'exactitude*. Dans leurs relations avec les leaders qui recourent fortement aux récompenses et aux punitions, les membres de l'équipe choisissent d'émettre des messages qui, à leur avis, ne leur apporteront que des récompenses et évitent les messages qui pourraient occasionner des punitions. «Dis au patron ce qu'il veut entendre!»: voilà ce qui oriente leur comportement. La règle du jeu devient: «Dis-lui n'importe quoi pour éviter toute pénalité» ou «Ne te fais pas prendre».

Le pouvoir suscite des comportements improductifs très graves quand le comportement coercitif du leader réduit sensiblement l'efficacité d'un membre d'une équipe, comme l'illustre la situation suivante.

Francine a régulièrement recours à son chef de division pour obtenir les données dont elle a besoin pour résoudre des problèmes et prendre des décisions dans son service. Le plus souvent, ses demandes sont ignorées par son patron pendant plusieurs jours ou même des semaines, causant ainsi des retards dans la prise de décisions importantes et réduisant grandement l'efficacité de son service. Francine a peur de confronter son patron parce que, dans le passé, quand elle a eu des conflits avec lui, elle est toujours sortie perdante et a dû accepter des solutions inapplicables. Elle prend maintenant beaucoup de temps à mettre toutes ses demandes par écrit, afin de constituer un dossier lui permettant de se défendre au cas où les performances de son service seraient critiquées.

Manifestement, la méthode de Francine pour faire face à cette situation nuit à sa productivité. Au lieu de confronter ouvertement son patron qu'elle craint, elle prend une position défensive.

LOUANGER ET FLATTER POUR SE GAGNER DES FAVEURS

Un autre mécanisme d'adaptation, assez répandu, par lequel les membres de l'équipe réagissent face à des leaders autoritaires consiste à se comporter de façon à «se faire bien voir» de leur leader. Le but est de rechercher l'approbation du patron sur une base autre que celle des différences de pouvoir. La flatterie et la flagornerie fleurissent dans les équipes et les entreprises dont les leaders usent fréquemment du pouvoir. Les gens apprennent vite que les patrons ont leurs favoris parmi les membres de l'équipe comme les enseignants ont leurs «chouchous».

La flatterie comporte deux risques: 1) le patron peut déjouer la manœuvre et déceler la flatterie; 2) le flatteur est ordinairement détesté par les autres membres de l'équipe.

Dans les entreprises, ces flatteurs sont fréquemment nommés «suiveurs» ou «pantins». Ils font consciemment un effort pour être d'accord avec les opinions de celui qui détient le pouvoir. Ce mécanisme d'adaptation peut quelquefois fonctionner, mais il comporte aussi le risque d'indisposer le leader et de déplaire aux membres de l'équipe.

Une troisième méthode est aussi utilisée pour se mettre en valeur aux yeux de celui qui détient le pouvoir: elle consiste à faire étalage de ses attraits physiques ou de ses qualités intellectuelles. Il est commun dans les entreprises d'exploiter «ses charmes» même si, de longue date, il a été prouvé que c'était risqué et inefficace. De même, les gens qui font étalage de leur valeur intellectuelle pour s'attirer les bonnes grâces irritent plus souvent qu'ils ne plaisent.

ENTRETENIR UNE RIVALITÉ ET
UNE CONCURRENCE DESTRUCTRICES

La réaction la plus prévisible au pouvoir coercitif est une rivalité et une concurrence accrues entre les membres de l'équipe. Dans les cas extrêmes, cela entraîne bavardage, médisance, tromperie, dissimulation, papotage ou diffamation. Les luttes de pouvoir et les batailles interpersonnelles au sein du «clan au pouvoir» et de la «jungle administrative» ne sont pas seulement proverbiales et fictives. Les racines de semblables comportements si fréquents remontent à l'enfance. Les enfants réagissent inévitablement au pouvoir coercitif des récompenses et punitions parentales par le mensonge, le bavardage, la dépréciation et le blâme de leurs frères et sœurs — situation appelée par euphémisme «rivalité entre frères et sœurs». Un leader qui utilise les récompenses et les punitions à forte dose, que ce soit dans la famille ou dans les entreprises, suscite une forte compétition parmi les membres de l'équipe pour obtenir toutes les récompenses et pour éviter adroitement toutes les punitions.

La formule est simple: «Si je peux faire en sorte que les autres paraissent à leur désavantage, je peux, par comparaison, paraître meilleur; si je peux blâmer les autres, je peux éviter la punition.»

Compétition et rivalité entre les membres d'une équipe sont l'antithèse de la coopération et de l'esprit d'équipe nécessaires à une équipe efficace. C'est pourquoi «former une équipe» reste une abstraction vide de sens pour une équipe dont le leader contrôle par le pouvoir.

SE SOUMETTRE ET SE CONFORMER

Pour des raisons qu'on ne comprend pas très bien, certaines personnes ont appris à faire face au pouvoir par la soumission et le conformisme. Elles choisissent d'obéir et de se conformer, en se soumettant passivement à la personne qui détient un plus grand pouvoir. Leur formule est: «J'obtiendrai plus de récompenses en faisant exactement ce qu'on me dit de faire, mais rien de plus.»

Certains leaders, il est vrai, peuvent trouver plus séduisant d'avoir des membres d'équipe obéissants. Imaginez, des membres d'une équipe qui font exactement ce qu'on leur dit de faire! L'ennui, c'est qu'habituellement il faut dire à ces gens tout ce qu'ils doivent faire sinon ils ne font pas grand-chose. Ils prennent peu d'initiative et démontrent peu de créativité. Leurs leaders doivent prendre énormément de temps pour leur donner des directives précises et pour résoudre les problèmes à leur place quand les choses vont mal ou qu'il se produit quelque chose d'inattendu. Des directeurs généraux se sont plaints à moi de membres de leur équipe répétant sans cesse: «C'est toi le patron!» ou «Dis-moi seulement ce que je dois faire, et je vais m'assurer que ce sera fait». Le problème avec cette attitude est que souvent les leaders ne savent pas exactement comment une tâche doit être exécutée. Pire encore: ils peuvent penser qu'ils le savent, mais il s'avère qu'ils ne le savent pas. Le directeur d'usine d'une société fabriquant des pompes hydrauliques nous a rapporté cette conversation avec l'un de ses contremaîtres.

Le directeur: Sais-tu que vous avez monté cette pièce à l'envers?

Le contremaître: Oui, bien sûr, je sais qu'elle est à l'envers. J'ai essayé de le leur dire en haut, mais personne n'a voulu écouter. Alors comme les ordres sont les ordres, nous la faisons à l'envers.

Le directeur: Tu savais que ce n'était pas bien monté, n'est-ce pas?

Le contremaître: Oui, mais il n'y a qu'une seule chose qui compte: je vais m'assurer que ça ne me retombera pas sur le dos quand le vieux découvrira que ça ne marche pas.

Évidemment, dans ce cas, l'«obéissance» du contremaître allait à l'encontre de la productivité, comme le fait souvent le conformisme. La plupart des leaders ne veulent pas vraiment avoir des membres soumis au sein de leur équipe et cela apparaît dans beaucoup de plaintes que j'ai entendues de la part de directeurs.

- «Ces gens-là ne savent pas prendre de responsabilités.»
- «Mais pourquoi ne prennent-ils aucune initiative?»
- «Je n'ai pas les réponses à tous les problèmes qui se posent là-bas.»
- «Ce dont nous avons besoin, c'est de quelqu'un qui est capable d'exécuter un travail tout seul.»
- «Ils viennent me trouver pour des problèmes qu'ils pourraient résoudre eux-mêmes.»

SE REBELLER ET DÉFIER

La rébellion et le défi sont l'opposé de la soumission et de l'obéissance. Une autre réaction habituelle au pouvoir consiste à se cabrer et à résister à la coercition. Quand un leader autocratique dit à quelqu'un ce qu'il doit faire, il se retourne et fait exactement le contraire dans un esprit de rébellion. Ce sont des mécanismes habituels d'adaptation, probablement appris dans la tendre enfance en réponse à l'autorité des parents ou des enseignants.

Une variante de cette tendance apparaît chez des membres de l'équipe qui réagissent aux idées et aux suggestions de leurs leaders par un désaccord et une résistance automatiques. Les réactions de rébellion et de défi sont motivées par un fort besoin de se défendre contre la coercition et le contrôle. C'est une position de protection, accompagnée souvent de suspicion et de méfiance envers toute personne qui détient le pouvoir.

La résistance des membres rebelles de l'équipe frustre et irrite ceux qui veulent aller de l'avant et résoudre les problèmes. Les membres résistants ralentissent l'équipe parce qu'elle doit s'occuper de leurs arguments et de leurs désaccords. Et comme la rébellion est cohérente, les autres y voient clair au fond et reconnaissent que c'est une rébellion contre le pouvoir plutôt qu'un désaccord avec les idées, ce qui affaiblit le fonctionnement de l'équipe.

FORMER DES ALLIANCES ET DES COALITIONS

La tendance à rechercher des alliances ou à former des coalitions pour essayer de contrebalancer le pouvoir coercitif que le leader exerce au détriment des membres de l'équipe est bien analysée et illustrée dans les études sur le comportement des individus au sein d'une entreprise. «L'union fait la force» est le principe fondamental de ce mécanisme d'adaptation. Les enfants l'emploient avec leurs parents: «Mettons-nous tous ensemble pour les convaincre d'aller au cinéma.» Les étudiants la pratiquent également avec les enseignants: «Si tout le monde se plaint de la longueur des devoirs à la maison, le prof les réduira peut-être.»

Par des interactions spontanées entre eux, les membres de l'équipe de travail s'associent et développent des «normes» qui les protègent contre l'action unilatérale de leur leader: les normes de productivité (ce qu'est «une bonne journée de travail»), les standards de qualité, la durée accordée pour la pause de midi, etc. La non-conformité à ces normes peut être sanctionnée par des moqueries ou du harcèlement. Un individu isolé est désavantagé quand il se défend contre le pouvoir coercitif; négocier en tant que membre d'une équipe est habituellement beaucoup plus efficace. Ce principe conduit à la syndicalisation et, par conséquent, à la diminution de la différence de pouvoir entre employeur et employés.

Peut-être est-il inévitable que le pouvoir coercitif provoque la naissance de nombreuses forces qui, éventuellement, le combattront et aboutiront à un partage plus équitable du pouvoir. Le pouvoir sème les graines de sa propre destruction. «La tête qui porte la couronne est toujours menacée.»

SE REPLIER ET S'ÉVADER

Le pouvoir coercitif peut aussi inciter à trouver des moyens de se soustraire aux relations avec ses supérieurs, soit physiquement, soit psychologiquement. Les membres de l'équipe peuvent éviter autant que possible de rencontrer leur patron autoritaire: «Mieux vaut rester hors de son chemin», «Mieux vaut se tenir hors de sa vue». On observe ce mécanisme d'adaptation passive dans les réunions d'équipes, où certains membres s'abstiennent délibérément de parler par crainte qu'on les juge ou les rabaisse ou leur dise quoi faire.

Des recherches et des études ont démontré que les dirigeants répressifs enregistraient un taux plus élevé de remplacement de personnel. La plupart des gens, si on leur en donne l'occasion, quitteront un emploi où ils sont fortement contrôlés et dominés par un patron particulièrement autoritaire. J'ai rencontré une fois un cadre qui était reconnu par tous les membres de son équipe et ses collègues comme quelqu'un d'autoritaire, au jugement sévère. Au cours d'une période de moins de trois ans, quatre de ses secrétaires ont démissionné, à cause de la façon dont il les traitait.

L'effet du pouvoir sur le leader

Les effets du pouvoir sont tout aussi importants sur la personne qui l'utilise. C'est un sujet rarement traité dans les livres et articles sur la gestion et le leadership. Je suis cependant convaincu que le pouvoir nuit autant à celui qui l'utilise qu'à celui qui le subit. Si davantage de leaders comprenaient cela, la plupart d'entre eux cesseraient de recourir au pouvoir.

LE PRIX DU TEMPS

Le pouvoir engendre de la résistance chez les gens et les pousse à défier les leaders qui l'utilisent; on comprend donc pourquoi ces leaders doivent dépenser beaucoup de temps et d'énergie pour faire face à de telles réactions. Pourtant, ces leaders défendent souvent leur utilisation du pouvoir en affirmant que cela prend *moins* de temps pour résoudre les problèmes et les conflits qu'en utilisant d'autres méthodes non autoritaires. Cela n'est qu'une demi-vérité. En un sens, prendre une décision par la méthode autoritaire peut nécessiter moins de temps qu'en équipe; mais parvenir à *faire accepter* une décision prise unilatéralement demande souvent beaucoup plus de temps. Le président d'une société où j'ai agi comme consultant durant plus de dix ans a admis ceci:

> Quand j'utilisais la méthode autoritaire pour résoudre tous les conflits, je me vantais d'être une personne qui pouvait prendre des décisions rapidement. L'ennui, c'est que souvent ça prenait dix fois plus de temps pour surmonter toutes les résistances provoquées par mes décisions que ça m'en prenait pour les prendre. Je devais passer beaucoup trop de temps à «vendre» mes décisions; amener les autres à les «acheter». En fin de compte, cela me prenait un temps fou.

J'ai observé que les leaders passent des heures à composer une note longue et compliquée pour justifier une décision unilatérale. Ils savent très bien la forte résistance que cela suscitera chez ceux qui sont censés l'appliquer.

LE PRIX DE LA SURVEILLANCE

Généralement, les gens sont peu motivés pour appliquer une décision qui leur est imposée, en particulier quand cette décision leur donne le sentiment d'être perdants. Voilà pourquoi l'exécution de décisions unilatérales requiert de la surveillance et s'avère une difficulté et une perte de temps. Cela est particulièrement visible dans les écoles, où les enseignants, selon leurs propres estimations, passent jusqu'à 75 p. 100 de leur temps à faire appliquer des règlements édictés unilatéralement par leurs administrateurs selon la méthode autoritaire. Les enseignants appellent cela «faire la police».

Dans les entreprises, beaucoup de superviseurs doivent eux aussi jouer au policier. Quand une règle ou une décision est mal acceptée, les gens trouvent toutes sortes de voies détournées pour éviter de s'y soumettre: résistance passive, «oublis», mensonge ou falsification des dossiers. Surveiller les employés rend le prix de la méthode autoritaire très élevé.

LE PRIX DE L'ALIÉNATION

Les leaders qui recourent beaucoup au pouvoir ont un autre prix insidieux à payer: ils deviennent aliénés, étrangers aux membres de leur équipe. Leurs relations personnelles avec leurs propres collaborateurs se dégradent inévitablement, ce qui explique pourquoi tant de leaders disent se sentir «seuls au sommet». Deux facteurs sont en jeu. Premièrement, les membres de l'équipe ne se montrent pas chaleureux avec un leader qu'ils craignent et envers lequel ils ressentent de l'hostilité à cause de l'usage qu'il fait de son pouvoir. Deuxièmement, les leaders qui exercent un contrôle et une contrainte avec des récompenses et des punitions reconnaissent que, s'ils établissent des relations étroites avec l'un ou l'autre de leurs subordonnés, ils peuvent être accusés de «favoritisme». Afin d'éviter cela, les leaders autoritaires se font habituellement une règle de ne jamais devenir trop intimes avec leurs collaborateurs, ni d'être copain-copain.

Il n'est pas étonnant que dans les entreprises, les leaders autoritaires aient si peu de relations amicales avec les gens qui travaillent pour eux. C'est un prix déplorable à payer pour assumer une position de leadership — un des coûts cachés de l'usage du pouvoir.

LE PRIX DU STRESS

C'est une idée largement répandue: les directeurs et les administrateurs trouvent que leur tâche leur impose un stress important et un surmenage qui nuisent souvent à leur santé physique et mentale. On en vient à croire que devenir patron entraîne invariablement tension, anxiété et inquiétude. Aussi l'inévitable prix du leadership, nous dit-on, est l'hypertension, les troubles cardiaques, l'ulcère à l'estomac ou l'alcoolisme. Se pourrait-il que le stress élevé associé si souvent au leadership soit dû, non aux responsabilités du poste particulier de leader, mais à l'usage que la plupart des leaders font du pouvoir? Le pouvoir pourrait-il rendre «malades» ceux qui en usent?

On peut présenter toute une argumentation pour démontrer la validité de cette affirmation. Les gens qui utilisent le pouvoir dans leurs relations doivent constamment maintenir un haut niveau de vigilance personnelle, et cela pour de nombreuses raisons. Ils doivent surveiller les autres et les encadrer avec vigueur pour faire observer les règles qu'ils leur imposent; ils ont souvent l'impression qu'ils doivent être prudents avec leurs subordonnés, afin qu'ils n'acquièrent pas plus de pouvoir qu'eux-mêmes; ils doivent se méfier de tous ceux qui pourraient saper leur «autorité»; et, comme les gens ne sont généralement pas totalement honnêtes avec ceux qui détiennent le pouvoir, les leaders en viennent à se méfier des autres.

Toutes ces raisons seraient suffisantes pour produire du stress et de la tension chez les leaders, mais il y en a d'autres. User du pouvoir, en gagnant aux dépens des autres, suscite habituellement de la culpabilité. Les leaders se demandent alors avec anxiété «quand et comment les perdants pourraient se venger». Les leaders qui utilisent le pouvoir sont souvent pris dans le cercle vicieux qui consiste à rechercher toujours plus de pouvoir: ils apprennent à jouer le «jeu du pouvoir» ou ils deviennent «accrochés au pouvoir». Ce sont peut-être ces conséquences du pouvoir que Lord Acton avait en tête lorsqu'il a écrit: «Le pouvoir corrompt, et le pouvoir absolu corrompt absolument.»

Mon expérience en tant que consultant et conseiller auprès de centaines de leaders m'a convaincu que ceux qui jouent le «jeu du pouvoir» créent leur propre «enfer psychologique» de méfiance, de suspicion, de paranoïa, de surveillance, de tension, de culpabilité et d'anxiété. En utilisant le pouvoir, ils fabriquent leur propre «maladie» physique et mentale.

LE PRIX DE LA PERTE D'INFLUENCE

On croit habituellement que l'acquisition du pouvoir donne au leader *plus* d'influence. Tout au contraire, le pouvoir lui fait réellement *perdre* de l'influence sur les membres de son équipe. Pour comprendre ce paradoxe, il faut se rappeler que le mot «autorité» recouvre deux concepts complètement différents.

1. L'autorité issue des connaissances, de l'expérience, des compétences, de la formation.

2. L'autorité issue du pouvoir de récompenser et de punir afin de forcer à obéir.

On l'emploie dans le premier sens, quand on dit par exemple: «J'ai consulté une autorité»; «Il parle avec autorité» ou «Elle fait autorité dans son domaine». L'exercice de cette sorte d'autorité implique un enseignement et l'exposé de faits et de connaissances dans le but désiré d'influencer les autres. Je l'appelle «autorité de connaissance».

On l'emploie dans le deuxième sens, quand on dit: «Le patron a de l'autorité sur les membres de son équipe»; «Ne confiez pas de responsabilité à quelqu'un sans lui donner l'autorité dont il a besoin pour l'assumer»; «Qui a l'autorité ici?»; «Ils ne respectent pas son autorité»; «Ils défient son autorité». Exercer cette sorte d'autorité implique l'utilisation du pouvoir dans le but désiré de *contraindre* les autres. Je l'appelle «autorité de pouvoir».

Quand un leader emploie l'autorité de pouvoir, les membres de l'équipe sont rarement *influencés,* ils sont *contraints.* Ils pourraient être influencés si le leader choisissait d'utiliser seulement l'autorité de connaissance.

Pourquoi l'utilisation de l'autorité de pouvoir réduit-elle la puissance de l'autorité de connaissance? Le pouvoir, comme je l'ai souligné, engendre souvent la résistance (active ou passive), le repli sur soi et la rébellion; dans ce cas-là, le pouvoir n'amène évidemment pas à l'accord.

Il existe une troisième sorte d'autorité, tout à fait différente, qui ne provient pas exactement de la possession de l'expérience et des connaissances ni du pouvoir coercitif fondé sur les récompenses et les punitions. Il s'agit en fait d'un second type d'influence que les leaders utilisent généralement avec succès auprès des membres de leur équipe. Je l'appelle «autorité de fonction», car elle provient de la définition de la fonction exercée par le leader.

Un avion approche de la piste d'atterrissage de l'aéroport. Le commandant de bord dit d'un ton très net et très fort: «Baissez les volets» et, sans hésitation, le copilote pousse un levier qui fait baisser les volets. Quelques secondes plus tard, le commandant de bord dit: «Vitesse». De nouveau, le copilote répond en retournant le message: «Vitesse 140».

Le commandant a-t-il utilisé son autorité de pouvoir? Pas du tout. Cependant, le copilote s'est exécuté (il a obéi).

Le commandant a-t-il utilisé son autorité de connaissance? Non plus. Cependant, de toute évidence, le commandant a réussi à influencer le copilote à faire ce qu'il voulait qu'il fasse. Quelle est la source de son influence?

Sans aucun doute il apparaît déjà que l'influence du commandant de bord vient du fait qu'il *est le commandant.* C'est son travail: une partie de sa description de fonction (ou définition de tâche) stipule que lorsqu'il s'apprête à atterrir, il dit au copilote quand baisser les volets, et quand lire à haute voix la vitesse sur l'indicateur. Le copilote comprend cela et l'accepte; cela fait partie de sa propre définition de tâche de baisser immédiatement les volets quand le commandant dit: «Baissez les volets». Même chose pour l'indication de la vitesse.

L'autorité de fonction est parfaitement confirmée par la fonction remplie: c'est une seconde sorte d'influence sur les autres. La clé du succès de l'autorité de fonction est que ceux à qui s'adresse cette influence essaient de comprendre et reconnaissent au leader le «droit» de diriger leurs comportements. Voici d'autres exemples courants d'autorité de fonction:

- Un patron appelle sa secrétaire: «Hélène, prends en note une lettre pour M. Jean Deschamps!»

- Un président d'association politique, à l'ouverture d'une réunion, ordonne: «Debout! Chantons l'hymne national!»

- Le président du conseil d'administration frappe fortement de son maillet et ordonne: «Mesdames et messieurs, la réunion va commencer. Asseyez-vous; nous entamons l'ordre du jour!»

- Le contremaître d'une équipe d'empaqueteurs siffle fort pour obtenir l'attention de ses ouvriers et dit: «Placez plus de corde autour de ces boîtes et attachez-les plus serrées.»

En contraste avec l'autorité de pouvoir, ce type d'autorité «légitime» réside dans la relation structurée entre les fonctions ou les postes dans une entreprise. On l'appelle souvent «autorité légitime», car elle provient des attentes envers les gens auxquels on a assigné ces rôles. En général, une tentative d'influencer le comportement fondé sur l'autorité de fonction n'engendre ni résistance ni ressentiment parce que chacun comprend et accepte qu'une telle influence est nécessaire pour que le travail soit fait, quel qu'il soit.

L'autorité de pouvoir est souvent arbitraire alors que l'autorité de fonction ne l'est pas. Cette dernière est ce à quoi on s'attend: c'est le prix qu'on paie pour assurer l'efficacité de l'entreprise. Utilisée seule, elle crée rarement du ressentiment et de l'hostilité.

Cependant, les cadres qui utilisent fréquemment leur autorité de pouvoir (la contrainte) constateront que l'influence issue de leur autorité de fonction provoque souvent la même dose de ressentiment et de résistance que le pouvoir. Une personne qui a été contrainte par autorité de pouvoir reportera ces mêmes ressentiments dans une autre situation où son supérieur tentera seulement de l'influencer.

Un chef d'atelier utilise le pouvoir coercitif pour amener ses ouvriers à se conformer à une décision arbitraire qu'il a prise: «Si vous ne cessez pas de parler, les gars, vous ferez des heures supplémentaires ce soir, ça, je vous le garantis. Alors ne parlez plus, d'accord?» Plus tard, le chef d'atelier (usant de son autorité légitimée par sa fonction) dit aux ouvriers: «Ça va! Arrêtez maintenant, vérifiez les uns avec les autres pour savoir où chacun en est.» Les ouvriers arrêtent de travailler et gardent le silence, les yeux baissés, chacun à leur établi, mais ne vérifient rien. «Qu'est-ce qui se passe?» demande le leader d'atelier. Les ouvriers répondent avec un sourire en coin: «Mais tu nous as défendu de parler!»

Un tel comportement de revanche n'est pas inhabituel quand les leaders recourent au pouvoir, car dans ces situations les membres de l'équipe se serrent les coudes.

Même face à une tentative d'influence légitime, on a déjà vu les membres d'une équipe répondre par des remarques telles que:

- «Tout ce que tu veux, patron!»
- «Si c'est ce que vous souhaitez!»
- «C'est toi le patron!»
- «Tout de suite, monsieur.»

Les sentiments cachés sous ces messages sont des relents de ressentiment envers des leaders qui ont auparavant utilisé l'autorité de pouvoir.

Dernière remarque: si le leader tente d'influencer par l'autorité de fonction en communiquant aux membres de son équipe des termes qui démontrent qu'il s'estime supérieur par sa position ou qu'il veut qu'on lui obéisse, alors ils reçoivent ses tentatives d'influencer leur comportement plus comme une contrainte que comme des tentatives d'influence. Lorsqu'un leader se croit en fait supérieur ou beaucoup plus méritant que les membres de son équipe, il ne peut s'empêcher d'agir avec arrogance envers son personnel parce que, dans une relation soutenue, il est presque impossible de cacher ses véritables sentiments.

CHAPITRE 9

La méthode sans-perdant: transformer le conflit en coopération

La plupart d'entre nous savons par expérience personnelle que les deux méthodes de résolution de conflit, gagnant-perdant risquent fort de détériorer les relations et de réduire l'efficacité des entreprises. Cependant, elles demeurent les méthodes de choix d'un grand nombre de dirigeants. On peut donner plusieurs explications à cela; mais deux, en particulier, semblent les plus probables: d'abord nous n'avons que peu ou pas du tout l'expérience d'une autre approche de résolution des conflits; ensuite, dans l'esprit de la plupart d'entre nous, exercer la plus grande influence équivaut à posséder le plus grand pouvoir.

Beaucoup d'enfants ont été élevés dans des familles où l'un des parents, ou les deux, administrait de fréquentes et généreuses doses de récompenses et de punitions pour amener les jeunes à se plier aux décisions des adultes. Une étude récente sur la violence dans les familles a montré que 80 p. 100 des parents reconnaissent utiliser les formes ordinaires de châtiment corporel, telles que la fessée et les claques. Près de 30 p. 100 des parents avaient commis un acte de violence contre leurs enfants pour lequel ils auraient pu être arrêtés pour coups et blessures! De même, dans les écoles, les récompenses et les punitions ont toujours été les principaux outils des enseignants pour maintenir la «discipline» dans leur classe. Depuis des centaines d'années, cette pratique n'a guère changé, ce qui ne manque pas de m'étonner. Ainsi, lorsqu'ils parviennent à l'âge adulte, très peu de jeunes ont connu d'autre modèle de résolution de conflits entre adultes et enfants que celui du recours au pouvoir pour les forcer à obéir.

Les enfants ont donc peu de chances de vivre des relations avec les adultes fondées sur d'autres méthodes que celle du pouvoir. Leur vécu n'est que coercition et domination. Même si vous demandez aux jeunes, comme je l'ai fait, pourquoi l'autorité et le pouvoir n'ont pas réussi à faire en sorte qu'ils se soumettent aux exigences des enseignants et des parents, ils répondent avec une fréquence étonnante: «Ils n'ont sans doute pas été assez fermes.»

Il n'est donc pas étonnant que parmi ceux qui, depuis plus de trente ans, ont participé à notre formation, huit personnes sur dix soient surprises d'apprendre qu'il existe réellement une solution alternative, différente des méthodes gagnant-perdant. Et il n'est pas étonnant non plus que ces leaders fassent preuve de scepticisme à l'idée de perdre leur influence en usant de leur pouvoir. En fait, la plupart d'entre eux s'inscrivent à notre formation dans l'espoir d'apprendre à se servir de leur pouvoir de façon plus perspicace et plus astucieuse, mais certainement pas dans l'espoir d'apprendre à ne pas s'en servir du tout!

Qu'est-ce que la méthode sans-perdant?

Pour résoudre les conflits, il existe donc une option alternative aux méthodes gagnant-perdant. Avec cette troisième méthode, personne ne perd — d'où le nom de méthode sans-perdant. Je rappelle notre définition du leader efficace; c'est une personne qui possède les aptitudes nécessaires pour satisfaire les besoins des membres de son équipe aussi bien que les besoins de l'entreprise. Le leader efficace doit acquérir souplesse et sensibilité pour savoir quand et où employer cette aptitude toute nouvelle à *satisfaire les besoins des autres et ses besoins propres*. La méthode sans-perdant amène une solution qui produit la *satisfaction mutuelle des besoins*.

Dans notre société, nous avons plutôt tendance à utiliser les deux méthodes gagnant-perdant. Aussi, quand nous prenons contact avec la méthode sans-perdant, nous la trouvons à la fois nouvelle et bizarre; en tout cas, étrangère à notre expérience. Pourtant, nous avons plus d'expérience avec cette méthode que nous ne le pensons.

> Deux enfants entrent en conflit au sujet d'un jeu: Mélanie veut jouer à la «maison» tandis que Michèle veut s'amuser avec les automobiles miniatures. Chacune d'elles essaie, sans succès, de persuader l'autre (de «gagner» aux dépens de l'autre). Finalement, Michèle propose cette solution: «Je vais jouer à la "maison" avec toi si tu joues aux "automobiles" avec moi pendant qu'il fait encore jour dehors. Quand il fera nuit, nous irons dans ma chambre pour jouer à la "maison" jusqu'à l'heure du dîner. D'accord?» Mélanie réfléchit une seconde et dit: «D'accord.»

C'est la méthode sans-perdant! Les enfants l'utilisent tout le temps. Et elle est probablement utilisée partout où il y a des enfants.

Un couple s'en va camper. Un conflit survient: qui va préparer les repas? Ils en discutent et arrivent à une solution acceptable pour l'un et l'autre: le mari accepte de s'occuper du dîner pourvu que sa femme prépare le petit déjeuner; il aura ainsi le temps de rassembler son attirail de pêche et de le mettre dans le bateau. D'autre part, chacun se chargera de son repas de midi.

Voilà encore la méthode sans-perdant en action! Maris et femmes l'utilisent fréquemment, et pour toutes sortes de conflits. Entre amis également, on a communément recours à la méthode sans-perdant pour trouver des solutions à l'amiable à des questions conflictuelles comme: où aller dîner? à quelle heure commencer la sortie de dimanche? où passer nos vacances ensemble? à quelle heure finir la partie de bridge? qui apporte quoi pour le pique-nique? et ainsi de suite.

Il est évident que nous avons une grande expérience de la méthode sans-perdant. Alors pourquoi est-elle si rarement utilisée dans les relations entre patron et employés? Et dans les relations entre enseignant et étudiants? C'est sans doute parce que ces relations particulières comportent une différence évidente de pouvoir qui n'existe habituellement pas dans les relations entre enfants, entre mari et femme, ou entre amis. Dans ces relations, le pouvoir est plus ou moins équilibré.

Il est difficile d'échapper à la conclusion suivante: dès que nous possédons un pouvoir sur l'autre, nous sommes fortement enclins à l'utiliser. Quand nous n'avons pas ce pouvoir, nous reconnaissons que la méthode sans-perdant est la seule viable. À moins évidemment que nous ne cédions à l'autre (méthode permissive), ce que personne n'aime faire.

La méthode sans-perdant exige qu'un leader qui détient habituellement plus de pouvoir que les membres de son équipe s'engage à *ne pas s'en servir*. Quand un conflit survient, l'attitude du leader peut se traduire en ces termes:

Toi et moi nous avons un conflit de besoins. Je respecte tes besoins, mais je dois aussi respecter les miens. Je n'utiliserai pas mon pouvoir sur toi pour gagner et te faire perdre, mais je ne peux céder et te laisser gagner à mes dépens, car alors c'est moi qui perdrais. Engageons-nous donc à rechercher ensemble une solution qui satisfasse tes besoins et les miens; ainsi, personne ne perdra.

Voici à quoi ressemble la méthode sans-perdant lorsqu'on la représente par un schéma.

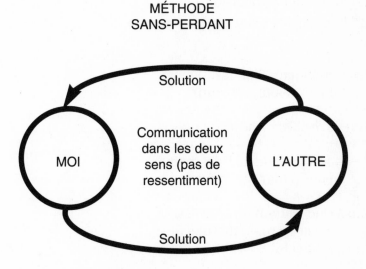

Dans le chapitre précédent, je le rappelle, j'ai choisi un conflit spécifique pour illustrer les méthodes autoritaire et permissive. Il s'agissait d'un conflit concernant le renvoi d'un employé. En réalité, ce conflit a été résolu par la méthode sans-perdant. Le dialogue (enregistré) qui eut lieu durant cette rencontre entre André et Thomas est présenté ci-après en entier parce qu'il montre bien comment se déroule une résolution de conflit où on utilise la méthode sans-perdant. Le dialogue est retranscrit dans la colonne de gauche, et mes commentaires sur le processus de résolution dans la colonne de droite. Il est important de garder à l'esprit que la méthode sans-perdant est une variante de la résolution de problèmes; ce processus comporte donc habituellement les mêmes six étapes que la résolution de problèmes générale (voir le chapitre 3).

1. Identifier et définir le problème.
2. Énumérer des solutions possibles.
3. Évaluer ces solutions.
4. Prendre une décision.
5. Appliquer la décision.
6. Évaluer les résultats par la suite.

André: Bonjour, Thomas, comment vas-tu ce matin?

Thomas: Très bien, André.

André: Je t'ai demandé de venir pour parler de François.

Thomas: Que veux-tu dire? Qu'est-ce qui se passe au sujet de François?

André: J'ai cru comprendre que tu veux le congédier.

Thomas: Oui. Tu as donc lu ma note. Je recommande que nous le renvoyions.

André: J'aimerais en savoir plus là-dessus, Thomas, en | André émet un message «je» qui ne blâme ni ne particulier ce qui t'a amené à prendre cette décision et pourquoi tu penses qu'elle s'impose.

Thomas: J'éprouve plusieurs sentiments à ce propos, André. D'abord, à mon avis, c'est un fauteur de trouble et il m'a nettement empêché de faire le travail que tu m'avais demandé de faire. J'ai pris ce travail en main. Je me suis attaqué à une situation confuse, que j'ai essayé de clarifier, mais je n'y arriverai pas tant que François sera là. Il se met sur mon chemin, il ne suit pas les instructions. Mais j'avoue que je suis un peu inquiet de savoir pourquoi tu remets mon autorité en question.

juge Thomas comme le feraient ceux-ci: «Tu n'aurais pas dû prendre cette décision» ou «C'est une mauvaise décision».

André: Tu n'arrives pas à faire ce travail parce que François te cause des problèmes face à tes autres collaborateurs, et maintenant, j'ajoute à tes ennuis en remettant ton autorité en question.

André utilise l'écoute active pour montrer à Thomas qu'il a compris ses sentiments et son embarras.

Thomas Oui. Je ne comprends pas très bien. Tu m'as donné une responsabilité et maintenant tu me dis: «Attention, tu t'y prends mal.» En tant que contremaître, j'estime que je devrais avoir le droit de décider qui va travailler pour moi. En l'occurrence, François devrait partir.

André: Tu crois que c'est à toi que devrait revenir la prérogative de renvoyer ou non un de tes collaborateurs.

Une autre bonne réponse d'écoute active.

Thomas: Oui et je n'aime pas que quelqu'un regarde ce que je fais par-dessus mon épaule. Je pense que je fais du bon travail. Tu reconnaîtras probablement que j'ai mis de l'ordre dans un bon nombre d'affaires. Nous avons de nouvelles procédures, nous sommes plus efficaces. Je suis plutôt satisfait de ce que nous avons fait.

André: Tu es plutôt satisfait de ce que tu as accompli, mais tu as l'impression que je

André continue à manifester de l'empathie et de la compréhension avec regarde par-dessus ton épaule et que je t'espionne.

Thomas: Je pense que tu remets sérieusement en question ma décision de mettre François à la porte ou mon droit de le faire.

André: Je ne conteste pas ton droit, mais je pense que cela nous pose un problème, Thomas, parce que François travaille avec nous depuis vingt ans et que son dossier est tout à fait satisfaisant. Je crois qu'il pourrait éprouver les mêmes sentiments que d'autres collaborateurs en pareil cas — toi aussi, si j'étais sur le point de te mettre à la porte. Ou encore, si tu étais depuis longtemps au service d'une entreprise, qu'un nouveau patron arrive, un conflit personnel survienne et que le patron décide de te congédier. Je pense que tu pourrais te sentir mal face à ce renvoi, n'est-ce pas?

une réponse d'écoute active.

Ici, André définit le problème en des termes qui expriment sa propre position sur la situation.

Ici, André fait quelque peu la leçon et la morale, ce qui provoque une réaction de défense dans la réponse suivante de Thomas.

Thomas: Tant que tu parleras de «conflit personnel», je ne serai pas d'accord.

André: Ce n'était qu'un exemple. Oublions-le. Pour toi, ce n'est absolument pas un conflit personnel.

Thomas: Non, pour moi nous sommes dans la situation où la pomme pourrie gâte tout le panier. Je crois que si nous laissons François ici, sa tendance à me résister va s'étendre à tout le groupe et je perdrai alors le respect et l'autorité que j'ai acquis.

Thomas définit le problème dans des termes qui expriment ses propres sentiments et préoccupations.

André: Je vois, tu as besoin du respect que François pourrait saper, et tu as besoin d'autorité pour traiter nos affaires.

André fait un bon travail d'écoute active et saisit un problème nouveau et plus profond que Thomas a révélé. Souvent, dans une résolution de conflit, le problème initial se trouve redéfini en un problème plus fondamental.

Thomas: C'est vrai. Ce qui me dérange, ce n'est pas qu'un collaborateur soit en désaccord avec moi, mais qu'il manifeste ce désaccord devant toute l'équipe. C'est ce que fait

François et alors les autres ont l'impression qu'ils sont libres de se comporter de la même manière.

André: Ce que tu dis est très intéressant. Ce qui te dérange en particulier, c'est qu'il soit en désaccord avec toi devant les autres. Tu crois que cela mine ton autorité.

Thomas: Tout à fait.

André: Je suis un peu étonné de t'entendre parler de cette autorité et de ce pouvoir dont tu crois avoir besoin.

André invite Thomas à parler davantage de son besoin de pouvoir.

Thomas: Je crois que pour mener à bien le travail, pour mettre en ordre une situation comme la nôtre, on doit réellement faire savoir à ses collaborateurs qu'on est le patron.

André: Je vois. Alors tu veux qu'ils se rangent à tes propos et qu'ils sachent que c'est toi qui prends toutes les décisions.

Autre réponse d'écoute active efficace.

Thomas: C'est ça. Je n'aime pas que l'on remette en question mes décisions, j'estime que c'est malsain qu'un collaborateur le fasse.

André: Je crois voir émerger un second problème, Thomas. En plus du problème dont nous avons commencé à discuter, je vois maintenant un autre problème, que j'aimerais approfondir. Il s'agit du style de direction que tu crois avoir besoin d'utiliser.

André identifie le second problème (et le plus fondamental) et essaie de le distinguer nettement du premier. Il passe alors au rôle de consultant pour tenter d'influencer Thomas à penser aux conséquences de son style de leadership.

Il est vrai que certains individus mènent leur service de façon autoritaire tout en faisant un travail efficace, mais je pense que cette méthode comporte beaucoup d'inconvénients que j'aimerais examiner avec toi. Certaines données me portent à croire que, si tu imposes ce style autoritaire, le remplacement de personnel sera plus élevé dans ton service, le climat de travail dans ton équipe se détériorera, tu n'arriveras pas à d'aussi bonnes décisions parce qu'il te manquera de l'information. Si tu gères ton service de façon trop ferme, les gens auront peur de te dire ce que tu n'as pas envie d'entendre, et de ce fait ils ne te communiqueront pas autant d'information. Privé de celle-ci, tu ne seras pas en mesure de prendre de bonnes décisions. Mais tu as l'air persuadé de ne pas bien remplir ton rôle de patron si tu ne joues pas la carte de l'autorité. Ces deux problèmes me paraissent tout à fait liés.

Si François, qui travaille chez nous depuis longtemps, était congédié, tu n'aurais pas seulement le problème de le remplacer — et tu sais combien il est difficile de trouver de bons collaborateurs. François est apprécié dans le service. Par ailleurs, tu estimes qu'il a de l'influence sur les autres. Il me paraît évident, si tu le mets à la porte, que d'autres gars s'en iront avec lui. Il risque d'y avoir au moins quelques démissions, quand d'autres auront trouvé un autre travail plus intéressant. Si tu perds plusieurs collaborateurs, tu ne seras plus en mesure d'accomplir tes projets. Cependant, je reste convaincu que tu fais du bon travail en mettant de l'ordre dans un bon nombre d'affaires.

Thomas: Oui, c'est vrai.

André: Alors, maintenant nous avons deux problèmes à traiter. J'aimerais approfondir ton style de direction avec toi, ainsi que le problème de François.

À ce stade de l'entretien, André et Thomas ont seulement achevé la 1re étape du processus de résolution de conflit, soit «identifier et définir le problème» (ici, il y a deux problèmes).

Thomas: Je vois que nous n'avons pas la même conception de la direction d'une équipe, mais je ne sais pas quoi faire avec une personne comme François.

André: Sa façon d'agir te dérange. Même si tu voulais adopter un style différent de direction, tu te demandes bien comment tu t'y prendrais.

Thomas: Oui.

André: Je vois cela. C'est une chose que beaucoup de gens ne comprennent pas, Thomas. Nous avons peut-être plusieurs sources d'information là-dessus. J'aimerais pouvoir t'aider. Le Service du personnel peut t'être très utile aussi.

André passe à la 2e étape, en proposant une solution possible au second problème.

Thomas: J'aimerais que tu parles à François. Es-tu prêt à le faire?

Thomas aborde aussi la 2e étape, en suggérant une solution au premier problème.

André: Tu aimerais que je parle seul à seul avec François. J'accepterais si...

Thomas: Je n'arrive à rien avec lui.

André: Examinons cela de plus près. À tes yeux, vous ne pouvez rien faire ensemble. Mais mon expérience m'a appris que, face à un problème, il vaut mieux confronter soi-même la personne qui est à l'origine de la difficulté. Lui as-tu fait part précisément de tes sentiments et du problème en question?

Maintenant, André arrive à la 3e étape et évalue la solution proposée par Thomas.

André revient à la 2e étape; il suggère une autre solution au premier problème.

Thomas: En fait, je n'ai pas pris le temps d'en parler avec

227

lui. Je suis sûr qu'il connaît mes sentiments: il sait que je suis en froid avec lui, mais nous n'en avons pas parlé ensemble, comme nous le faisons maintenant toi et moi. Ce que tu me suggères, c'est d'avoir un entretien avec lui pour aborder ce problème?

André: Oui.

Thomas: Je ne pense pas que cela serve à grand-chose. Ce n'est pas le genre de personne à changer, surtout à son âge et avec son expérience. Mais je suis prêt à faire un essai.

Thomas est à la 3e étape: il évalue la solution possible présentée par André.

André: Je suis prêt moi aussi, si tu le souhaites, à participer à un entretien de ce genre. Je préfère ne pas régler l'affaire avec lui directement: cela risquerait de saper ta relation avec lui, non pas ton autorité — il y a une subtile différence entre les deux termes —, mais ta relation avec lui, je pense, est primordiale. Mais si je pouvais sim-

André propose une autre solution (2e étape).

plement vous faciliter la tâche: t'aider à le comprendre, et l'aider lui à te comprendre, j'en serais très heureux.

Thomas: Eh bien! j'ai envie de me lancer sans toi d'abord. Si j'ai du mal à m'en sortir, comme je m'y attends, nous pourrions alors, François et moi, faire appel à toi. Qu'en penses-tu?

Thomas propose une autre solution (2ᵉ étape).

André: C'est une bonne idée. J'ai encore une suggestion. Tu pourrais réfléchir un peu à tout cela, et si nous avons un moment dans la matinée, je te propose de simuler l'entretien: je tiendrai le rôle de François.

Maintenant le processus arrive à la 4ᵉ étape, la prise de décision, puisque André est d'accord avec la solution de Thomas. André entre dans la 5ᵉ étape, l'application de la solution, quand il propose à Thomas de traiter cette situation sous forme de jeu de rôles.

Thomas: Cela m'aiderait: ça me permettra de m'exercer avant de me lancer et de dépasser mon appréhension compte tenu de l'attitude de François. J'ai encore besoin de tes conseils.

André: Volontiers. Nous avons la solution à un de nos pro-

André confirme la résolution du premier problème

blèmes. L'autre problème est de t'aider à modifier ton comportement de contremaître. D'après toi, comment devrions-nous aborder cela?

Thomas: Je sais que nous avons un consultant qui offre une formation sur ce sujet.

et revient en arrière dans le processus de résolution de conflit pour reprendre le second problème: le style de leadership de Thomas.

Thomas propose une solution possible, qui sera suivie d'une autre solution apportée par André dans sa réponse suivante.

André: Oui, en fait, nos directeurs ont suivi quelques programmes de formation avant ton arrivée. Certains d'entre eux sont directement applicables. Si tu vas au service du personnel, tu trouveras des documents là-dessus qui pourraient t'aider.

Thomas: Très bien.

On prend la décision.

André: L'organisme qui est venu ici organise aussi des formations pour le grand public qui pourraient être très utiles. Je peux me renseigner pour savoir à quelle date le cours commence.

Nous sommes de nouveau à la 2e étape. On propose une autre solution.

Thomas: C'est une bonne idée. Je vais certainement y

Thomas est d'accord et on prend à nouveau une

repenser. Ça m'a fait du bien de parler avec toi comme cela.

décision, les deux étant d'accord sur cette solution.

Cet échange typique illustre ce qui se passe dans les situations où on emploie la méthode sans-perdant avec succès pour résoudre un conflit.

1. Les personnes en conflit franchissent le processus de résolution de problème, du moins jusqu'à la 4e étape, la prise de décision, et souvent au-delà.

2. Il est primordial de parvenir à définir et à comprendre le conflit en termes de besoins, de sentiments ou de préoccupations des deux personnes. Chacun veut faire comprendre ses besoins et on veut aussi saisir clairement les besoins de l'autre personne.

3. Il est important que chaque personne exprime ses besoins, ses sentiments ou ses préoccupations par des messages «je», plutôt que par des messages «tu» qui blâment ou jugent et entravent habituellement le processus de résolution.

4. Il est essentiel d'employer l'écoute active parce qu'elle communique qu'on accepte et qu'on comprend les sentiments de l'autre personne. C'est alors seulement que l'autre personne se sent disposée à comprendre nos sentiments.

5. Le «problème initial» se transforme souvent en un problème plus profond ou plus fondamental qui doit aussi être résolu.

Contrairement aux deux approches gagnant-perdant, la méthode sans-perdant est une approche de résolution de conflits *ouverte* quant à sa conclusion. Aucune des parties prenantes du conflit ne sait de manière certaine quelle sera la solution finale: elle reste ouverte, elle demeure incertaine; elle émerge comme résultat du processus en six étapes (lequel, bien sûr, *est connu*). D'autre part, dans les deux méthodes gagnant-perdant, chaque partie a généralement en tête une solution établie à l'avance, et l'effort consiste ensuite à utiliser son pouvoir pour faire céder l'autre. C'est pourquoi ces méthodes gagnant-perdant suscitent si souvent des luttes de pouvoir entre *solutions concurrentes*. Bref, la méthode sans-perdant implique la *recherche* d'une solution mutuellement acceptable et non une lutte de pouvoir pour amener l'autre à accepter une solution prédéterminée.

Rechercher une solution ne nécessite pas de détenir le pouvoir mais de penser de façon créative. La méthode sans-perdant ressemble à la reconstitution d'un puzzle: «Mettons en commun nos idées et voyons si nous pouvons aboutir à une solution qui satisfasse nos besoins respectifs. «Qu'est-ce qui peut résoudre notre conflit?» «Nous avons un problème à résoudre, montrons-nous donc créatifs!»

Les avantages de la méthode sans-perdant

On comprend que les leaders veuillent connaître les avantages de la méthode sans-perdant avant de faire l'effort d'apprendre à l'utiliser efficacement. Tout d'abord, je tiens à souligner les étapes à franchir. Bien que la méthode sans-perdant soit assez facile à conceptualiser, la pratique ne s'acquiert pas aisément. L'utiliser exige souvent plus de temps que les deux méthodes gagnant-perdant; et les leaders se heurteront à quelques problèmes en l'employant. Je traiterai de ces problèmes un peu plus loin. Mais d'abord, quels sont les avantages de la méthode sans-perdant?

UN ENGAGEMENT ACCRU DANS
L'APPLICATION DE LA DÉCISION

Chacun d'entre nous a fait l'expérience de ressentir un engagement ferme à appliquer une décision parce qu'on avait eu la chance de participer à la formulation de cette décision. Une personne qui a son mot à dire dans le processus de prise de décision se sent plus motivée à appliquer cette décision qu'une autre pour laquelle quelqu'un d'autre a décidé unilatéralement. Les psychologues nomment cette idée pleine de bon sens «le principe de la participation». Il confirme un phénomène bien connu: quand nous participons à la résolution du problème pour élaborer une solution mutuellement acceptable, nous avons le sentiment que c'est «notre» décision. Ainsi, nous nous sentons responsables de son application.

Ce sens accru de la responsabilité et de l'engagement signifie habituellement que le leader économise ses efforts pour forcer l'acquiescement, qu'il n'a plus besoin de «faire la police», comme je l'ai fait remarquer plus haut. Évidemment, tout cela fait gagner du temps au leader et le rend plus disponible pour du «travail productif». Il en résulte une meilleure efficacité pour l'entreprise: quand les décisions sont prises, elles sont appliquées; quand les conflits sont résolus, ils le restent.

DES DÉCISIONS DE MEILLEURE QUALITÉ

La méthode sans-perdant fait appel à la créativité, à l'expérience et à l'intelligence de toutes les parties impliquées dans un conflit. Dans la plupart des cas, elle devrait donc produire des décisions de grande qualité. Et c'est le cas. L'expression «Deux têtes valent mieux qu'une» prend tout son sens dans la résolution d'un conflit, puisque celle-ci exige une identification précise des besoins de toutes les

parties en présence. Quand celles-ci participent à l'élaboration de la solution, il est fort probable qu'elles vont s'efforcer de produire un grand nombre de solutions créatives.
Enfin, la présence des deux parties est nécessaire afin que
chacune d'elles puisse juger quelle solution satisfait le
mieux ses besoins.

Je ne conçois pas, par exemple, de résoudre un conflit
entre moi-même et l'un de mes enfants (ou ma femme, ou
un membre de mon équipe) sans leur participation active,
c'est-à-dire: qu'ils expriment leurs besoins et comprennent
les miens, qu'ils proposent leurs solutions et entendent les
miennes, qu'ils évaluent chaque solution d'après leur expérience et qu'ils considèrent mes évaluations fondées sur ma
propre expérience. Quand je me trouve moi-même en conflit avec d'autres, je recherche leur aide afin que nous trou-
vions ensemble une issue qui ne lésera personne. Avec une
telle aide, je suis beaucoup plus sûr de la qualité de la solution que si je la choisissais entièrement seul.

DES RELATIONS PLUS CHALEUREUSES

Voici un des résultats les plus prévisibles de la méthode
sans-perdant: les parties en conflit finissent par se trouver
dans de meilleures dispositions l'une vis-à-vis de l'autre.
Le ressentiment, conséquence habituelle de l'une ou
l'autre des méthodes gagnant-perdant, est absent quand
on pratique la méthode sans-perdant. Au terme d'une
décision prise avec succès grâce à la méthode sans-perdant,
on voit plutôt émerger un sentiment d'estime réciproque,
et même d'affection. Cela tient probablement au fait que
chacun apprécie la manière dont l'autre a bien voulu
prendre ses besoins en considération et a bien voulu aussi
prendre le temps de rechercher une solution qui rende
l'un et l'autre heureux. Quelle meilleure preuve de sollicitude peut-on donner?

DES DÉCISIONS PRISES PLUS RAPIDEMENT

Qui n'a pas déjà fait l'expérience suivante? J'entre en conflit avec quelqu'un et je vois ce conflit non résolu traîner pendant des semaines ou des mois, parce que je ne peux pas trouver une solution! Puis je rassemble mon courage, j'aborde la personne et je l'invite à se joindre à moi pour essayer de résoudre le conflit. À ma grande surprise, j'aboutis à une solution à l'amiable et mutuellement acceptable en quelques instants.

Cela n'est pas rare. La méthode sans-perdant aide souvent les gens en conflit à exprimer ouvertement leurs sentiments et leurs besoins, à faire face franchement aux situations et à examiner les solutions possibles. Une fois commencé, le processus de résolution de conflit peut conduire rapidement à une solution sans-perdant parce qu'il permet de mettre à jour un grand nombre de données (des faits et des sentiments) dont l'une ou l'autre des parties ne dispose pas si elle opère séparément.

On notera encore que les conflits personnels sont souvent très complexes, en particulier dans les entreprises où des différends surgissent à propos de questions techniques compliquées, de questions financières délicates et de problèmes humains difficiles. On résout généralement ces conflits beaucoup plus rapidement avec la participation de ceux qui possèdent des données pertinentes ou qui pourraient être concernés par la décision.

IL N'EST PAS NÉCESSAIRE DE «VENDRE LA DÉCISION»

Je rappelle à quel point, avec la méthode autoritaire, les leaders passent habituellement du temps à «vendre» leurs décisions à ceux qui doivent les appliquer. On passe ainsi beaucoup plus de temps à «vendre» une décision qu'à la prendre. Cette seconde étape est rarement nécessaire avec la méthode sans-perdant; c'est évident, puisque la décision finale, une fois acceptée par toutes les parties en cause dans le conflit, n'a plus besoin d'être «vendue» par la suite, car chacun est déjà convaincu de sa valeur.

Indications pour les six étapes de la méthode sans-perdant

Comme je l'ai montré précédemment, la méthode de résolution de conflit sans-perdant entre les personnes n'est qu'une application particulière du processus de résolution de problèmes. Et la résolution de problèmes efficace comporte six étapes distinctes. Comprendre ces six étapes et apprendre comment faire progresser le processus à travers chaque étape, voilà les clés d'une bonne résolution de conflit.

En principe, avant d'essayer la méthode sans-perdant, toutes les personnes impliquées dans le conflit devraient comprendre les différences entre les méthodes autoritaire et permissive et la méthode sans-perdant; elles devraient connaître les six étapes et savoir pourquoi elles sont essentielles à une résolution de conflit efficace. Il est bon de leur rappeler que le but de la méthode sans-perdant est d'arriver à une solution *acceptable pour tous et chacun* afin que personne ne se sente perdant. Seules les personnes directement impliquées dans le conflit devraient participer à la résolution du problème. Et mieux vaut ne pas entamer le processus si on ne dispose pas soi-même, ainsi que les autres personnes concernées, d'un laps de temps assez important. Un tableau pour écrire est très utile, bien qu'il ne soit pas absolument nécessaire; papier et crayon peuvent suffire. Il est essentiel également de ne pas aborder cette rencontre avec une solution déterminée, préconçue, bien qu'on puisse déjà avoir en tête un certain nombre de solutions possibles. L'important est de rester ouvert à d'autres solutions. Finalement, il est capital de s'engager à employer la méthode sans-perdant et de se refuser à revenir à la méthode autoritaire ou à céder aux autres selon la méthode permissive.

Bien que les indications suivantes s'appliquent à un conflit entre soi-même et une autre personne, elles conviennent également à des conflits impliquant plusieurs personnes.

1ʳᵉ ÉTAPE: IDENTIFIER ET DÉFINIR LE PROBLÈME EN TERMES DE BESOINS

C'est une étape déterminante de la résolution de conflit. D'abord, pour poser le problème, s'exprimer d'une façon qui ne communique ni blâme ni jugement. Émettre des messages «je» est toujours le moyen le plus efficace de poser un problème.

Ensuite, après avoir fait part de ses sentiments, essayer de formuler le point de vue de l'autre dans le conflit. Si on ne sait pas ce qu'il en est, demander à l'autre d'exprimer ses besoins.

Définir le problème ou le conflit avec précision et exactitude prend souvent du temps. L'autre peut avoir besoin de temps pour exprimer ses sentiments. Au début, il peut être en colère ou sur la défensive. C'est le moment d'utiliser l'écoute active; on donne ainsi à l'autre une chance de faire part de ses sentiments; sinon, il ne sera pas prêt à franchir les étapes suivantes.

Ne pas se presser d'arriver à la 2ᵉ étape. S'assurer de comprendre le point de vue de l'autre et d'exprimer le sien de façon précise et authentique.

Ne pas minimiser ses propres sentiments. Si on le fait, l'autre risque de ne pas se sentir très motivé à participer à la résolution du conflit.

Souvent, on redéfinit un problème à mesure qu'on en discute, car la formulation initiale du problème peut s'avérer superficielle. Les sentiments que l'autre exprime peuvent nous amener à voir le problème sous un angle nouveau.

Avant de passer à la 2ᵉ étape, s'assurer que l'un et l'autre acceptent la définition du problème. À cet effet, demander à l'autre s'il accepte la définition du problème qu'on essaie de résoudre ensemble. Vérifier que les deux ensembles de besoins ont été précisément établis. Ne pas définir le problème comme un conflit entre des *solutions* concurrentes mais en termes de conflit de *besoins,* puis proposer des solutions.

Enfin, s'assurer que l'autre comprend clairement qu'on recherche ensemble une solution qui satisfera les deux ensembles de besoins, et qui sera acceptable pour les deux — personne ne doit perdre.

2ᴱ ÉTAPE: ÉNUMÉRER DES SOLUTIONS POSSIBLES

C'est la partie créative de la résolution de conflit. Il est souvent difficile de trouver une bonne solution immédiatement. Les solutions initiales sont rarement adéquates, mais elles peuvent amener à en découvrir de meilleures. Demander d'abord à l'autre de proposer des solutions possibles; on aura tout le temps de présenter ses propres solutions. Éviter à tout prix d'évaluer et de critiquer les solutions de l'autre. *Utiliser l'écoute active.* Traiter les idées de l'autre avec respect.

Essayer d'énumérer un bon nombre de solutions possibles avant d'en évaluer ou d'en discuter une en particulier. Retarder toute évaluation jusqu'à ce qu'on ait recueilli un bon éventail de solutions. Se rappeler que l'essentiel est d'élaborer de bonnes solutions et non pas n'importe quelle solution.

Si on est dans une impasse, reformuler le problème. Quelquefois, cela permet de relancer la création de solutions.

Généralement, le moment du passage à la 3ᵉ étape s'impose de lui-même: quand on a accumulé un bon nombre de solutions réalistes et applicables ou quand une solution apparaît de loin supérieure aux autres.

3ᴱ ÉTAPE: ÉVALUER CES SOLUTIONS

Au cours de cette étape, il est particulièrement important d'être franc; et, bien sûr, on souhaite que l'autre le soit aussi. L'un et l'autre s'appliquent ici à faire fonctionner leur esprit critique. Y a-t-il des inconvénients à telle ou telle solution possible? Pour quelle raison ne fonctionnerait-elle pas? Sera-t-elle trop difficile à appliquer ou à réaliser? Est-elle équitable pour l'un et l'autre? *Utiliser l'écoute active.*

Au cours de l'évaluation des solutions déjà énumérées, l'un ou l'autre peut penser à une solution tout à fait nouvelle, meilleure que toutes les autres. Ou encore on propose l'amélioration d'une idée déjà mentionnée.

Si on ne réussit pas à vérifier la valeur des solutions à cette étape-ci, on risque d'aboutir à une solution médiocre ou qui ne sera pas appliquée soigneusement.

4ᴱ ÉTAPE: PRENDRE UNE DÉCISION

L'engagement mutuel à adopter une solution est essentiel. Habituellement, quand on a bien examiné la situation, la solution la meilleure se dégage clairement.

Ne pas commettre l'erreur d'essayer de persuader l'autre ou de le pousser vers une solution. S'il ne choisit pas librement une solution qu'il considère acceptable, la décision risque fort de ne pas être appliquée.

Quand on est sur le point d'aboutir à une décision, énoncer la solution pour s'assurer qu'on comprend bien, l'un et l'autre, ce qu'on est sur le point de décider.

5^E ÉTAPE: APPLIQUER LA DÉCISION

Bien entendu, c'est une chose d'arriver à une solution créative, c'en est une autre de la mettre en pratique. Immédiatement après s'être mis d'accord sur une solution, il est généralement nécessaire de parler de son application.

QUI fait QUOI et QUAND?

L'attitude la plus constructive consiste à faire entièrement confiance à l'autre pour appliquer fidèlement la décision, plutôt que de se demander ce qu'on va faire si l'autre ne joue pas le jeu. Il n'est donc pas judicieux de discuter ici des sanctions possibles à prendre en cas d'échec.

Cependant, si l'autre manque à sa tâche, le lui faire remarquer avec des messages «je».

On peut aussi émettre des suggestions pour aider l'autre à se rappeler ce qui a été convenu.

Ne pas tomber dans le piège de lui rappeler constamment les tâches à accomplir: il deviendrait alors dépendant de ces rappels à l'ordre plutôt que d'assumer pleinement la responsabilité de son comportement.

Les personnes qui, dans le passé, n'ont pas été habituées à résoudre les conflits par la méthode sans-perdant manifesteront peut-être peu d'ardeur au début pour appliquer la solution, en particulier si elles ont été habituées à la méthode permissive. Être prêt à leur communiquer souvent ses désirs jusqu'à ce qu'elles réalisent qu'on ne leur permettra pas de «s'en tirer». Communiquer sans trop attendre.

6^E ÉTAPE: ÉVALUER LES RÉSULTATS PAR LA SUITE

Les solutions issues de la méthode de résolution de conflit sans-perdant ne s'avèrent pas toutes les meilleures. Parfois, l'autre ou soi-même découvre des points faibles à la solution choisie; dans ce cas, on devrait revenir au problème pour mieux le résoudre. On a intérêt à demander à l'autre ce qu'il en pense.

L'un et l'autre devraient comprendre que les décisions sont toujours sujettes à révision, mais qu'aucun des deux ne peut modifier une décision unilatéralement. Comme la décision initiale, les modifications doivent faire l'objet d'un accord mutuel.

Les nouveaux venus à la méthode sans-perdant découvriront parfois qu'ils se sont trop avancés: dans l'enthousiasme, ils se sont engagés de leur plein gré à en faire trop ou à faire l'impossible. Si cela arrivait, s'assurer de laisser la porte ouverte à une éventuelle révision.

Se rappeler que les meilleurs outils pour réussir une résolution de conflit efficace seront toujours:

- l'écoute active;
- des messages clairs et francs;
- le respect des besoins de l'autre;
- la confiance;
- l'ouverture à de nouvelles données;
- la détermination;
- la ferme intention de réussir;
- le refus de revenir à la méthode autoritaire ou à la méthode permissive.

Les problèmes inhérents à l'utilisation de la méthode sans-perdant

Même dans les meilleures conditions, les leaders rencontrent des problèmes en utilisant la méthode sans-perdant. Elle fonctionne rarement sans anicroche. À certains moments, on se sent frustré parce que la démarche exige plus de temps que prévu. Ou bien on n'arrive pas à trouver immédiatement une solution acceptable. Ou encore, on a affaire à quelqu'un qui ne s'en tient pas à l'entente. Parfois même on est tenté d'abandonner tout le processus et de revenir à la méthode autoritaire, fondée sur le pouvoir. À l'occasion, on peut être irrité ou furieux contre les membres de son équipe quand ils ne veulent pas «s'ouvrir» et exprimer leurs sentiments, ou bien quand ils critiquent trop franchement nos idées ou défendent trop obstinément les leurs.

Là encore, un leader s'attend à devoir payer un certain prix pour récolter les fruits de la méthode sans-perdant — pas de bénéfices sans coût, par de satisfaction sans difficulté. Chaque leader doit décider si le jeu en vaut la chandelle. En étant conscient des problèmes inhérents à l'utilisation de la méthode sans-perdant, on peut mieux déterminer si les avantages qu'elle procure valent l'effort à fournir.

ÉTABLIR DES RELATIONS FRANCHES ET OUVERTES

En général, on souhaite instaurer des relations franches et ouvertes avec les autres; cela semble constituer un but que la plupart des gens considèrent comme idéal. Néanmoins, ce type de relations existe rarement dans les entreprises entre un leader et les membres de son équipe. Le leader joue son rôle de «patron» et les membres de son équipe jouent le rôle de «subordonnés».

Le capitaine du bateau est censé rester «maître à bord» même dans la tempête; on imagine le patron serein, calme et en pleine possession de ses moyens. Le leader donne des ordres et dit aux gens ce qu'ils doivent faire; il ne doit pas faire part de ses craintes ou admettre ses erreurs. De ce fait, il cache sa nature humaine.

Les subordonnés sont censés accepter les ordres et respecter l'avis de leur patron. Ils ne doivent pas le critiquer ni remettre en question ses jugements. Ils dissimulent leurs sentiments et camouflent leurs erreurs. Être franc est trop dangereux, s'affirmer est trop présomptueux.

Un ingénieur d'une grande firme de produits chimiques s'est entretenu de cette question avec un de nos formateurs.

> La plupart de nos contremaîtres sont des individus qui, à force d'être un peu plus débrouillards que les autres, plus consciencieux dans leur travail et plus fonceurs, ont accédé à leur niveau de responsabilité. Dans leur esprit, cela signifie qu'ils sont maintenant des «patrons», dans le plein sens du terme. Et les patrons se comportent d'une certaine manière, par exemple ils ne demandent jamais l'opinion de quiconque. Les patrons disent aux gens quoi faire et la production est leur seule préoccupation. Dans ce milieu, c'est la règle: la seule raison pour laquelle on travaille si dur, c'est de devenir contremaître, c'est d'être «patron». Certains d'entre eux en viennent à dire: «Je ne veux pas partager mon pouvoir.»

Quand un leader cesse d'utiliser son pouvoir et essaie de résoudre les conflits par la méthode sans-perdant, les gens abandonnent leurs rôles et laissent tomber leurs masques. Quand les collaborateurs réalisent progressivement que leur patron veut véritablement trouver des solutions aux conflits qui satisfassent leurs besoins, ils commencent à les exprimer en toute franchise. Quand ils sont convaincus que les conflits n'aboutiront pas à des décisions dont ils seraient les perdants, ils cessent de craindre le face à face avec leur patron et ils expriment leurs sentiments réels. Cela fonctionne dans l'autre sens aussi. Le leader gagne en ouverture et en sincérité avec ses collaborateurs.

La méthode sans-perdant introduit une nouvelle norme dans les relations entre leader et membres de l'équipe: on s'exprime spontanément en toute confiance et on laisse tomber ses défenses en situation de conflit, parce qu'on trouvera une solution acceptable pour toutes les personnes impliquées.

Cela signifie que si on utilise la méthode sans-perdant, on entendra certainement s'exprimer des sentiments, des critiques et des plaintes rarement révélés devant une personne autoritaire. Il est ici pertinent de se poser quelques questions. Suis-je prêt à cela? Suis-je capable d'accepter que les autres me disent comment ils me perçoivent? Suis-je capable d'accepter qu'on me critique ou qu'on soit en désaccord avec mes idées et mes opinions, sans me mettre sur la défensive ou prendre ma revanche?

QUAND IL EST DIFFICILE DE PARVENIR À DES SOLUTIONS ACCEPTABLES

La question la plus fréquemment posée dans nos formations est la suivante: «Que faire si on ne parvient pas à trouver une solution mutuellement acceptable?»

Je crois que cette question revient très souvent parce que les gens qui n'ont aucune expérience de la méthode sans-perdant sont véritablement sceptiques quant aux chances de trouver aux conflits des solutions qui ne font pas de perdant. Comme ils n'ont jamais vu cela se produire, ils sont persuadés que cela ne se réalisera pas.

Mais les fait sont là: ce résultat se produit souvent. Il est vrai aussi qu'il est parfois difficile de trouver des solutions mutuellement acceptables. Dans une résolution de conflit, on peut se retrouver dans une impasse parce que les parties ne suivent pas les six étapes du processus de résolution de problèmes. Ou encore, parce que l'un des protagonistes (ou les deux) conserve une attitude gagnant-perdant avec un état d'esprit fondé sur la lutte de pouvoir. Et, inutile de le dire, certains conflits s'avèrent si complexes que, pour parvenir à de bonnes solutions, on a besoin de beaucoup de créativité et de débrouillardise.

Voici des méthodes qui, en cas de difficulté, ont parfois permis d'arriver à une solution mutuellement acceptable.

1. Revenir à la 2e étape et essayer de formuler de nouvelles solutions possibles.

2. Revenir à la 1re étape et essayer de redéfinir le problème; il y a peut-être un problème sous-jacent dont on n'a pas parlé, un «besoin non exprimé».

3. Faire directement appel aux personnes concernées, de la façon suivante par exemple: «Quelqu'un peut-il nous aider à comprendre pourquoi nous avons du mal à trouver une solution acceptable? Qu'est-ce qui nous en empêche?»

4. Demander si toutes les personnes concernées sont prêtes à attendre que «la nuit porte conseil» et reprendre plus tard la résolution du problème.

5. Demander si on a besoin d'une étude plus approfondie, de données ou de faits complémentaires. Si oui, on peut confier la tâche à un groupe de travail et lui demander d'en faire un compte rendu à l'équipe. On peut aussi effectuer une «étude pilote».

6. Éventuellement, l'équipe peut envisager de faire appel à un consultant externe.

7. Se concentrer de nouveau sur les besoins respectifs des parties en cause de façon à s'éloigner des solutions concurrentes.

8. Si, pour des raisons valables, on doit en arriver rapidement à une solution, informer les autres que le temps presse et en exposer les risques au cas où on ne réussirait pas à respecter l'échéance établie.

9. Voir si l'équipe serait prête à essayer l'une des solutions pour une période limitée sur une base expérimentale.

Dans le chapitre 10, j'expliquerai comment un leader peut traiter les conflits non résolus ou les impasses relationnelles entre lui et un membre de son équipe avec l'aide de son propre supérieur.

Bien que ces méthodes permettent de sortir des impasses au moment où elles surviennent, à long terme l'objectif du leader sera *de les prévenir*. Cela prend du temps. Finalement, on développe des attitudes de confiance et

d'estime réciproques à mesure qu'on participe à des réso-
lutions de conflit réussies en utilisant la méthode sans-
perdant. Rien n'attire mieux la réussite que la réussite
elle-même.

LE CHAMP DE LIBERTÉ DU LEADER

Si on conçoit la résolution des conflits sans-perdant
comme une façon de déléguer l'autorité de prise de décision
à toutes les personnes impliquées dans le conflit (y compris
le leader lui-même, bien sûr), il devient évident que le leader ne peut déléguer plus d'autorité qu'il n'en possède
effectivement.

Le chef d'une équipe de vendeuses de cosmétiques à
domicile ne devrait jamais employer la méthode sans-perdant
pour essayer de résoudre un conflit concernant le prix que
les vendeuses doivent demander aux clients pour un produit
particulier, quand le prix de détail de ce produit a été fixé à
l'avance par la direction de la société. Le prix du produit se
trouve manifestement *en dehors du champ de liberté du
leader.* Il en va de même pour les cotisations prélevées sur
les salaires ou la taxe payée par le client, car ce sont des
règles nationales.

Chaque leader a la liberté de prendre des décisions à
l'intérieur de certaines limites qui restreignent le nombre
de problèmes justifiant une négociation selon le processus
de résolution de conflit. Si on ne comprend pas cette réalité,
on génère beaucoup de malentendus sur la méthode sans-
perdant. Par exemple, certains leaders qui participent à nos
sessions de formation résistent à la seule idée de la méthode sans-perdant, en se fondant sur le fait qu'il n'est pas
possible pour un leader de résoudre tous les différends et
les désaccords des membres de son équipe. Bien sûr que
non. Et ils ne devraient pas non plus essayer. Beaucoup de
problèmes se situent en dehors de leur champ de liberté et
ne sont donc pas négociables.

Le carré ci-dessous représente, par convention, la totale liberté d'un leader (c'est-à-dire s'il n'existait absolument aucune limite à sa liberté).

LIBERTÉ TOTALE

Dans l'entreprise, la liberté est généralement limitée par des lois nationales, par exemple la loi sur le salaire minimum garanti.

Lois nationales

Il y a aussi des limites imposées par les règlements municipaux: par exemple les règles de la circulation aux abords de l'entreprise.

Il y a aussi, bien sûr, les articles du règlement intérieur de l'entreprise tels que les horaires de travail ou le nombre et la durée des pauses.

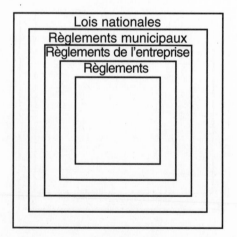

En outre, les chefs de service sont tenus à la politique de leurs directeurs généraux; les contremaîtres sont tenus aux stratégies de leurs chefs de service, et ainsi de suite.

Alors, le champ de liberté dont disposent la plupart des leaders, et dans lequel ils peuvent employer la méthode sans-perdant, se trouve relativement restreint. Plus ils sont situés au bas de l'échelle hiérarchique, plus ce champ de liberté est limité.

Que peut faire un leader si, dans son équipe, des conflits surgissent autour de problèmes situés en dehors de son champ de liberté? Voici quelques suggestions:

1. Dire à ses collaborateurs que le problème n'est pas négociable et leur expliquer pourquoi.

2. Écouter activement leurs plaintes afin de bien comprendre comment et pourquoi leurs besoins ne sont pas satisfaits.

3. Les inviter à émettre des idées sur ce que pourrait être un règlement mieux adapté.

4. Se faire l'avocat d'un changement dont on est convaincu de la nécessité auprès du niveau hiérarchique approprié.

5. Si ce changement est refusé, revenir aux membres de son équipe et leur expliquer pourquoi il en est ainsi. Se préparer à écouter activement leurs réactions.

Les deux dernières suggestions comportent un principe important. En effet, la recherche a démontré que ceux qui ne se font pas les fermes défenseurs des membres de leur équipe (auprès de leurs propres supérieurs) ont des collaborateurs moins motivés et moins productifs que ceux qui s'en font les porte-parole efficaces. Cela confirme ce que j'ai souligné tout au long de ce livre: un leader *efficace* est celui qui, aux yeux des membres de son équipe, réussit à satisfaire leurs besoins. C'est pourquoi les leaders qui ne réussissent pas à représenter correctement les membres de leur équipe auprès de leurs supérieurs sont perçus comme des leaders faibles, incapables de leur procurer ce dont ils ont besoin.

LA TENTATION DE REVENIR
AUX MÉTHODES GAGNANT-PERDANT

Tout leader, quel que soit son engagement à pratiquer la méthode sans-perdant, peut être tenté de se replier sur l'une des méthodes gagnant-perdant quand une solution mutuellement acceptable tarde à venir. C'est tout à fait naturel. La pression de l'échéance le rend frustré et impatient, ou alors il est exaspéré par quelqu'un qui ne veut pas se ranger à son avis. Il a alors envie de déclarer que s'il n'est pas possible de tomber d'accord sur une solution, il va faire le nécessaire lui-même.

Aurait-il tort? Après tout, n'est-ce pas son rôle de veiller à ce que des décisions soient prises? Si toutes les parties en cause dans le conflit ne parviennent pas à s'entendre sur une décision mutuellement acceptable, n'est-ce pas son devoir d'intervenir et de prendre la décision?

Regardons les conséquences d'une telle action: certains membres de l'équipe seront irrités ou fâchés, d'autres refuseront d'appliquer la décision unilatérale du leader, et tous tireront de l'épreuve la leçon suivante, qu'ils n'oublieront pas de sitôt: notre leader peut très bien revenir à l'usage du pouvoir quand les choses ne marchent pas à son gré. C'est la leçon retenue par un membre de la haute direction d'une compagnie dans laquelle j'ai agi comme consultant il y a quelques années.

Dans nos réunions de service, nous prenons les décisions de façon démocratique, mais ça ne marche que si nous parvenons à une décision qui plaît au patron. Dans le cas contraire, c'est lui qui prend la décision. Maintenant, nous nous demandons: «À quoi ça sert de passer par de si longues discussions pour trouver une solution: à la fin, il parvient à obtenir ce qu'il veut.»

Y a-t-il moyen d'éviter une telle réaction? Voici une approche qui remporte du succès: le leader demande aux membres de l'équipe s'ils consentent à ce qu'il prenne la décision pour sortir de cette impasse.

Il me semble que nous ne parvenons pas à trouver une solution acceptable par tous et chacun, et nous savons tous qu'une décision doit être prise. Alors, l'équipe accepte-t-elle que je prenne la décision?

Il n'est pas rare que les membres de l'équipe donnent leur accord, préférant cela à une querelle prolongée. S'il y a de vives objections, le leader fera marche arrière et reprendra la démarche de résolution du problème.

Un leader peut être tout aussi tenté de revenir à la méthode permissive qu'à la méthode autoritaire: il cédera alors, consentant à une décision inacceptable pour lui. Cela entraîne également de graves conséquences. En premier lieu, il en éprouvera probablement du ressentiment. En second lieu, les membres de l'équipe tireront la leçon suivante de cet acte permissif: si nous sommes suffisamment tenaces pour obtenir ce que nous voulons, notre leader finira par céder.

CONSENSUS, MAJORITÉ ET ACCEPTATION MUTUELLE

De nombreux malentendus sur la méthode sans-perdant (ainsi que l'opposition à cette méthode) tiennent au fait que la plupart des gens ne parviennent pas à comprendre la signification précise des trois mots «consensus», «majorité» et «acceptation mutuelle». Ces trois termes représentent des critères possibles pour déterminer quelle décision l'équipe devra prendre.

Bien que le terme «consensus» soit communément utilisé pour signifier un accord *total ou unanime,* son sens précis (d'après mon dictionnaire) est celui d'*«accord général»*. On en donne une seconde définition: «opinion majoritaire». Cependant, quand nous disons que nous avons pris une décision par «consensus», nous voulons dire habituellement que tous et chacun étaient d'accord, et pas seulement la majorité des gens.

On appelle communément «majorité» la moitié des voix plus une, par opposition à la «minorité» (bien que pour certaines décisions, certaines instances exigent une «majorité des deux tiers»).

Le terme «consensus», évidemment, est moins précis que la «majorité» parce qu'un «accord général» n'indique pas exactement combien sont d'accord et combien sont en désaccord. La «majorité», cependant, précise qu'au moins la moitié, et peut-être plus, est d'accord. Quand une équipe arrive à une décision particulière par approbation de la majorité des votants, la majorité gagne et la minorité perd — autrement dit, on obtient un résultat gagnant-perdant. Presque partout, le critère de la prise de décision est «la règle de la majorité», un euphémisme qui signifie en fait: la majorité gagne, la minorité perd. Nous sommes donc loin des résultats de la méthode sans-perdant; il n'y a là rien de commun avec elle.

Alors comment parvient-on à une décision sans-perdant? Non pas par un vote, du moins pas au sens où le terme de vote est généralement employé. Voilà pourquoi j'ai insisté pour dire que la méthode sans-perdant ne fait jamais appel au vote; en fait, le vote est une procédure diamétralement opposée à la prise de décision sans-perdant. Une telle décision est prise seulement quand il devient évident que tous les membres de l'équipe, *y compris le leader,* sont prêts à *accepter* cette décision — c'est ce que j'appelle «l'acceptation mutuelle». Il faut remarquer cependant que je n'ai pas dit que *tous les membres de l'équipe sont d'accord* avec la décision, car les gens sont prêts parfois à accepter une solution sans être d'accord avec celle-ci, ou du moins pas entièrement d'accord.

Ceci soulève la question: Comment détermine-t-on à quel moment tous les membres de l'équipe sont parvenus à s'entendre sur une décision mutuellement acceptée? On peut y parvenir de plusieurs manières.

1. Le leader peut demander: «Est-ce que vous acceptez tous cette décision?» Si tout le monde hoche la tête ou dit «oui», la décision est considérée comme prise.
2. Le leader peut demander: «Quelqu'un s'oppose-t-il à cette décision?» Si personne ne parle, on suppose que tout le monde l'accepte.
3. N'importe quel membre de l'équipe peut faire l'une ou l'autre de ces deux interventions.

Ces méthodes peuvent constituer une forme de vote, mais je préfère de beaucoup décrire ce mode de conclusion à la manière des Quakers: «prendre le pouls de la réunion». Cela ressemble à un sondage, non pour en déterminer le résultat final, mais pour voir si tout le monde est prêt à accepter une décision. Si quelqu'un n'est pas prêt, sans oublier le leader évidemment, la résolution du problème n'est pas terminée.

Quand les gens disent «Après tout, le leader reste toujours le leader, il sera tenu responsable de toutes les décisions, il ne peut donc acquiescer à toutes les décisions de l'équipe», ils ne comprennent pas qu'avec la méthode sans-perdant on ne prend aucune décision d'équipe tant que *tout le monde* n'a pas accepté la décision, y compris le leader lui-même. Et, comme je n'ai cessé de le souligner, puisque les leaders sont responsables des décisions prises par leur équipe, il serait insensé pour eux d'acquiescer à une décision qu'ils ne peuvent accepter.

L'ÉQUIPE DOIT-ELLE TOUT DÉCIDER?

Cette question reflète un autre malentendu sur la méthode sans-perdant. Elle est fondée sur une préoccupation légitime: en effet, si on doit prendre une décision en équipe pour régler *chaque* problème, cela prendra tellement de temps que «le travail ne se fera jamais». En réalité, dans une entreprise, la plupart des décisions sont prises sans la participation d'aucune équipe. Et c'est normal. Voici comment je conçois mon propre travail.

Au cours d'une journée, en tant que président d'une entreprise, je prends de nombreuses décisions: j'accepte de donner une conférence dans une ville éloignée; je refuse une autre invitation; je décide de remettre à plus tard un rendez-vous que j'avais déjà fixé; j'accepte de rencontrer un collègue qui veut connaître notre entreprise; je décide de réviser l'un de nos cours; je décide que tous les services doivent réduire leurs coûts d'au moins 10 p. 100 pour le reste de l'année; je décide de demander un prêt à court terme à la banque; je décide que nous avons besoin d'une nouvelle politique pour offrir nos cours en Suède; je décide d'écrire une lettre de remerciement à l'un de nos formateurs au Canada.

Évidemment, je prends toutes ces décisions pour remplir mes responsabilités telles que précisées dans ma description de tâche. Je rappelle qu'au chapitre 8, j'ai parlé de l'autorité de fonction, c'est-à-dire l'autorité sanctionnée par le poste qu'on occupe. Je prends des centaines de décisions en vertu de l'autorité que me confère mon poste.

Il en va autrement quand je me heurte à des conflits dans mes relations avec les autres: conflits au sujet de questions qui affectent sérieusement mes collaborateurs, ou conflits au sujet d'une décision à prendre pour résoudre un problème que j'ai soumis à mon équipe de gestion. Ces conflits, je choisis de les résoudre par la méthode sans-perdant plutôt que de prendre le risque de susciter des conséquences négatives en utilisant mon pouvoir avec la méthode autoritaire.

D'autres décisions ne sont pas prises par l'équipe. Souvent, au cours d'une résolution de conflit, l'équipe en délègue la responsabilité au leader, à l'un de ses membres ou encore à un comité spécial.

Une équipe de gestion commence à traiter un problème inscrit à son ordre du jour, par exemple la qualité du programme de prévention des accidents dans l'entreprise. Au bout de quelques minutes, on a défini le problème; l'équipe délègue alors au directeur du personnel l'entière responsabilité d'examiner les différents plans proposés par plusieurs spécialistes et lui accorde le pouvoir de choisir ensuite le meilleur. Il accepte, et au cours des semaines suivantes il accomplit seul les tâches de la 2e à la 5e étape du processus de résolution de problèmes: il examine les différents projets, évalue chacun d'eux, prend une décision finale et l'applique.

On peut faire confiance à la sagesse des équipes beaucoup plus souvent qu'on pense. Les membres ne veulent pas tout décider, mais seulement ce qu'ils jugent crucial pour la satisfaction de leurs besoins et la satisfaction des besoins de l'entreprise, qui constitue, évidemment un enjeu important pour eux. Ils préfèrent souvent laisser à quelqu'un d'autre la lourde tâche de régler beaucoup d'autres problèmes.

QUAND LES ENGAGEMENTS NE SONT PAS RESPECTÉS

Bien que la méthode sans-perdant motive plus fortement les gens à appliquer la décision finale que la méthode autoritaire, tout leader devrait être prêt à traiter des cas où certains membres de l'équipe n'appliquent pas la décision. En observant cela, les leaders demandent souvent: «La méthode autoritaire (le pouvoir) n'est-elle pas nécessaire et justifiée quand les gens ne tiennent pas leurs engagements ou n'appliquent pas la solution convenue?» Là encore, la tentation de punir, d'avertir, de menacer ou de réprimander a son origine dans notre expérience passée, en particulier dans notre enfance: en effet, les adultes réagissaient de cette façon quand nous manquions à nos engagements.

L'usage du pouvoir pour faire obéir ou pour punir quelqu'un de n'avoir pas respecté une décision sans-perdant entraînera les mêmes conséquences (mécanismes d'adaptation et détérioration des relations) que l'utilisation du pouvoir dans la prise de décision. Différentes méthodes non fondées sur le pouvoir s'avéreront moins risquées et généralement plus efficaces.

1. Essayer de rappeler la décision verbalement ou par une note.

2. Utiliser des messages «je», parce que après tout on ne peut sûrement pas accepter qu'une personne ne respecte pas son engagement.

3. Soumettre ce problème à l'équipe: «Nous avons pris une décision, mais je me suis rendu compte que certains d'entre nous ne l'ont pas exécutée. Comment pouvons-nous traiter ce problème?»

DÉCIDER QUI DOIT PARTICIPER À LA RÉSOLUTION DU PROBLÈME

Il arrive que les leaders incluent dans une séance de résolution de conflit beaucoup plus de personnes qu'il n'est nécessaire ou encore qu'ils excluent des personnes qui devraient y participer. La présence d'un trop grand nombre de gens peut entraver le processus de résolution de conflit; et si certaines personnes ne sont pas concernées, elles peuvent être contrariées par cet empiètement sur leur temps de travail. Écarter quelqu'un d'une séance de résolution de conflit peut aussi provoquer du ressentiment, en particulier si la personne est touchée par la manière dont le problème sera résolu. Les gens peuvent aussi interpréter l'exclusion comme l'évidence qu'ils n'ont pas d'importance dans l'entreprise, et cela peut porter atteinte à leur estime de soi.

Bien qu'il n'y ait pas de recette pour chaque situation, on sait plus facilement qui inclure dans une séance de résolution de conflit si on comprend un principe très important concernant les décisions. Habituellement, les gens ne conçoivent les décisions qu'en termes de *qualité*. «Cette décision est-elle bonne ou mauvaise?» «Avons-nous abouti à une décision de bonne ou de mauvaise qualité?» La qualité d'une décision reste un critère important, mais ce n'est pas le seul. Le directeur d'une entreprise chez qui j'ai travaillé comme consultant a admis un jour sur le ton de la plaisanterie:

> Dans le passé, j'étais fier de moi parce que je prenais d'excellentes décisions, et c'est vrai que j'ai pris beaucoup de décisions sacrément bonnes. Le seul problème, c'est qu'elles n'étaient pas toujours acceptées par les gens qui devaient les exécuter.

Bien sûr, les décisions doivent être évaluées selon leur qualité, mais aussi selon le degré *d'acceptation* des gens qui doivent les appliquer.

Ce principe de bon sens peut aider à décider qui inviter à une séance de résolution de problèmes. Quand on est dans l'embarras, on a avantage à se poser deux questions:
• Qui possède les données pertinentes au problème à résoudre?
• Qui sera affecté par la décision?

La première question reflète le souci de la *qualité* de la décision finale, la seconde le désir que la décision fasse l'objet d'une *acceptation* générale. Faire participer les gens qui possèdent les données adéquates augmente évidemment les chances de parvenir à une décision de meilleure qualité. Mais pourquoi faire appel aux personnes qui seront touchées par la décision? Je rappelle le «principe de la participation» décrit précédemment: quand elles ont leur mot à dire dans la prise de décision, les personnes sont plus motivées à l'appliquer.

Un contremaître d'une grande usine a reconnu sans hésitation l'importance du principe de participation. Voici comment il explique lui-même «pourquoi ça marche».

> Prenons un exemple simple: les gants pour les ouvriers. Ils n'ont jamais aimé ceux que nous leur avions achetés. C'étaient des «gants de femmes», «trop rigides», «trop durs». Nous avons donc fait venir plusieurs échantillons et nous les avons laissés choisir ceux qu'ils voulaient. Ils ne sont pas tombés d'accord à 100 p. 100, mais quand on a vu que la majorité optait pour un modèle, on leur a fourni celui-là. Et maintenant on n'entend plus de critique à ce sujet. Je pense que si on a pris part à une décision et qu'on dit ensuite que ce n'est pas bon, c'est comme si on disait: «Je suis stupide.» On ne peut pas en rester là et se comporter comme si c'était la faute du contremaître — ou de l'entreprise — quand on a eu son mot à dire dans la décision. Si on agit ainsi, les autres vont s'en apercevoir.

ON NE REVIENT PAS À LA MÉTHODE AUTORITAIRE

Au fil des années, j'ai acquis la conviction que l'engagement à pratiquer la méthode sans-perdant pour résoudre les conflits enlève au dirigeant toute envie de revenir à la méthode autoritaire. Si on donne aux gens l'occasion d'expérimenter la résolution de conflits où personne ne perd, ils refuseront fermement qu'on la leur enlève. Il y a sans doute «un point de non-retour»: une fois que les membres d'une équipe se sont habitués à un leader qui respecte leurs besoins, ils ne toléreront pas de revenir à la condition antérieure, qui les satisfaisait moins.

Peut-être avons-nous découvert par inadvertance un nouveau principe en relations humaines, principe que les leaders auraient intérêt à bien comprendre avant d'entreprendre un changement orienté vers la pratique de la méthode sans-perdant. Les raisons pour lesquelles ce principe opère peuvent s'expliquer de plusieurs manières.

Tout d'abord, peu habitués à un tel traitement, les gens perçoivent la méthode sans-perdant comme un cadeau ou un privilège; puis, avec le temps, ils la considèrent comme un *droit*. Ils combattront alors toute tentative de leur nier ce droit, tout comme ces individus ou ces groupes qui, après avoir acquis un avantage, vont se battre si on tente de le leur enlever.

Ensuite, le leader qui commence à employer la méthode sans-perdant *éduque* les membres de son équipe, leur montrant par son comportement une manière totalement nouvelle et différente de résoudre les conflits. Une fois que les membres de l'équipe ont compris à quel point la méthode sans-perdant est différente, ils reconnaissent facilement la méthode autoritaire, si le leader se remet à la pratiquer. Et on peut être sûr qu'ils lui en feront la remarque.

Nous avons découvert cela en premier lieu dans les familles où les enfants avaient été habitués à l'usage de la méthode sans-perdant avec leurs parents. Si jamais le père ou la mère revenait à l'usage du pouvoir coercitif, leurs enfants ne manquaient pas de le leur rappeler.

Il y a quelques années, ma fille, qui avait onze ans environ, et moi-même sommes entrés en conflit au sujet de ses habitudes alimentaires. Je m'opposais à ce qu'elle mange tant de sucre et d'hydrates de carbone et si peu de protéines et de légumes. J'en suis arrivé à recourir catégoriquement à mon pouvoir: «Eh bien! c'est simple, dorénavant nous n'aurons plus de dessert et pas de sucreries en rentrant de l'école!» Quittant mon assiette des yeux, je vis ma fille lever la main droite et tendre l'index. Comme je la regardais, elle chuchota, mais assez fort pour que je l'entende: «Méthode autoritaire!» Croyez-moi, j'ai abandonné tout de suite cette attitude.

Les leaders en entreprise le constateront aussi: une fois que leurs collaborateurs seront habitués à un climat où les conflits ne sont jamais traités par des méthodes coercitives, la moindre déviation pourra provoquer des réactions fortement négatives. On comprendra que même un seul retour à l'usage du pouvoir sera mal supporté. Les collaborateurs seront choqués et furieux. Leurs réactions s'apparenteront à celles de la plupart des gens devant le comportement d'un homme politique qui bafoue les normes éthiques alors que tout le peuple attend de lui qu'il soit un modèle de démocratie.

Je rappelle ma première affirmation: *on ne voit l'existence du pouvoir d'un leader que lorsqu'il l'utilise.* Malheureusement, un leader peut nuire gravement au climat de confiance et de sécurité qu'il a mis des années à construire par un acte isolé de pouvoir, de même qu'on peut briser la confiance qu'on a instaurée au sein d'un couple au fil des années par un seul acte d'infidélité.

Cela signifie-t-il que le leader qui décide de renoncer au pouvoir est obligatoirement un modèle infaillible, qui ne manque jamais de pratiquer ce qu'il préconise et ne fait jamais un pas en arrière? Pas du tout. En premier lieu, une fois qu'on s'est engagé à utiliser la méthode sans-perdant, on obtient une aide constante des membres de son équipe, sous forme de rappels, si on commence à glisser vers les méthodes fondées sur le pouvoir. Ces réactions aident considérablement à apprendre à pratiquer ce qu'on préconise. De plus, si à l'occasion il arrive qu'on recoure à son pouvoir, on peut, par la suite, réparer son écart par certaines actions constructives.

1. Expliquer à l'équipe pourquoi on a agi unilatéralement. Il peut y avoir des raisons logiques que les collaborateurs comprendront, par exemple: «J'étais pressé par le temps, je n'étais pas en forme, j'étais soucieux, mes essais précédents de la méthode sans-perdant avaient échoué, nous étions en danger, etc.»

2. Utiliser l'écoute active pour manifester sa compréhension et son acceptation de leurs sentiments négatifs.

3. Amorcer la résolution du conflit pour éviter que des situations semblables ne se reproduisent à l'avenir.

4. S'excuser, mais seulement si on en a vraiment envie, bien sûr.

Bien que j'aie souligné les pièges du retour aux méthodes fondées sur le pouvoir, il est tout aussi important d'insister sur un autre principe: si les membres de l'équipe sont convaincus qu'on essaie vraiment sincèrement de résoudre les conflits avec la méthode sans-perdant, ils aideront à atteindre ce but par certains comportements; ils seront plus compréhensifs qu'on ne le pense si on commet une erreur en cours de route. Cependant, l'usage du pouvoir provoque souvent le ressentiment, l'hostilité et la vengeance. Et, comme chacun sait, les gens ont tendance à rejeter l'influence de celui envers qui ils éprouvent de vifs sentiments négatifs. Les patients qui détestent leur médecin sont enclins à refuser son avis ou son conseil. Les étudiants qui en viennent à haïr un enseignant refusent de l'écouter, quelle que soit la valeur de ses connaissances. Les enfants sont rarement influencés par l'expérience et la sagesse de parents qu'ils détestent pour avoir usé de leur pouvoir.

Cependant, la plupart des gens sont convaincus qu'ils ont besoin du pouvoir pour accroître leur influence sur les autres. Ils oublient vite leur propre expérience vécue avec ceux qui ont fait usage de leur pouvoir pour les contraindre; cela devrait persuader les leaders que plus ils se servent de leur pouvoir, moins ils ont d'influence (cette conséquence est un autre prix élevé à payer quand on pratique la méthode autoritaire et la coercition qu'elle requiert).

CHAPITRE 10

Les applications de la méthode sans-perdant dans l'entreprise

Jusqu'à présent, j'ai montré comment utiliser de la méthode sans-perdant pour résoudre des conflits entre un leader et un membre de son équipe, mais on peut résoudre les conflits sans recourir au pouvoir dans beaucoup d'autres situations. En fait, un leader qui sait pratiquer la méthode sans-perdant découvre qu'elle devient «un mode de vie», et qu'elle fait partie intégrante de toutes ses relations dans l'entreprise. Le leader qui remplace son ancienne approche gagnant-perdant par la méthode sans-perdant réalise qu'il aborde automatiquement, et peut-être inconsciemment, toutes les situations de conflit avec une attitude fondée sur le «nous», par opposition à une attitude fondée sur le «je».

Nous avons un problème	Plutôt que...	J'ai un problème
Nous avons besoin de nous rencontrer		J'ai besoin d'y repenser
Nous devons trouver une solution		Je dois trouver une solution

Cette façon de penser «en termes de relation» s'étend à toutes les situations de conflit: entre un leader et d'autres leaders de même niveau hiérarchique, entre un leader et les membres de son équipe, entre un leader et des représentants syndicaux, entre un leader et son supérieur, ou entre les membres d'un comité. Dans les entreprises où j'ai d'abord formé tous les membres de la direction à la pratique de la méthode sans-perdant, j'ai constaté que cette nouvelle façon de penser se répandait du haut au bas de la hiérarchie et à travers toute l'entreprise, faisant de la «satisfaction mutuelle des besoins» l'attitude habituelle de tout leader dans chacune de ses relations.

Conflits entre le leader et tous les membres de l'équipe

Comme on peut s'y attendre, parfois le leader entre en conflit avec tout son personnel. Cela peut ne pas arriver souvent, mais cela arrive, en particulier quand tous les membres de l'équipe prennent l'habitude d'agir d'une même manière, que le patron trouve inacceptable; c'était le cas du problème des voitures de service que nous a rapporté un participant à notre formation, directeur d'une usine qui s'étend sur plusieurs hectares.

J'ai souvent utilisé la méthode sans-perdant, et elle s'est révélée vraiment efficace. Nous avons des «voitures de service» dans l'usine et chaque contremaître en a une. Comme cela, en trois minutes, il peut se rendre à l'autre bout de l'usine. Juste après mon arrivée, j'ai été agacé de voir tous les mécaniciens utiliser les voitures des contremaîtres; ils les prenaient tout simplement et, quand les contremaîtres en avaient besoin, ils ne les avaient plus. Un jour, j'ai dû attendre un contremaître pendant dix minutes; il m'avait pourtant dit qu'il arrivait à l'instant. Mais j'ai vu un mécanicien au volant de la voiture de service avec son coffre à outils derrière. Le contremaître est arrivé en retard, à pied. C'est alors que j'ai décidé d'utiliser la méthode sans-perdant. J'ai réuni tout mon personnel, j'ai inscrit mon problème sur le tableau et, en dessous, j'ai écrit la liste de mes besoins, puis je leur ai demandé d'inscrire leurs besoins.

J'avais besoin que les contremaîtres puissent atteindre n'importe quel point de l'usine en trois minutes. Y compris mon bureau. Les contremaîtres avaient le même besoin et — ont-ils ajouté — sans avoir besoin de devenir champions du monde de course à pied! En fait, ils avaient aussi besoin d'être bien vus des mécaniciens et c'est pourquoi ils leur laissaient les voitures, cela je l'ai bien senti. Les mécaniciens voulaient pouvoir se rendre sur les lieux de leurs interventions rapidement et commodément, et surtout trimballer leur coffre à outils le plus confortablement possible.

La solution à laquelle nous sommes parvenus est que les mécaniciens ne peuvent prendre les voitures qu'à deux conditions: 1) que le contremaître donne son accord parce qu'il n'en a pas besoin; 2) que le mécanicien puisse revenir en moins de deux minutes en cas de besoin. Les voitures ont été munies d'un «bip» permettant de rappeler le chauffeur instantanément. Cela est encore plus commode pour moi puisque je peux ainsi joindre les contremaîtres à tout instant, même à l'autre bout de l'usine.

Il a aussi été convenu que chaque fois que ce serait possible ou qu'il y aurait un gros outillage à transporter, si les contremaîtres ne pouvaient pas laisser la voiture aux mécaniciens, ils iraient porter les outils et reviendraient ensuite avec la voiture. Nous avons ainsi gagné des dizaines d'heures d'intervention, autrefois perdues en déplacements à pied.

Et enfin, nous avons prévu de petits chariots à roulettes pour les coffres à outils des mécaniciens qui ne pouvaient faire autrement que de se déplacer à pied. Cette solution date d'il y a un an et il n'y a pas eu le moindre problème depuis.

Le directeur de l'usine avait été le premier à considérer la question des voitures de service comme un problème. Il lui revenait donc de prendre l'initiative de réunir son personnel, de lui faire connaître ses préoccupations et d'amorcer le processus de résolution de problèmes. Dans ce cas, il est apparu que les contremaîtres étaient divisés entre leur besoin de paraître sympathiques aux yeux des mécaniciens et leur besoin d'avoir toujours une voiture à leur disposition. On en est arrivé à une solution mutuellement acceptable, qui apporte des satisfactions supplémentaires à pratiquement toutes les personnes concernées, et qui n'en pénalise aucune.

Les conflits entre la direction et le syndicat

Les conflits entre la direction et le syndicat existent depuis la création de ces derniers. Curieusement, on possède peu d'information sur les méthodes les plus fréquemment employées pour résoudre ce type de conflit. Malgré les termes utilisés habituellement pour décrire les procédures de ce genre tels que «négociation», «marchandage», je soupçonne les patrons et les syndicalistes d'aborder souvent les conflits avec une attitude gagnant-perdant. En fait, la «négociation» implique généralement que chacune des parties en conflit arrive avec une «position de négociation» préétablie, à partir de laquelle on commence à négocier.

Je me souviens pourtant d'avoir lu le compte rendu d'une résolution de conflit réussie qui ressemblait fort à notre méthode sans-perdant; il s'agissait du conflit entre le Syndicat international des travailleurs du vêtement féminin et les industries du vêtement. Pendant la crise économique, le syndicat et les propriétaires s'étaient mis d'accord pour appliquer une réduction générale des salaires des travailleurs plutôt que de recourir à des congédiements massifs ou à des fermetures d'usines.

Mais la méthode sans-perdant est rarement pratiquée dans les négociations avec les syndicats. Trop souvent, cette relation repose sur un perpétuel rapport de forces et les solutions aux conflits graves ressemblent plutôt au style *perdant-perdant*: aucune des deux parties n'obtient ce qu'elle veut réellement. Néanmoins, il est encourageant de constater que dans quelques cas, des cadres qui ont participé à notre formation ont utilisé la méthode sans-perdant dans des conflits entre direction et syndicat. Voici la description d'un conflit concernant les horaires de travail, qui nous a été rapportée par un directeur du personnel.

La compagnie éprouvait le besoin d'établir une plus grande flexibilité dans les horaires de travail, mais la convention collective, qui existait depuis au moins vingt ans, nous empêchait d'adopter ce type d'horaire. Les employés ne voulaient pas en entendre parler. Nous avons formé un groupe de travail conjoint et nous avons décidé d'utiliser la méthode de résolution de conflit sans-perdant. Nous leur avons dit que nous avions certains besoins, que nous savions qu'ils avaient les leurs et que nous voulions vraiment parler de ces besoins pour les connaître. Nous avons dressé la liste de tous les besoins de la compagnie et nous avons expliqué de notre mieux pourquoi ces besoins existaient. Nous leur avons dit que nous voulions connaître leurs besoins aussi. Nous sommes ainsi parvenus à une liste de trente-cinq domaines où nous avions des problèmes. Et nous avons découvert que certains de ces besoins étaient communs. Nous les avons ensuite tous réexaminés, puis nous avons déterminé ceux qui seraient regroupés, ceux qui nécessitaient une négociation et ceux qui seraient modifiés par de nouvelles politiques. Après avoir utilisé la méthode du «remue-méninges», nous avons découvert que certains de ces problèmes n'étaient absolument pas graves.

Certains problèmes furent éliminés. En tout cas, nous avons utilisé cette méthode jusqu'au bout et nous sommes arrivés à établir une liste de sept recommandations précises concernant des choses à faire que les représentants syndicaux trouvaient acceptables... Et je considère que cette négociation a réussi au-delà de nos espérances... C'était fondamentalement une situation où l'on a résolu le conflit par la méthode sans-perdant. En certaines occasions, nous n'avons pas réussi à maintenir la discussion sur le sujet à l'ordre du jour et, quand cela se produisait, on essayait de pratiquer l'écoute active. En ce qui concerne la liste de nos trente-cinq problèmes, nous avons élaboré des solutions pour vingt ou vingt-trois d'entre eux environ. Nous avons éliminé les autres, ou bien nous avons décidé qu'on ne pouvait pas y faire grand-chose... Et les représentants syndicaux étaient également satisfaits de cette approche.

Les possibilités d'utilisation de la méthode sans-perdant dans de telles négociations entre direction et syndicat semblent très prometteuses, mais cela demande un changement d'attitude de la part des deux parties: il faut en effet s'éloigner de l'attitude perdant-gagnant et se rapprocher d'une attitude gagnant-gagnant. Dans l'avenir, on observera certainement une plus grande reconnaissance de l'importance de la participation des employés dans les décisions de gestion stratégiques des entreprises industrielles. En Suède et en Allemagne, par exemple, une telle participation ou décision conjointe ou codétermination a été instituée par la loi. En effet, la loi stipule que les employés doivent être représentés au conseil d'administration de toutes les entreprises, industrielles ou commerciales, et que leurs représentants doivent avoir leur mot à dire dans toutes les décisions qui pourraient affecter les employés. Évidemment, quand on pratique la décision conjointe, la méthode sans-perdant apparaît de loin supérieure aux méthodes gagnant-perdant.

Comment traiter les plaintes des employés de ses collaborateurs

Tous les leaders rencontrent communément ce problème: que faire quand un membre de l'équipe de l'un de ses collaborateurs vient se plaindre qu'un de ses besoins n'est pas satisfait? Quand une personne fait ainsi appel au patron de son propre patron, on appelle habituellement cela «court-circuiter son patron». Cette pratique est presque universellement considérée comme répréhensible. Dans nos groupes de formation, les discussions sur ce problème provoquent toujours chez les participants les réactions les plus vives.

- «C'est de l'insubordination!»
- «On devrait fermement dissuader les gens d'agir ainsi.»
- «Court-circuiter son patron, c'est courir à sa perte...»
- «Je congédierais l'enfant de salaud qui ferait cela.»

Manifestement, les leaders éprouvent une grande peur et une grande angoisse devant cette situation. Et pourtant, cela se produit relativement souvent. Généralement, quand on craint une situation, cela signifie qu'on ne sait pas comment la traiter efficacement. C'est vrai pour la plupart des leaders et la raison en est bien simple: ils considèrent le fait de «court-circuiter son patron» dans les termes de «gagnant-perdant». Quand une personne vient trouver un leader en passant par-dessus son patron immédiat, ce leader se sent pris dans un dilemme: pour qui prendre parti, qui va gagner? Aucun leader ne veut avoir un employé mécontent ou insatisfait; mais il ne veut pas non plus s'aliéner son collaborateur direct. La manière la plus courante de s'en sortir est de trancher en faveur du superviseur de l'employé, conformément à ce principe familier (mais mal fondé): «Un leader devrait toujours appuyer ses collaborateurs directs dans les conflits avec leurs employés» ou «Ne sapez jamais l'autorité de vos collaborateurs».

Le leader dispose pourtant d'un moyen beaucoup plus satisfaisant: il s'agit d'adopter l'attitude sans-perdant face aux conflits. Voici comment la méthode sans-perdant fonctionne dans une telle situation.

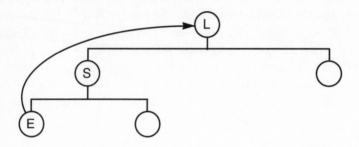

Comme l'indique la flèche, un employé (E) est passé par-dessus son superviseur (S) et s'est adressé au leader (L) pour lui exposer son problème. Voici les étapes que le leader peut suivre.

1. Le leader écoute activement avec empathie et compréhension, non pas, pour s'impliquer dans le problème, mais pour montrer son acceptation des sentiments de l'employé (et non son accord avec ces sentiments) et peut-être aider l'employé à trouver sa propre solution.

2. Si l'employé trouve une solution qui satisfait ses besoins, le problème est résolu.

3. Si l'employé ne trouve pas de solution, le leader lui demande d'exposer son problème directement à son superviseur et lui apprend à s'adresser à son superviseur uniquement avec des messages «je».

4. Si l'employé est prêt à s'adresser directement à son superviseur, le leader se retire du problème.

5. Si l'employé est réticent à s'adresser directement à son superviseur, le leader propose à l'employé une autre possibilité: faire appel au superviseur pour qu'il se joigne à eux, pour trouver ensemble une solution acceptable à la fois pour l'employé et pour le superviseur (méthode sans-perdant).

6. Si l'employé rejette cette possibilité, le leader lui explique qu'il n'est pas disposé à prendre quelque décision que ce soit en l'absence du superviseur.

7. Si l'employé accepte que le superviseur se joigne à eux, le leader communique avec le superviseur et lui explique brièvement qu'il a eu connaissance d'un problème dans lequel le superviseur et l'employé sont impliqués; il précise qu'il voudrait les aider mais que pour ce faire les deux doivent être présents.

8. Le leader joue le rôle de conciliateur: il reste neutre et facilite la résolution du problème entre le superviseur et l'employé. Il ne s'engage pas dans le contenu spécifique du problème. Il utilise l'écoute active pour aider le superviseur et l'employé à franchir les six étapes du processus de résolution du problème et parvenir à une solution acceptable pour le superviseur et pour l'employé.

Cette procédure peut paraître quelque peu détaillée ou mécanique; cependant, chaque étape a un but. Le leader veut d'abord manifester son acceptation et sa compréhension face à l'employé afin de ne pas le décourager d'essayer de satisfaire ses besoins à l'avenir. Le leader doit lui faire comprendre que le problème lui appartient tout en restant disposé à l'aider à trouver une solution par lui-même, si possible. Le leader lui fait aussi comprendre qu'il est incapable de l'aider sans la participation des deux parties en présence. Enfin, le leader ne doit pas se laisser entraîner dans la résolution du problème.

Ce procédé apporte à toutes les parties en cause quelques avantages tangibles et bénéfiques à long terme.

1. L'employé comprend que le leader ne jouera pas le rôle d'arbitre dans le conflit entre lui-même et son superviseur.

2. L'employé comprend qu'on attend de lui qu'il essaie tout d'abord de résoudre ses conflits avec son superviseur en s'adressant directement à lui.

3. Le superviseur comprend que le leader n'interviendra pas dans les conflits face à ses employés, et ne prendra pas de décision unilatérale en son absence. Et, ce qui est tout aussi important, qu'il ne repoussera pas la plainte d'un employé pour «appuyer automatiquement le superviseur».

4. L'employé et son superviseur comprennent que le leader veut que les conflits soient résolus par les personnes en cause, «sans perdant», et non selon la règle générale qu'un supérieur a toujours raison parce qu'il est le patron (ou l'opposé: les besoins d'un employé doivent être satisfaits à tout prix).

5. Le superviseur apprend par cette expérience qu'il serait aussi acceptable qu'il passe par-dessus son propre leader s'il ne parvenait pas à résoudre un conflit avec lui.

Quand on ne peut pas satisfaire ses besoins à cause de son patron

Tout comme les membres de leur équipe, les leaders sont parfois dans l'impossibilité de satisfaire leurs besoins à cause de l'action de leur supérieur. Sans les consulter, le patron prend une décision qui les empêche d'accomplir au mieux leur travail et qui les prive de quelque chose dont ils ont besoin. Que faire? Ou encore, le patron règle un conflit en utilisant la méthode autoritaire et alors ils ont l'impression que celui-ci gagne et qu'eux-mêmes perdu. L'affaire doit-elle s'arrêter là? Doivent-ils se résigner à endurer en gardant le sourire? Malheureusement, c'est ce que font beaucoup de leaders, si bien que leur sourire devient généralement une façade qui dissimule ressentiment et colère.

Pourtant, ne rien faire quand son supérieur a pris une décision défavorable et inacceptable se justifie et s'appuie sur des «principes de gestion» communément reconnus, du genre:

- «Un ordre est un ordre.»
- «La responsabilité première des subordonnés est de suivre les ordres, peu importe à quel point ils sont ou non d'accord avec ceux-ci.»
- «Il ne faut pas passer par-dessus son supérieur.»
- «Les décisions des directeurs ne pourront jamais faire l'unanimité.»

Voici un point de vue opposé, plus compatible avec notre conception de l'efficacité des organisations: quand les décisions empêchent les gens de satisfaire leurs besoins, elles doivent être remises en question ou réexaminées. Quelquefois, les individus prennent de mauvaises décisions sans connaître les conséquences qu'elles entraîneront. La question délicate reste celle-ci: comment une personne peut-elle tenter de faire modifier une décision sans nuire à sa relation avec son supérieur?

Là encore, la méthode sans-perdant reste l'élément clé. Et on doit suivre une procédure bien déterminée.

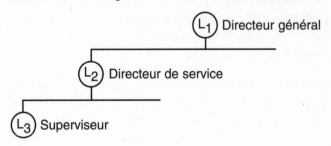

273

Le diagramme précédent présente trois niveaux hiérarchiques occupés par trois leaders différents dans une organisation. Le directeur de service (L2) a pris une décision qui s'est révélée inacceptable pour le superviseur (L3), parce que cette décision rendait son travail beaucoup plus difficile. Utilisant la méthode sans-perdant, le superviseur a mené l'action suivante.

1. Le superviseur (L3) demande un rendez-vous au directeur de service (L2) et lui explique brièvement le problème.

2. Le superviseur commence par émettre des messages «je» et s'assure de passer à l'écoute active au besoin. Le superviseur invite le directeur de service à résoudre le conflit avec lui en employant la méthode sans-perdant.

3. Si le directeur de service refuse ou si la méthode sans-perdant échoue, le superviseur demande au directeur de service de rencontrer avec lui le directeur général (L1), dans l'espoir que le directeur général les aidera à trouver une solution sans-perdant.

4. Si le directeur de service refuse, le superviseur l'informe de son intention de rencontrer le directeur général et de lui demander son aide, mais il précise qu'il préférerait que le directeur de service se joigne à lui pour qu'il puisse présenter son point de vue au directeur général.

5. Si le directeur de service refuse de se joindre au superviseur, le superviseur rencontre le directeur général et lui explique qu'il a déjà essayé les étapes 1, 2, 3 et 4.

Dans certaines circonstances, le superviseur peut changer d'avis durant l'une ou l'autre des étapes ci-dessus et choisir d'accepter la décision du directeur de service. En d'autres termes, le superviseur ne franchit toutes les étapes que s'il reste persuadé que la décision du directeur de service est inacceptable. De plus, quand le directeur général prend connaissance du problème du superviseur, il doit suivre les étapes exposées précédemment dans la section «Traiter les plaintes des employés de ses collaborateurs».

Curieusement, dans nos sessions de formation, cette procédure suscite de fortes réactions. Beaucoup de leaders ont peur de l'appliquer, car elle leur semble beaucoup trop dangereuse. Ils disent par exemple: «Le directeur de service congédierait le superviseur» ou «Le superviseur nuirait à ses relations avec le directeur de service».

Ces leaders ont en mémoire leurs expériences passées, alors que les conflits étaient résolus par ceux qui possédaient le plus de pouvoir au sein de l'organisation, ce qui produisait un résultat gagnant-perdant. Résoudre les conflits par un procédé destiné à produire des solutions mutuellement acceptables leur apparaît comme une idée étrange et déplacée.

Quand les leaders de *tous les niveaux* s'engagent à pratiquer la méthode sans-perdant, la procédure indiquée ci-dessus n'a absolument rien d'étrange. Et elle n'est pas dangereuse. Elle s'avère parfaitement cohérente avec notre modèle de leadership fondé non pas sur le pouvoir, mais sur la résolution de conflit sans-perdant.

La résolution de problèmes en grands groupes

Je n'ai encore rien dit de l'usage de la méthode de résolution des conflits sans-perdant quand ils concernent des personnes qui n'appartiennent pas à l'équipe ou au groupe de travail du leader. Souvent, dans ces situations, un grand nombre de personnes sont impliquées, et, comme chacun le sait, la résolution de problème avec des équipes de plus de quinze à vingt personnes peut se révéler très difficile. Comme les psychosociologues n'ont pas encore trouvé beaucoup de modèles de résolution de problèmes participative avec des grands groupes, la plupart des leaders abandonnent et finissent par utiliser la méthode autoritaire.

De nombreux problèmes surviennent quand un grand nombre de personnes possèdent des données pertinentes ou risquent d'être affectées par la décision prise, par exemple:

- L'entreprise doit-elle déménager dans une autre ville? Si oui, comment organiser cette opération?

- En période de récession, doit-on réduire les salaires, ou vaut-il mieux licencier plusieurs employés?

- Doit-on adopter un horaire flexible pour aider les employés à résoudre le problème des heures de pointe?

- Comment réaliser une réduction des coûts dans toute l'entreprise?

- Comment trouver une assurance-groupe qui offre le meilleur rapport coûts-bénéfices?

Souvent, de tels problèmes demandent la participation de personnes provenant de plusieurs niveaux différents, de plusieurs divisions ou services différents, ou dans certains cas de tous les employés ou tous les membres d'une entreprise. Inclure tant de personnes dans la résolution d'un problème peut requérir de: 1) diviser le groupe en comités plus restreints; 2) demander aux groupes de choisir des représentants; ou 3) employer une méthode par échantillonnage.

Dans mon travail de consultant, j'ai souvent été appelé à aider des entreprises à résoudre des problèmes qui exigeaient la participation d'un grand nombre de personnes. Ces défis m'ont amené à élaborer deux procédures.

J'ai nommé l'une la méthode de «l'ascenseur» et l'autre la méthode d'évaluation par un comité. Les deux méthodes se sont révélées efficaces pour résoudre des problèmes en obtenant un maximum de participation.

La méthode de «*l'ascenseur*»

Cette méthode a été élaborée au moment où j'étais consultant dans une société bien connue. Le directeur du personnel m'a fait part du problème suivant: il y avait une insatisfaction assez répandue au sujet de l'assurance-groupe. Le directeur était en bonne voie de résoudre le problème lui-même et il s'apprêtait à choisir une autre compagnie d'assurance.

Je l'ai tout d'abord convaincu des avantages du «principe de la participation» et l'ai amené à employer la méthode suivante.

1ʳᵉ étape (*Communication descendante*): Ce procédé consiste à transmettre le problème à tous les niveaux hiérarchiques, en passant par le leader de chaque niveau. Tout d'abord, on demanda aux vice-présidents de division de tenir une réunion avec tous les directeurs de service. À chaque réunion, on exposa le problème et on demanda aux participants d'exprimer leurs idées. Ensuite, les directeurs de service animèrent des réunions semblables avec leurs superviseurs. Enfin, tous les superviseurs organisèrent des réunions semblables avec leurs employés.

2ᵉ étape (*Communication ascendante*): Ensuite, toutes les idées émises dans les équipes restreintes furent soumises à la direction générale (le président et ses vice-présidents, plus le directeur du personnel).

3ᵉ étape (*Communication descendante*): La direction générale confia à un groupe de travail (le directeur du personnel et l'un des vice-présidents) la tâche d'évaluer toutes les idées émises, puis de trouver une nouvelle compagnie d'assurances pouvant proposer un plan d'assurances qui remplirait les désirs des employés. Le programme élaboré par le groupe de travail (incluant le représentant de la compagnie d'assurances) redescendit tous les échelons hiérarchiques de l'entreprise à l'occasion de réunions semblables à celles tenues à la 1re étape.

On demanda aux groupes d'évaluer le plan (3e étape du processus de résolution de problèmes) et de l'adopter tel quel, de l'adopter avec des modifications, ou de le rejeter (4e étape du processus de résolution de problèmes).

4e étape (*Communication ascendante*): Les décisions de chacun des groupes remontèrent tous les échelons hiérarchiques de l'entreprise jusqu'à la direction générale, qui apporta les dernières modifications au plan d'assurances et l'adopta finalement ainsi amendé.

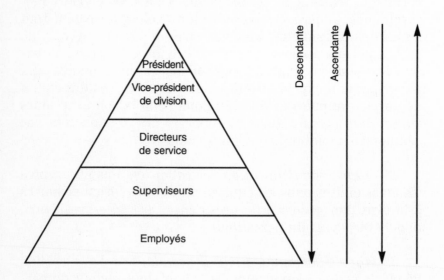

Résultats

Un plan d'assurances satisfaisant pleinement la plupart des employés, particulièrement adapté aux besoins spécifiques de cette entreprise et largement supérieur au plan précédent.

À tous les niveaux de l'entreprise, tous les gens éprouvaient la satisfaction d'avoir eu la chance de participer à la résolution du problème.

Élimination de la majeure partie des plaintes concernant le plan d'assurances de l'entreprise.

La méthode d'évaluation par un comité

J'ai également élaboré une autre méthode lorsque j'étais consultant dans une grande société. Le président de la société me demanda de m'entretenir avec le vice-président responsable de la division des ventes: ce dernier était très préoccupé par le taux élevé de remplacement du personnel, la faible productivité et la médiocre motivation de l'équipe de vente (cent vingt vendeurs).

1re *étape:* J'ai tout d'abord convaincu le vice-président des avantages du «principe de la participation», ce qui implique la participation des divers niveaux de la division des ventes à la recherche de solutions à ce problème. J'ai alors proposé cette méthode au vice-président, qui l'accepta.

Pour appliquer la méthode de recherche de solutions (2e étape du processus de résolution de problèmes), je devais animer un certain nombre de réunions de «remue-méninges» en groupes restreints avec tous les membres de la division des ventes.

Réunion A: Le vice-président, le formateur des vendeurs et les trois directeurs de division.

Réunion B:	Tous les directeurs régionaux.
Réunion C:	
Réunion D:	
Réunion E:	Chaque réunion regroupait
Réunion F:	vingt vendeurs environ.
Réunion G:	
Réunion H:	

Chaque réunion de «remue-méninges» dura de quarante-cinq à quatre-vingt-dix minutes. Au début de chacune, je posai le problème exactement comme l'avait défini le vice-président: «Le vice-président des ventes est très préoccupé par le taux élevé de remplacement de personnel, la faible productivité et la piètre motivation de l'équipe de vente. On m'a demandé d'animer une série de réunions comme celle-ci pour recueillir toutes les idées constructives afin de résoudre ce problème.»

Ensuite, j'ai présenté les règles de base du «remue-méninges». Chaque idée émise fut inscrite sur une fiche, puis relue à la personne qui l'avait soumise pour vérifier l'exactitude de la notation.

2ᵉ étape: Les huit réunions ont permis de recueillir environ cent cinquante solutions différentes. Elles furent présentées au vice-président, qui se mit immédiatement à évaluer chaque idée: il en écarta certaines «ridicules», d'autres «déjà essayées auparavant», d'autres «trop coûteuses», etc.

Craignant le brusque arrêt dans le processus de résolution de problèmes, j'ai suggéré d'appliquer une seconde méthode: sélectionner dans chaque groupe des représentants pour constituer un «comité d'évaluation». La tâche de ce comité consisterait à réaliser les 3ᵉ et 4ᵉ étapes du processus de résolution de problèmes.

Il me fallut plusieurs heures d'écoute active et l'appui du président de la société pour convaincre le vice-président d'accepter cette procédure. Les objections du vice-président étaient les suivantes:

- On ne peut pas prendre des décisions en groupe.
- Les groupes ne disposent pas de toutes les données.
- Les vendeurs ne sont pas suffisamment bien informés.
- Cela prendra trop de temps.
- La voie hiérarchique ne sera pas respectée.
- Les directeurs de division et moi pouvons faire le travail nous-mêmes.

Finalement, le vice-président en vint à accepter la «méthode d'évaluation par un comité» ainsi que la validité du principe de la participation. Mon défi suivant consistait à le convaincre que le comité d'évaluation devait prendre les décisions finales (4ᵉ étape du processus de résolution de problèmes) et fonctionner sans président: c'est-à-dire agir comme groupe autonome, sans leader.

3ᵉ étape: Les membres du comité d'évaluation furent choisis (ils sont indiqués par un √ sur le graphique à la page suivante). Le choix fut effectué de façon que tous les niveaux fussent représentés, y compris l'équipe de vente (deux membres).

On décida fort judicieusement d'inclure le vice-président dans le comité d'évaluation afin que le niveau le plus élevé d'autorité de la division soit représenté, ce qui permit au comité d'évaluation de prendre les décisions finales.

4ᵉ étape: Le comité d'évaluation s'est réuni environ six fois: chaque séance a duré à peu près deux heures. Les membres du comité ont évalué les cent cinquante solutions et ont pris des décisions pour chacune d'elles, avec les trois possibilités suivantes:

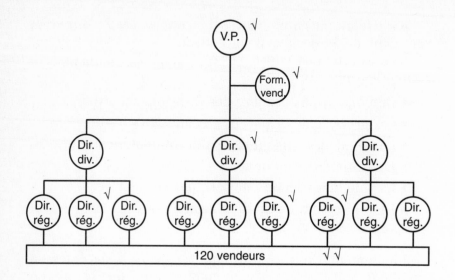

1. Appliquer la solution.
2. La rejeter.
3. L'étudier plus à fond et faire une recommandation au comité.

5ᵉ étape: Les membres du comité ont décidé de transmettre aux groupes qu'ils représentaient les raisons pour lesquelles certaines solutions avaient été rejetées. Cela s'est fait lors de brèves réunions qui regroupaient les directeurs des ventes et les vendeurs; un membre du comité leur a expliqué alors pourquoi le comité avait opté pour telle ou telle action.

Le comité d'évaluation a pris des décisions importantes, et pas seulement sur des points mineurs. Il a résolu des problèmes complexes par des décisions importantes et souvent très créatives, touchant des sujets comme:

- de nouvelles méthodes de recrutement de futurs vendeurs;
- de nouvelles méthodes d'évaluation et de sélection au moment de l'embauche;

- de nouvelles méthodes pour améliorer la formation des vendeurs;
- un nouveau système de primes pour les vendeurs;
- de nouveaux prix pour divers produits;
- la création d'un nouveau poste: formateur de vendeur sur le terrain;
- l'amélioration des documents de présentation utilisés par les vendeurs.

Résultats

- Motivation accrue de manière étonnante.
- Accroissement de la productivité.
- Réduction du remplacement de personnel.
- Temps de formation d'un nouveau vendeur, de son arrivée à son entrée en fonction, raccourci de cinq semaines à dix jours.
- Un directeur des ventes a déclaré: «Nous avons fait plus d'améliorations en un mois qu'au cours des cinq années précédentes.»
- La direction a décidé de généraliser la procédure et de la renouveler chaque année.

Quand quelqu'un enfreint un règlement

Chaque entreprise a ses règlements et les leaders, à chaque niveau, sont tenus de s'assurer que leur personnel les respecte. Certains de ces règlements étaient en vigueur bien avant que les membres de cette équipe fassent partie de l'organisation: d'autres ont été établis par une autorité supérieure et se situent donc hors du «champ de liberté» des leaders de premier niveau. La plupart de ces règlements, manifestement, ont été décrétés sans la participation des gens qui sont censés les respecter.

Que doit faire un leader quand un membre de son équipe de travail enfreint l'un de ces règlements?

Existe-t-il une façon de traiter de telles infractions et de maintenir la philosophie de la méthode sans-perdant?

Voici, présentée sous une forme résumée, la procédure étape par étape que nous enseignons dans notre formation. Supposons qu'un subordonné, Robert, a enfreint un règlement.

1. Si on a la certitude que Robert a enfreint le règlement, on vérifie d'abord s'il le connaissait et s'il le comprenait. S'il ne le connaît pas, on le lui explique et on lui souligne la responsabilité qu'on assume de le faire respecter.

2. Si Robert, pour quelque raison que ce soit, ne pense pas pouvoir appliquer le règlement, on l'écoute avec empathie, mais on lui explique qu'on n'a pas le pouvoir de le laisser l'enfreindre: cela outrepasse notre marge de liberté ou la sphère de notre influence.

3. Si, plus tard, Robert enfreint de nouveau le règlement, on doit déterminer où se situe son comportement dans notre fenêtre de perception: dans la zone de comportement acceptable (aucun effet sur soi) ou dans la zone de comportement inacceptable (effet tangible sur soi).

4. Si on peut véritablement accepter l'infraction de Robert, on décide de ne rien faire et de le laisser en subir les conséquences (le problème lui appartient). Exemple: si un collaborateur s'installe dans l'emplacement réservé à un autre, on peut décider que cela ne nous touche pas et choisir de ne rien faire.

5. Si on considère le comportement de Robert inacceptable (le problème m'appartient), on lui adresse un message «je» très clair. Exemple: un employé a omis de mettre les documents confidentiels sous clé! «Robert, quand les documents confidentiels ne sont pas mis sous clé, je suis très inquiet, car c'est ma responsabilité de

m'assurer qu'ils le soient et s'il arrive quelque chose, mon emploi sera menacé.» Selon sa réaction, on peut être amené à changer de position et à passer à l'écoute active.

6. Si Robert ne change pas de comportement, on reconnaît qu'on a un conflit de besoins et on utilise la méthode sans-perdant. On peut ainsi découvrir quels sont les besoins qui l'amènent à enfreindre le règlement.

7. Si la méthode sans-perdant n'aboutit pas à une solution acceptable pour soi, on peut choisir une des possibilités suivantes.

   a) Lui dire exactement les conséquences qui découleront de sa prochaine infraction (quelles qu'elles soient: avertissement, suspension, perte de responsabilité, etc.).

   b) Appliquer les sanctions immédiatement.

   ou

   c) Décider que le règlement devrait être changé et suivre les étapes nécessaires pour soumettre ce problème à son supérieur.

Cette approche se fonde sur un certain nombre d'arguments: souvent les gens ne connaissent pas les règlements qu'ils enfreignent; une infraction au règlement se produit quand les gens essaient de satisfaire un certain besoin; en général les gens ne refusent pas de prendre en considération nos besoins quand on fait appel à leur bonne volonté; les gens doivent accepter les conséquences de leur comportement s'ils persistent. Tous ces arguments, ainsi que la procédure que j'ai indiquée, paraissent conformes à ma conception du leader efficace.

CHAPITRE **11**

La rencontre périodique de planification: un procédé efficace pour évaluer la performance

*U*ne conclusion intéressante se dégage des très nombreuses études faites sur le leadership dans les différents types d'organisations. Voici comment je peux la formuler.

Les équipes à haut niveau de productivité ont à leur tête des leaders qui savent susciter et maintenir chez leurs collaborateurs l'enthousiasme et l'envie d'atteindre les objectifs de productivité que l'entreprise considère nécessaires à la satisfaction de ses besoins.

En tant que représentants de leur entreprise, les leaders efficaces doivent remplir des fonctions qui assureront un niveau de productivité juste et équitable pour la direction, mais qui ne soit pas injuste ou inéquitable envers les membres de l'équipe. Quelles que soient ces fonctions du leader — et c'est là un point déterminant —, elles sont tout à fait distinctes des fonctions de «relations humaines» ou de «comportements centrés sur la personne» qui suscitent la satisfaction des collaborateurs: écouter avec empathie, émettre des messages «je» sans blâme, encourager à participer à la prise de décision, réduire les différences de statuts, favoriser la cohésion du groupe et la prise en considération des besoins des collaborateurs, éviter de punir, etc.

Bien traiter ses collaborateurs, veiller à ce que leurs besoins soient satisfaits et éliminer les sources d'insatisfaction ne suffit pas à assurer une forte productivité et un rendement élevé. Les leaders ont également besoin de ce que j'ai appelé «les techniques pour satisfaire les besoins de l'entreprise» (chapitre 2). Les leaders efficaces sont aussi compétents pour organiser la tâche que pour entretenir des relations humaines.

Les leaders d'équipe à haute performance ont souvent transmis aux membres de leur équipe les attentes de l'entreprise concernant la productivité. C'est la *manière* dont les leaders formulent et communiquent leurs attentes de productivité qui déterminera si l'équipe les acceptera ou non.

C'est là que les techniques de relations humaines jouent un rôle déterminant. Si les objectifs de productivité sont formulés unilatéralement par le leader sans aucune participation des membres de l'équipe ou si le leader n'est pas à l'écoute de leurs sentiments ou de leurs idées, ou encore s'il use de sanctions quand les membres de l'équipe ont des difficultés à atteindre les objectifs de productivité, les collaborateurs auront tendance à trouver que le rapport coût/bénéfice est déséquilibré et qu'ils sont traités de façon inéquitable.

Si, au contraire, les membres de l'équipe sont convaincus que l'entreprise se préoccupe véritablement de leurs besoins et traite les gens avec respect, ils auront moins tendance à croire que l'entreprise leur demande trop d'efforts.

En plus de ce sentiment de *confiance,* les membres de l'équipe ont besoin d'une évaluation fiable et exacte de leur performance et de la certitude que celle-ci sera récompensée par des bénéfices tangibles. Voilà pourquoi les leaders ont besoin d'un système efficace pour évaluer la performance des membres de leur équipe et leurs efforts pour atteindre les objectifs de productivité de l'entreprise.

L'équipe atteint-elle les objectifs dont le leader s'est rendu responsable? Avec quelle efficacité chaque individu exécute-t-il son travail? Jusqu'à quel point les besoins du leader sont-ils satisfaits par la performance de l'équipe et par chacun de ses membres?

Non seulement l'évaluation de la performance est difficile, mais habituellement les leaders la redoutent parce qu'elle est souvent source de conflits entre eux et leurs collaborateurs. Souvent, les membres de l'équipe sont irrités par cette évaluation. Ils se sentent menacés, argumentent et chicanent quand ils estiment que l'évaluation est injuste, ce qu'ils pensent d'ailleurs habituellement.

Comment peut-on l'améliorer? Comment évaluer les performances de façon cohérente avec la philosophie et la théorie développées dans ce livre et dans nos formations? Comment évaluer les performances en se fondant sur la «satisfaction *mutuelle* des besoins»?

Dans ce chapitre, je soulignerai les défauts et les insuffisances des systèmes habituels d'évaluation des performances et je décrirai un procédé innovateur, la rencontre périodique de planification, qui permet aux leaders d'accomplir cette tâche plus efficacement, tout en consolidant les relations et en aidant leurs collaborateurs à progresser.

L'évaluation traditionnelle

Bien que les divers systèmes d'évaluation des performances varient à l'infini, la plupart comportent les aspects suivants.

1. Généralement, le service du personnel rédige une description de tâche officielle.

2. Le leader attribue des tâches à ses subalternes, supervise la performance quotidienne quant à ces tâches; il reconnaît la bonne performance et critique la performance médiocre.

3. Il remplit une évaluation formelle périodique de la performance de chaque subalterne; pour ce faire, il utilise certains formulaires normalisés de notation (rapport de qualité et d'adaptation, formulaire d'évaluation de performance, formulaire de classement des employés, formulaire d'évaluation du mérite, etc.).

4. Le leader rencontre officiellement le subalterne et l'informe des notes qu'on lui a attribuées, des motifs de ce classement et des manières diverses par lesquelles le subalterne peut améliorer ses résultats.

5. Par la suite, d'autres membres de l'entreprise utilisent le formulaire d'évaluation comme base pour prendre des décisions concernant les salaires, les promotions, la formation, etc.

6. Les cadres sont parfois formés sur la façon d'évaluer plus objectivement le travail de leurs subalternes et d'utiliser le formulaire pour les motiver, etc.

En plus de vingt-cinq ans d'intervention dans toutes sortes d'entreprises et d'organisations, je n'ai jamais trouvé un système d'évaluation des performances qui ait satisfaisait à la fois les leaders qui les utilisaient et les employés qui étaient concernés. Généralement, l'évaluation des performances cause des problèmes et des maux de tête à la fois à la personne qui évalue et à celle qui est évaluée. Le fait d'être évalué par autrui est souvent menaçant. Les gens redoutent de s'entendre dire qu'ils n'ont pas bien fait leur travail ou que leur rendement n'est pas satisfaisant ou encore qu'on leur a attribué une faible note. Les superviseurs détestent également adresser de tels messages: ils savent que cela blesse leur collaborateur et diminue sa confiance en lui, et que cela provoque souvent des tensions.

Voici d'autres inconvénients graves des systèmes habituels d'évaluation.

1. Les descriptions de tâches ne sont généralement pas adéquates pour définir les tâches spécifiques qu'un collaborateur doit accomplir. Des employés dont la description de tâches est identique finissent souvent par faire des choses très différentes. Et les études ont mis en évidence des différences substantielles entre la perception des leaders et celles de leurs collaborateurs quant aux responsabilités attribuées à ces derniers.

2. Les leaders doivent souvent remplir des formulaires d'évaluation qui contiennent des listes de traits de caractère et d'attitudes tels que: initiative, créativité, aptitude à coopérer, etc., qu'il est presque impossible d'évaluer objectivement et précisément.

3. Il existe de très grandes variations entre les normes et les pratiques des différents leaders. Chacun a ses tendances et ses «marottes» sur les notes que l'on devrait donner. («Personne n'obtiendra de moi la note maximale»; «Je n'ai jamais évalué quelqu'un en dessous de la moyenne parce que si un individu était aussi mauvais, je ne le garderais pas».)

4. Les évaluations des leaders ont tendance à produire un effet d'entraînement: ils se font d'abord un jugement général de la performance du collaborateur puis ils évaluent tous les éléments au même niveau que l'évaluation générale sans faire de réelles distinctions.

5. Les évaluations des leaders sont fortement influencées par les décisions administratives qu'ils peuvent avoir à prendre plus tard. («Si je l'évalue trop haut, elle s'attendra à obtenir une augmentation de salaire»; «Si je l'évalue trop haut, je ne pourrai pas justifier son prochain licenciement».)

6. Les évaluations des collaborateurs provoquent souvent les mêmes genres de réactions que la notation des élèves à l'école: flatterie, dissimulation, «travail centré uniquement sur les notes», compétition, argumentation, perte de confiance en soi, etc.

7. La plupart des systèmes d'évaluation sont uniquement axés sur les performances passées: ils regardent ce qui est déjà arrivé au lieu d'encourager l'amélioration des performances à venir.

8. Bien que les leaders soient censés expliquer leurs évaluations à leurs collaborateurs et en discuter avec eux, certains fuient ces rencontres comme la peste. Ils savent bien qu'elles seront désagréables.

Il est grand temps d'améliorer l'évaluation des performances. Les entreprises et les organisations ont besoin d'un système qui intègre toutes les connaissances actuelles sur les besoins humains et les motivations, tout en étant cohérent avec notre conception du leadership efficace. Plus spécifiquement, on a besoin de concevoir un système permettant de:

1. Transformer le travail en une expérience plus enrichissante et répondant davantage aux besoins de chacun.

2. Démontrer à ses collaborateurs que leurs idées et contributions sont valables et indispensables.

3. Les aider à s'épanouir et à développer leur potentiel professionnel pour qu'ils puissent éprouver la satisfaction d'être plus compétents aujourd'hui qu'ils ne l'étaient hier.

4. Accroître le sentiment de liberté et d'autonomie en impliquant ses collaborateurs dans l'amélioration de leur propre performance.

Si on atteint ces buts, les employés sentiront *qu'ils font partie de l'entreprise* et auront à cœur de contribuer à son succès.

La rencontre périodique de planification (RPP)

Depuis plusieurs années, j'ai développé, pour les entreprises qui formaient ma clientèle, une méthode nouvelle d'appréciation des performances. Je suis maintenant convaincu que c'est là un des outils les plus importants d'un leader efficace.

La rencontre périodique de planification (RPP) consiste en un entretien régulier, une ou deux fois par an, d'un leader avec chacun de ses collaborateurs. La durée de la réunion varie d'une demi-heure à deux heures ou plus. Parfois, l'entretien peut s'étaler sur plusieurs rencontres.

Il s'agit d'un moment privilégié, où le leader et le collaborateur dressent un plan de ce que le collaborateur a l'intention de faire pendant les six prochains mois pour améliorer sa performance, pour développer de nouvelles compétences et instaurer des changements dans l'accomplissement des tâches relatives à son poste. En outre, le collaborateur est invité à discuter des moyens que le leader peut mettre en œuvre pour l'aider à atteindre les objectifs qu'il s'est fixés pour les six mois à venir.

C'est l'occasion pour les collaborateurs de discuter avec le superviseur de *toute* préoccupation ou de *tout* problème susceptible d'affecter leur performance, leur satisfaction au travail ou leur avenir dans l'entreprise.

Cette rencontre est l'occasion pour le responsable et ses collaborateurs de se concentrer sur la performance future (ce qui *peut* être fait) plutôt que sur la performance passée. De cette façon, la RPP élimine, dans une large mesure, l'aspect déplaisant de la plupart des systèmes d'évaluation, à savoir la nécessité pour le superviseur d'évaluer, de juger et de chiffrer la performance passée du collaborateur.

La RPP nécessite que le collaborateur et le leader se concentrent sur le poste occupé, ses fonctions, ses objectifs, son calendrier, autant de composantes du poste. Ainsi la RPP élimine également un autre aspect désagréable des systèmes d'évaluation: l'évaluation de traits de personnalité tels que la loyauté, l'attitude coopérative, la conscience professionnelle, le leadership, etc. La RPP ne s'intéresse pas aux «notes» qui, dans la plupart des systèmes d'évaluation, occasionnent tant de réactions défensives chez les collaborateurs et entraînent des discussions stériles entre le leader et ses collaborateurs.

Contrairement à la plupart des systèmes d'évaluation, la RPP est l'occasion d'un véritable dialogue entre *les personnes concernées*. Les collaborateurs contribuent souvent plus que le superviseur à fixer leurs propres objectifs et à planifier leurs propres activités. De plus, les collaborateurs sont encouragés à suggérer au superviseur comment mieux les aider à atteindre leurs objectifs.

LES FONDEMENTS DE LA RENCONTRE PÉRIODIQUE DE PLANIFICATION (RPP)

La RPP se fonde sur un ensemble de conceptions concernant ce qu'il est souhaitable de réaliser avec son équipe.

Tout d'abord, tout leader a la responsabilité d'améliorer la performance de ses collaborateurs. Les avantages complémentaires de la RPP sont les suivants: permettre d'identifier des candidats potentiels pour chaque niveau de direction, fournir les moyens d'assurer un suivi systématique du développement du personnel, se concentrer sur les résultats au travail plutôt que sur les traits de personnalité, aider chacun à s'épanouir dans son travail et dans l'entreprise.

Un autre but consiste à entretenir avec ses collaborateurs une relation encourageant le dialogue sur tout problème relatif au travail: de cette façon chacun sait ce que l'autre pense, se sent en confiance et est certain que tout sera fait pour résoudre les problèmes au fur et à mesure qu'ils surviennent. Certes, l'expérience passée reste utile et contient des données essentielles pour la planification. Cependant, on veut se concentrer sur l'avenir. Il devient ainsi inutile de pleurer sur ses erreurs passées. On évite les aspects déplaisants de l'évaluation du passé et on se concentre sur les actions positives à entreprendre pour améliorer les relations avec ses collaborateurs.

En accordant à ses employés la liberté de fixer leurs propres objectifs de performance, on aura des employés qui se sentiront plus engagés dans leur travail. Comme nous le verrons, cette attitude accroîtra leur intérêt et leur enthousiasme au travail, car ils contribueront à satisfaire leurs propres besoins ainsi que ceux de l'entreprise.

Enfin, la RPP donnera l'occasion de résoudre les conflits quand ils surviendront, et ce d'une manière acceptable pour les deux parties. Elle donnera également l'occasion au leader d'aider chaque employé à orienter sa carrière en contribuant à son épanouissement et à son développement personnel, ce qui permettra au leader et à ses collaborateurs d'établir une relation mutuellement profitable.

Les fondements de la RPP

Le procédé de la RPP est fondé sur certains postulats. Les garder à l'esprit et en parler avec ses collaborateurs s'avère très utile.

1. Les entreprises doivent progresser sur leur marché si elles ne veulent pas être dépassées par leurs concurrents. De même, la plupart des employés d'une entreprise doivent changer pour progresser. Il est indispensable qu'un grand nombre d'entre eux continuent de s'améliorer, de se développer et de se perfectionner pour que l'entreprise aille de l'avant. La plupart des gens désirent évoluer. S'ils ne peuvent pas s'épanouir dans leur travail, ils trouveront moyen de le faire en dehors du travail. C'est agréable d'apprendre, et tout le monde cherche à acquérir de nouvelles façons d'apprendre dès que l'occasion se présente.

2. «Il est toujours possible de faire mieux.» J'espère qu'on substituera ce postulat à l'ancien: «Nous avons toujours fait comme cela, alors pourquoi changer?» L'expérience de la RPP a prouvé que chaque fois que les collaborateurs redéfinissent les fonctions et les objectifs relatifs à leur poste, ils parviennent mieux à les établir, à les mesurer et à les réaliser.

3. Personne ne travaille en permanence à 100 p. 100 de ses capacités. Personne ne le peut! La plupart des gens, même les plus efficaces, n'utilisent qu'une fraction de leurs capacités réelles dans leur travail.

4. Le changement, le développement et la transformation sont des caractéristiques inéluctables d'une entreprise efficace.

5. Personne n'est vraiment motivé à réaliser des objectifs fixés par d'autres. Quelqu'un me disait avec humour: «Personne n'est apathique, sauf si on l'oblige à poursuivre les objectifs de quelqu'un

d'autre.» De fait, combien de fois n'avons-nous pas observé la résistance engendrée par des ordres provenant des instances supérieures? Nous constatons la même résistance de la part des enfants à la maison ou de la part des élèves à l'école. De nos jours, résister à l'autorité est presque devenu un mode de vie. Comme la vie serait plus intéressante si chacun de nous pouvait assumer plus de responsabilités dans son emploi! Combien de fois ne se dit-on pas intérieurement: «Je ferai ce que le patron me dit de faire, mais personne ne connaît mon travail aussi bien que moi, et je pourrais le faire bien mieux s'il me laissait carte blanche»?

6. Les gens travaillent avec ardeur pour atteindre les objectifs qu'ils se sont eux-mêmes fixés. Mais ils en ont si rarement l'occasion qu'on peut s'attendre à une flambée d'enthousiasme si on leur donne cette chance. Les gens en ont assez qu'on leur fixe des objectifs, non pas parce qu'ils supportent mal l'autorité, mais parce que leurs talents ne sont pas utilisés. Ils veulent «exercer leurs muscles»! Il peut y avoir quelques exceptions: certains collaborateurs seront effrayés à la perspective de fixer leurs propres objectifs; d'autres peuvent se demander ce qui se cache derrière cette proposition. Pour parer à ces éventualités, il est très important d'utiliser l'écoute active ainsi que la méthode sans-perdant.

7. Les gens sont heureux quand on leur donne la chance d'en faire plus. Un sentiment d'accomplissement et l'impression d'avoir fait quelque chose de valable procurent à la plupart des gens du plaisir et une reconnaissance de leur importance. Plus ils éprouvent ce sentiment de satisfaction, plus ils deviennent intéressés et enthousiastes, et plus ils renouvellent l'expérience. Le défi du superviseur consiste à fournir fréquemment de telles occasions à ses collaborateurs.

Comment préparer la rencontre périodique de planification

La préparation de la RPP requiert plusieurs étapes distinctes. Je vais décrire chacune d'elles en détail.

1RE ÉTAPE: PRÉPARER SES COLLABORATEURS

Les leaders qui veulent introduire la RPP dans leur propre équipe doivent se souvenir que toute nouvelle idée ou nouveau système se heurte habituellement à une réaction au changement. Ils doivent donc procéder par étapes pour minimiser cette réaction et tenir compte de l'opinion de leurs collaborateurs. Pour ce faire, ils auraient avantage à:

1. expliquer les inconvénients des systèmes traditionnels d'évaluation de la performance;
2. expliquer les objectifs et les fondements de la RPP;
3. se mettre à l'écoute des sentiments de leurs collaborateurs;
4. les inciter à essayer le nouveau système de la RPP sur une base expérimentale.

Dans certaines entreprises, les leaders obtiennent l'approbation de la direction pour substituer le système de la RPP au système traditionnel d'évaluation au mérite. Dans d'autres entreprises, cela peut ne pas être possible pour diverses raisons. Tout leader peut tout de même introduire la RPP, même si elle s'ajoute au système officiel d'évaluation au mérite. Cela signifie qu'on peut travailler à l'intérieur du système traditionnel d'évaluation tout en utilisant un second système offrant de meilleures chances d'atteindre des objectifs tels que: plus grande productivité, meilleur moral, plus grande autonomie, motivation plus forte des collaborateurs, ainsi qu'un plus grand respect envers les employés.

2ᴱ ÉTAPE: S'ENTENDRE SUR LES TÂCHES SPÉCIFIQUES À ACCOMPLIR

Il est capital, à la fois pour le leader et le collaborateur, de parvenir par la méthode sans-perdant à un accord concernant les tâches spécifiques que le collaborateur doit remplir à son poste. Des problèmes et des conflits surgissent quand les deux personnes ont des conceptions différentes.

Pour préparer la RPP initiale, il est donc essentiel que le leader et chaque collaborateur parviennent à un accord mutuel sur les «tâches spécifiques à accomplir».

Il ne faut pas confondre les tâches spécifiques à accomplir avec la description de tâches habituelles.

Il s'agit plutôt d'une description de la *contribution de chaque collaborateur à la réussite de l'entreprise,* c'est-à-dire ce qu'il fait pour l'entreprise et pour en obtenir un salaire. À titre d'exemple, voici la traditionnelle «description de tâches» d'un directeur du personnel et, à côté, une comparaison avec ses «tâches spécifiques».

Tâches	*Tâches spécifiques*
Recruter, interviewer et sélectionner les demandeurs d'emploi.	Remplir les postes vacants selon les demandes des directeurs de département en embauchant du personnel qualifié d'après une échéance déterminée et des coûts établis.
Réaliser des sondages sur le moral des employés.	Connaître les insatisfactions et les problèmes des employés assez tôt pour assister les directeurs de département dans la résolution de tels problèmes.

| Déterminer la grille des salaires et des indemnités. | Traiter les revendications salariales et autres selon une échéance et un coût fixés d'après des normes établies. |

Voici les questions qu'on peut employer avec ses collaborateurs pour les aider à comprendre ce qu'on veut dire lorsqu'on dresse une liste des différentes tâches spécifiques.

1. Quelle est ta contribution à l'entreprise?

2. Comment justifies-tu ton salaire?

3. Dans quel but ton poste existe-t-il? Quel est son apport?

4. Lorsque tu estimes que tu fais du bon travail, que fais-tu concrètement pour l'entreprise?

Voici une liste-échantillon des tâches spécifiques établies pour un poste de secrétaire.

1. Répondre à tous les appels téléphoniques et accueillir les visiteurs de façon à donner du département une impression favorable.

2. Fournir les renseignements et rendre les services demandés au téléphone sans recourir au patron quand c'est possible.

3. Transcrire et expédier les lettres du patron correctement et rapidement.

4. Tenir le carnet de rendez-vous du patron constamment à jour et précis.

5. Élaborer et entretenir un système de classement permettant de trouver rapidement toute correspondance antérieure.

6. Tenir à jour l'inventaire des fournitures de bureau et faire les achats assez tôt pour maintenir une réserve suffisante.

7. Répondre soi-même à la correspondance administrative courante.

Voici la procédure recommandée pour dresser par entente mutuelle une liste de tâches spécifiques.

1. Expliquer soigneusement ce qu'on entend par «tâches spécifiques» et distinguer cela de la «description de tâches».

2. Demander au collaborateur de dresser une liste. Si plusieurs collaborateurs occupent des postes identiques, on peut leur demander de le faire en équipe.

3. En tant que leader, dresser sa propre liste des tâches spécifiques du collaborateur.

Dès que le collaborateur a dressé sa liste de tâches spécifiques, on est prêt à la réviser ensemble. La balle est dans le camp du collaborateur: mieux vaut le laisser mener la discussion. Il faut lui laisser ce choix: examiner chaque tâche spécifique une par une jusqu'à ce qu'elles aient toutes été revues, puis s'arrêter et en reparler plus tard. Ou bien s'entendre sur le sens et la formulation de chacune des tâches spécifiques, jusqu'à la fin de la liste. Peu importe la méthode, pourvu que chacun soit d'accord sur le sens de chaque tâche spécifique.

Il n'est pas essentiel que la liste de tâches spécifiques suive exactement la procédure que j'ai esquissée ou qu'elle soit parfaitement claire pour les autres. Pourvu que chacun comprenne ce que signifie chaque tâche spécifique, on est en bonne voie de réaliser l'objectif. Naturellement, mieux vaut que tout soit aussi clair que possible.

3ᴱ ÉTAPE: S'ENTENDRE SUR LA MANIÈRE DE MESURER LA PERFORMANCE

Une fois dressée la liste de tâches spécifiques, l'étape suivante consiste à établir un accord mutuel entre le leader et son collaborateur sur la manière de *mesurer* la performance relative à chaque tâche spécifique.

Cette étape a deux buts: 1) réduire les malentendus entre le leader et le collaborateur et 2) indiquer de quelles données le collaborateur aura besoin pour évaluer sa propre performance.

Qu'est-ce qu'une «mesure» de performance?

Les leaders utilisent constamment différentes mesures pour évaluer la performance d'un collaborateur. Quand un directeur évalue une secrétaire par des remarques telles que «Elle tape les lettres très correctement», ou «Elle est formidable pour répondre au téléphone», il a certainement *en tête* une mesure quelconque pour évaluer ces deux fonctions spécifiques. Le problème est que, trop souvent, les mesures restent dans l'esprit du directeur. Elles ne sont jamais transmises à la collaboratrice concernée.

Ce dont on a besoin, c'est d'un moyen de faire comprendre au collaborateur les mesures utilisées pour évaluer la performance dans chacune des tâches spécifiques et d'établir avec lui un accord sur ces mesures.

Qu'est-ce qu'une «mesure» de performance? Dans le cas des lettres correctes de la secrétaire, les mesures du patron pourraient être *le temps pris pour taper une lettre* et *le nombre de fautes d'orthographe et de ponctuation*.

Les mesures nous disent *comment* la performance d'un collaborateur est évaluée; elles ne nous disent pas si cette performance est bonne ou mauvaise. Nous mesurons la taille d'une personne en centimètres. Mais l'unité de mesure ne dit à personne la taille de tel individu en particulier. Nous mesurons les grandes distances en kilomètres, mais cette appellation ne donne pas la distance qu'on a parcourue en voiture tel jour.

Comment parvenir à établir des mesures mutuellement acceptées

1. Demander à son collaborateur de prendre sa liste de tâches spécifiques et d'établir des mesures pour chacune. Pour le guider, employer les questions suivantes:

    • Comment sais-tu que tu as fait du bon travail, ou du mauvais, quand tu remplis cette fonction?

    • Quelles mesures as-tu en tête?

    • Quelles données ou quels faits observes-tu quand tu as bien travaillé? Ou mal travaillé?

2. Encourager le collaborateur à établir des mesures quantitatives quand c'est possible, mais se rappeler que, pour certaines tâches spécifiques, des mesures quantitatives précises ne sont pas utilisables. Voici des exemples de mesures quantitatives et de mesures «subjectives» (non quantitatives):

Mesures quantitatives	*Mesures subjectives*
Nombre d'erreurs	Apparence soignée
Nombre de produits ratés	Politesse au téléphone
Nombre de réclamations	Satisfaction des clients
Chiffre d'affaires	Manières agréables
Bénéfice net	Créativité, esprit d'innovation
Réduction des coûts	
Nombre d'articles produits	
Nombre d'échéances remplies	
Nombre de nouveaux clients	
Nombre de personnes formées	
Pointages aux tests de rendement	

3. Établir ses propres mesures pour chacune des tâches spécifiques du collaborateur.

4. Le rencontrer et comparer les mesures. Puis, discuter, évaluer, modifier. Finalement, établir des mesures mutuellement acceptées pour chacune des tâches spécifiques du collaborateur.

POINT IMPORTANT. Une fois qu'on a réalisé les 1re, 2e et 3e étapes (dans la préparation de la RPP) avec chacun de ses collaborateurs, on n'a pas besoin de les répéter, à moins que, plus tard, un changement important ne survienne dans les tâches spécifiques d'un collaborateur.

Animer la rencontre périodique de planification

Une préparation adéquate à la RPP est essentielle de la part du superviseur et du collaborateur. Elle permet de s'assurer que chacun vient à la rencontre en sachant clairement quelles sont les attentes pour les six prochains mois.

La rencontre devient alors un processus conjoint: on combine ses objectifs et ses programmes avec les objectifs et les programmes de son collaborateur. Formulée autrement, la RPP devient une *rencontre bilatérale orientée sur la résolution de problèmes,* où le superviseur et le collaborateur élaborent un plan *mutuellement acceptable* concernant les tâches spécifiques du collaborateur. Ensuite, on discute des moyens à employer pour aider le collaborateur à réaliser ce plan. Pour préparer le terrain:

1. Fixer la date de la RPP, de préférence au moins une semaine à l'avance.

2. Demander à son collaborateur de préparer ses objectifs en vue de la rencontre.

3. Lui donner l'occasion de poser des questions sur la RPP.

4. Expliquer qu'à la RPP on se concentrera sur l'avenir, et non sur le passé. Préciser qu'on souhaite que le collaborateur «ouvre le jeu» en présentant sa liste d'objectifs.

5. Expliquer ses propres objectifs pour son équipe de travail; ainsi, le collaborateur connaît exactement les objectifs de performance d'ensemble qu'on vise pour la période à venir.

On peut souhaiter employer certaines des questions suivantes pour aider les collaborateurs à commencer à penser à leurs objectifs:

- Que veux-tu accomplir dans l'année à venir?
- Dans quelle tâche spécifique ressens-tu le besoin de t'améliorer?
- Quels sont tes objectifs pour accomplir plus efficacement ta tâche?
- Quel est, cette année, ton programme pour améliorer ta performance ou celle de ton équipe de travail?

Si on a préparé ainsi la RPP, celle-ci devrait bien se dérouler, pourvu qu'on permette au collaborateur de jouer le rôle principal au cours de l'entretien.

Cela ne signifie pas qu'on joue un rôle passif. Certainement, on veut s'assurer que les objectifs du collaborateur et ses plans d'amélioration continue suffisent à atteindre nos propres buts. Par exemple, si, pendant la rencontre, il semble clair qu'un collaborateur en particulier ne s'est pas fixé de but pour améliorer sa performance, disons, par exemple, dans la réduction des coûts, et qu'on a comme objectif de les réduire, alors évidemment on doit lui suggérer d'inclure la réduction des coûts comme objectif dans son plan. De même, si on estime qu'un objectif établi par un autre collaborateur est irréaliste et a peu de chances d'être atteint pour une raison quelconque, on peut lui suggérer de se fixer un objectif moins élevé.

Voici les idées clés à se rappeler.

1. La balle est dans le camp du collaborateur. Le laisser d'abord exprimer ses idées et ses sentiments. Pratiquer l'écoute active.

2. Se rappeler de garder la discussion centrée sur l'avenir; le passé n'existe plus.

3. Quand vient son tour de parler, être spontané, franc et ouvert. Émettre des messages «je».

4. S'assurer de parvenir à un accord sur les objectifs à atteindre. S'en tenir à un nombre d'objectifs réalisable. Utiliser la méthode sans-perdant.

5. En tant que superviseur, on veut comprendre clairement comment son collaborateur prévoit atteindre chaque objectif, et quelles actions il planifie.

6. Quand on en sent l'occasion ou le besoin, on peut certainement faire part à son collaborateur de ses idées sur la manière d'atteindre les objectifs. C'est ce partage d'idées qui fait de la RPP une expérience significative et valable.

7. Entretenir un climat chaleureux, amical et spontané, tout en restant centré sur la tâche. Se rappeler que le collaborateur est un associé, et qu'on a besoin de son aide pour atteindre ses propres objectifs.

8. Ne pas oublier que se fixer des buts, c'est s'engager à changer. C'est pourquoi certains collaborateurs pourraient hésiter à prendre des risques.

9. Résumer et prendre en note les objectifs sur lesquels on s'est mis d'accord, et en faire une copie pour chacun.

Appliquer les décisions prises pendant la rencontre périodique de planification

On doit assumer des tâches importantes pour aider le collaborateur à atteindre ses buts: 1) on peut avoir à fournir au collaborateur les données dont il a besoin pour évaluer ses progrès; 2) on devrait lui fournir toutes les ressources matérielles, financières ou humaines nécessaires; 3) on devrait soi-même se rendre disponible pour agir comme conseiller ou faciliter la résolution de problèmes, si le collaborateur en rencontre.

FOURNIR À SON COLLABORATEUR LES DONNÉES LUI PERMETTANT DE S'ÉVALUER LUI-MÊME

Un des buts les plus importants de la RPP est de transmettre *du leader au collaborateur* la responsabilité première de l'évaluation de sa performance. Ici, l'idée clé est la CONFIANCE: il faut faire confiance au désir de ses collaborateurs de bien faire leur travail et de réaliser leurs objectifs.

Pour évaluer continuellement leur propre performance, les collaborateurs ont besoin de données appropriées. La *nature* exacte des données à fournir sera déterminée, bien sûr, par les mesures établies à la 3e étape de la préparation de la RPP.

Si on convient avec un collaborateur de fixer la «réduction des coûts» comme mesure de ses tâches spécifiques, on doit alors faire le nécessaire pour lui fournir constamment le calcul des coûts. Pour ce faire, on peut avoir à demander au service de la comptabilité d'accepter de fournir ces calculs chaque semaine ou chaque mois.

FOURNIR LES RESSOURCES AU COLLABORATEUR

Une manière de définir son rôle à la suite d'une RPP consiste à se voir comme le «premier assistant» de ses collaborateurs: on les assiste de toutes les façons requises pour les aider à atteindre leurs objectifs. Cela peut signifier qu'on accepte de leur fournir des fonds, du matériel ou du personnel supplémentaires. Si on ne remplit pas ces engagements, on nuira certainement à ses relations avec eux et on suscitera du ressentiment.

FACILITER LA RÉSOLUTION DE PROBLÈME

Inévitablement, les collaborateurs rencontreront des problèmes dans leur effort pour réaliser leurs objectifs. C'est la tâche du leader d'aider ses collaborateurs quand de tels problèmes surviennent. Je rappelle que le leader est là pour faciliter la résolution des problèmes, comme que je l'ai souligné au chapitre 3.

Au cours de telles réunions, on a besoin de l'écoute active pour aider le collaborateur à conserver la responsabilité de la résolution du problème. On l'encourage à franchir les «six étapes du processus de résolution de problèmes». On pourrait même écrire ces étapes au tableau.

1re étape: Quel est le problème?
2e étape: Quelles sont les solutions possibles?
3e étape: Comment évalues-tu ces solutions?
4e étape: Quelle solution te semble la meilleure?
5e étape: *Qui* doit faire *quoi* et *quand?*
6e étape: Comment évalueras-tu le résultat?

On devrait s'accorder la liberté d'entamer une séance de résolution de problèmes si on voit poindre un problème qui pourrait empêcher un collaborateur d'atteindre un objectif particulier. Là encore, on a avantage à adopter l'attitude: «Que puis-je faire pour t'aider?» et non «Tu fais erreur ici; qu'est-ce qui ne va pas?»

LES BÉNÉFICES QU'ON PEUT ATTENDRE
DE LA RENCONTRE PÉRIODIQUE DE PLANIFICATION

Que la RPP *remplace ou complète* l'évaluation tradition-nelle de la performance ou le système d'évaluation au mérite dans son entreprise, on peut s'attendre à certains résultats de cette nouvelle approche.

Premièrement, on constate que ses collaborateurs répondent à la confiance qu'on leur témoigne en devenant plus responsables et moins dépendants.

Deuxièmement, on peut s'attendre à une plus grande motivation de la part de ses collaborateurs. Ce sont *leurs* objectifs qu'ils essaient d'atteindre, non des objectifs que leur a imposés leur superviseur.

Troisièmement, leur travail leur permet de se réaliser davantage et d'obtenir plus de satisfaction.

Quatrièmement, on constate qu'on passe soi-même moins de temps à les superviser et à les surveiller.

Cinquièmement, on peut s'attendre à une amélioration continue de la performance de ses collaborateurs. Mieux faire les choses devient la norme acceptée dans son unité de travail.

Mieux vaut, cependant, ne pas espérer que le nouveau programme RPP soit appliqué sans anicroches. Il faudra le modifier de temps à autre. Certains collaborateurs trouve-ront difficile, au début, de renoncer à être dépendants et de cesser de «faire seulement ce qu'on leur a dit de faire». Les mesures d'évaluation des tâches spécifiques auront peut-être besoin d'être révisées. On pourra trouver difficile d'obtenir les données voulues.

Comme pour toute chose nouvelle, des ajustements se-ront nécessaires. Cependant, une fois que les pépins sont éliminés, la réunion périodique de planification (RPP) apporte des satisfactions tangibles à ses collaborateurs au leader et à l'entreprise.

CHAPITRE 12

Questions à approfondir

*T*out leader a à choisir le type de patron qu'il veut être, et personne d'autre ne peut faire ce choix à sa place. Comment choisir parmi les différents styles de leadership?

Naturellement, pour effectuer ce choix, on tient d'abord compte du critère de *l'efficacité* (l'idée principale présentée tout au long de ce livre). Quel est le style de leadership qui rend le plus efficace, que ce soit pour former une équipe, pour prendre de bonnes décisions, pour obtenir de la productivité, pour favoriser un bon moral, etc.? On peut se poser d'autres questions sur des sujets de fond:

- Quel genre de personne ai-je envie d'être?
- Quelle sorte de relations ai-je envie d'entretenir avec les autres?
- Quelle sorte d'entreprise ai-je envie de développer?
- À quelle sorte de société ai-je envie d'appartenir?

Quel genre de personne ai-je envie d'être?

Le style de leadership que l'on choisit a beaucoup d'influence sur le genre de personne que l'on devient. On ne peut pas séparer ces deux aspects. Comme on passe beaucoup de temps à jouer son rôle de leader, le comportement qu'on adopte dans ce rôle façonne inévitablement la personnalité.

Prenons quelques exemples pour illustrer ce point. Si on adopte un style de leadership fondé sur le pouvoir de coercition, on maintient une attitude assez constante de suspicion et de méfiance. On doit surveiller ses paroles, être vigilant et déceler les signes de résistance ou d'insubordination à son pouvoir. En plus, en tant que leader autoritaire, on se rend compte que l'on perçoit les autres comme ayant des capacités limitées, peu d'aptitudes à l'autonomie, au changement constructif et au développement personnel, et peu d'aptitude à penser par eux-mêmes.

Si on choisit le pouvoir coercitif comme style de leadership, ce choix a un impact sur sa vie personnelle. Comme je l'ai déjà souligné, on paie très cher d'assumer seul toute la responsabilité des décisions concernant son équipe et de se charger seul du poids de l'application des politiques et des règlements internes; on risque, en effet, de souffrir de tension, d'inquiétude et d'anxiété et, éventuellement, d'une piètre santé physique et mentale.

Voici une autre possibilité. Est-ce que je veux être une personne ouverte, franche et directe dans mes rapports avec les autres? Les psychologues utilisent le terme de «congruence» pour désigner le lien entre ce qu'une personne pense ou ressent *intérieurement* et ce qu'elle communique *extérieurement.* Est-ce que je veux dire ce que je pense et penser ce que je dis, ou être une personne dont les paroles et les actes «sonnent faux» et à qui les autres ne peuvent faire confiance? Ai-je envie d'être une personne qui adresse aux autres des messages «je» francs et directs, pour leur faire savoir ce que je ressens?

Il y a, il va sans dire, un risque à être congruent dans ses communications et on doit se demander sérieusement si on est prêt à prendre ce risque. Si on décide d'être un leader ouvert, franc et direct *en se montrant vraiment tel que l'on est,* on risque de laisser paraître sa véritable identité. Quand on émet des messages «je», on est «transparent» à ses propres yeux et aux yeux des autres. On doit alors avoir le courage d'être qui on est, c'est-à-dire de communiquer ce que l'on ressent et ce que l'on pense à tout instant. Et voici le risque: s'ouvrir aux autres, c'est leur faire connaître notre vraie personnalité! Est-ce que je veux que les autres sachent qui je suis vraiment?

En décidant d'être un leader qui écoute les autres, on court un autre risque. L'écoute active, comme on l'a vu, exige qu'on suspende temporairement ses propres pensées, sentiments, évaluations et jugements, pour prêter exclusivement attention au message de l'émetteur. Cela oblige à recevoir le message juste. Car en cherchant à comprendre le message dans les termes de l'émetteur et dans le sens où il l'entend, on doit «se mettre dans sa peau» (dans son cadre de référence, dans son monde, dans sa réalité). C'est seulement alors que l'on peut comprendre le sens qu'a *voulu* transmettre l'émetteur. La partie «reflet» de l'écoute active n'est rien de plus que l'ultime vérification de l'exactitude de son écoute, qu'on fait tout en assurant l'émetteur qu'on l'a compris.

L'écoute active comporte aussi un risque. Quand on la pratique, on vit une expérience particulière. Quand on comprend précisément ce qu'une autre personne pense ou ressent, quand on se met momentanément dans la peau de l'autre, quand on voit le monde comme l'autre le voit, on court le risque de voir ses propres opinions et attitudes changer.

On est changé par ce que l'on *comprend réellement.* Être «ouvert à l'expérience d'un autre» incite à devoir réinterpréter sa propre expérience. Quand on ne peut pas écouter les autres, on reste sur la défensive, on ne s'expose pas à des conceptions et à des idées différentes des siennes.

En somme, la communication réciproque efficace, qui exige à la fois *la congruence* (émission claire) et *l'écoute active* (réception exacte), comporte deux risques: le dévoilement de *ce qu'on est vraiment* et la possibilité de *devenir différent*. C'est pourquoi la communication interpersonnelle efficace exige sécurité intérieure et courage personnel.

Est-ce que je suis disposé à devenir cette sorte de personne? Puis-je trouver la sécurité intérieure et le courage personnel dont j'ai besoin pour entretenir avec les autres une communication réciproque ouverte, franche et directe?

Quelle sorte de relations ai-je envie d'entretenir avec les autres?

Le style de leader que l'on est influence fortement, et même détermine, le type de relations que l'on entretient avec ses collaborateurs et avec les autres personnes de l'entreprise. Compte tenu du temps passé avec son personnel, le choix de son style de leadership est évidemment une question importante.

À plusieurs reprises tout au long de ce livre, j'ai fait référence à l'impact d'une direction autoritaire, fondée sur le pouvoir, sur la relation entre le leader et les membres de son équipe: le pouvoir réduit la communication; le pouvoir dresse des barrières et réduit ainsi les interactions; les membres de l'équipe dissimulent leurs problèmes et mentent pour camoufler leurs erreurs; le pouvoir engendre l'hostilité et le ressentiment; le pouvoir, pour être efficace, exige la crainte et la dépendance; en même temps, le leader doit se préserver de la tendance à devenir «copain-copain» avec ses collaborateurs.

Je n'ai pas encore mentionné une autre conséquence logique d'une direction autoritaire: tout simplement, on s'amuse davantage si on ne s'appuie pas sur le pouvoir. Quand je dis «s'amuser», je pense à plusieurs choses: rire avec les autres de ses propres erreurs et de ses limites, ainsi que des leurs; se joindre aux autres pour aborder un problème épineux et avoir la satisfaction de trouver une solution étonnamment créative; devenir l'ami intime de certains de ses collaborateurs; parler ouvertement de ses échecs sans craindre un jugement dépréciatif; voir les gens s'épanouir et se développer dans leur travail; considérer les autres comme des personnes et non comme de simples pions dans l'entreprise. Ces expériences satisfaisantes se produisent dans les équipes et les entreprises où les relations sont plutôt égalitaires et dépourvues de crainte et de ressentiment.

Est-ce que je veux entretenir avec les autres des relations d'aide ou des relations de manipulation? On tire des relations d'aide des avantages substantiels. On voit les gens résoudre leurs propres problèmes et devenir moins dépendants; on constate que les discussions sont plus ouvertes; on éprouve la satisfaction personnelle d'aider les gens à satisfaire leurs besoins. Et, tel que mentionné plus haut, quand on aide les autres à satisfaire leurs besoins, ils sont beaucoup plus disposés à faire un effort pour nous aider à satisfaire les nôtres. Invariablement, cette réciprocité se développe dans les relations quand on s'abstient d'utiliser le pouvoir coercitif.

Il y a plusieurs années, j'ai décrit aussi succinctement que possible la philosophie sur laquelle se fonde ma conception d'une relation efficace entre parent et enfant. Plus tard, nous avons intégré ce texte aux autres formations que nous avons conçues. Voici donc une philosophie qui s'applique à toute relation humaine, que ce soit entre parent et enfant, entre enseignant et étudiants, entre mari et femme, entre leader et membres de son équipe.

Ma description était une déclaration d'intention, une description du type de relations que chacun d'entre nous voudrait entretenir avec les autres. Ce texte s'intitule *Mes relations avec les autres*.

Chaque participant à un de nos cours reçoit ce texte, mais beaucoup d'autres personnes me le réclament également. Certains le font encadrer ou l'affichent au mur; d'autres le font imprimer et l'envoient comme carte de Noël. Certains participants ont lu ce texte à leur cérémonie de mariage, pour ainsi affirmer publiquement la philosophie selon laquelle ils voulaient vivre leur vie de couple. Ma propre fille, Judy, m'a demandé de lire ce texte lors de son mariage avec John Sands.

De toute évidence, ce texte a un sens profond pour beaucoup. Il semble représenter, en des termes simples, ce que beaucoup de gens s'efforcent de vivre dans leurs relations humaines. On y reconnaît la plupart des éléments essentiels de ma conception de l'efficacité du leader.

Mes relations avec les autres

Toi et moi vivons une relation que j'apprécie et que je veux sauvegarder. Cependant, chacun de nous demeure une personne distincte ayant ses besoins propres et le droit de les satisfaire.

Lorsque tu éprouveras des problèmes à satisfaire tes besoins, j'essaierai de t'écouter, de t'accepter véritablement, de façon à te faciliter la découverte de tes propres solutions plutôt que de te donner les miennes. Je respecterai aussi ton droit de choisir tes propres croyances et de développer tes propres valeurs, si différentes soient-elles des miennes.

Quand ton comportement m'empêchera de satisfaire mes besoins, je te dirai ouvertement et franchement comment ton comportement m'affecte, car j'ai confiance que tu respectes suffisamment mes besoins et mes sentiments pour essayer de changer ce comportement qui pour moi est inacceptable. Aussi, lorsque mon comportement sera inacceptable pour toi, je t'encourage à me le dire ouvertement et franchement pour que je puisse essayer de le changer.

Quand aucun de nous ne pourra changer son comportement pour satisfaire les besoins de l'autre, reconnaissons que nous avons un conflit; engageons-nous à le résoudre sans recourir au pouvoir ou à l'autorité pour gagner aux dépens de l'autre qui perdrait. Je respecte tes besoins et je dois aussi respecter les miens. Efforçons-nous donc de toujours trouver à nos inévitables conflits des solutions acceptables pour chacun de nous. Ainsi tes besoins seront satisfaits ainsi que les miens. Personne ne perdra, nous y gagnerons tous les deux.

De cette façon, en satisfaisant tes besoins, tu pourras t'épanouir en tant que personne et moi de même. Nous créerons ainsi une relation où chacun de nous pourra devenir ce qu'il est capable d'être. Et nous pourrons poursuivre notre relation dans le respect mutuel et dans la paix.

Quelle sorte d'entreprise ai-je envie de développer?

En choisissant un style de leadership, un leader ne peut pas éviter d'être confronté à cette autre question: quelle sorte d'entreprise sera la nôtre? Les entreprises, après tout, sont composées de personnes dont le style de leadership détermine le climat psychologique de l'entreprise tout entière. Des leaders répressifs créent des entreprises répressives.

Quel est le style de leadership requis pour que tous les membres d'une organisation estiment que leurs besoins sont respectés? Une organisation existant seulement pour combler les besoins et réaliser les objectifs de ses leaders est incompatible avec la philosophie du leadership préconisée dans ce livre. C'est pourquoi les leaders doivent trouver les moyens de susciter la participation des membres de l'équipe à la prise de décision, ce qui entraînera la satisfaction mutuelle des besoins de la direction et des employés, des leaders et des membres de l'équipe.

Est-ce que je veux faire partie d'une entreprise capable de s'adapter au changement? Si une entreprise veut survivre et prospérer, elle doit avoir cette souplesse. On ne devrait pas résoudre les problèmes et prendre les décisions en s'appuyant sur le choix exprimé par la personne détenant le plus d'autorité, mais plutôt sur les ressources créatives de tous les membres de l'équipe qui possèdent des données pertinentes du problème.

Les entreprises auront du mal à survivre si elles se fient exclusivement aux méthodes de gestion fondées sur la peur de perdre son emploi, ou de voir ses besoins essentiels non satisfaits. C'est pourquoi, au cours des dernières décennies, nous avons été témoins d'un début de révolution; appelons-la: «la révolution des relations humaines». Les entreprises dépensent des sommes considérables à la recherche de nouveaux modèles de supervision, de nouvelles pratiques de gestion, de nouveaux styles de leadership. Cela peut s'expliquer ainsi: pour survivre dans une société démocratique, les entreprises doivent découvrir des manières démocratiques de fonctionner. James Worthy, alors directeur des relations humaines chez Sears et Roebuck, exprimait il y a quelques années cette même idée avec conviction:

> Si nous sommes préoccupés par la préservation de la «libre entreprise» et de la liberté dans le monde, nous devons consolider plus efficacement ces principes dans l'organisation et l'administration internes de nos propres entreprises... Tout d'abord, le système doit continuer de fonctionner efficacement. Mais cela ne peut pas durer longtemps, à moins que le système ne réussisse à mieux faire appel aux ressources créatives, à la compétence et à la productivité de tous les individus qui en sont membres.

La philosophie et la méthode de leadership décrites dans ce livre semblent particulièrement bien adaptées pour atteindre l'objectif proposé par Worthy.

Postface personnelle

Relativement tôt dans ma vie, c'est-à-dire dès l'école primaire, je me suis rendu compte qu'il y avait dans mon univers de bons leaders et des leaders médiocres. Je ne savais pas exactement ce qui faisait la différence, mais je me souviens que je pensais que cela avait quelque chose à voir avec la dose de pouvoir que ces gens utilisaient: la fréquence à laquelle ils punissaient ou menaçaient de punir, le nombre d'ordres qu'ils me donnaient, le degré auquel ils essayaient de me contrôler. Ces leaders étaient mes professeurs, deux directeurs d'école, un moniteur de loisirs, deux entraîneurs, un chef scout, plusieurs moniteurs de colonie de vacances, un certain nombre de professeurs de religion, mon aumônier et un directeur adjoint mesquin que je n'oublierai jamais.

Il était aussi évident que je me comportais de manière très différente avec les leaders que je trouvais «bons» et avec ceux que je trouvais «médiocres». Je me sentais davantage bien dans ma peau quand j'étais avec les bons et, naturellement, je les aimais. Je mettais plus de cœur dans toutes les activités auxquelles le groupe participait et, habituellement, je m'amusais beaucoup. Il était également facile de parler à ces adultes et, avec eux, je prenais plaisir à entretenir une relation de taquinerie réciproque.

Avec les médiocres, j'adoptais toujours un rôle différent et je me comportais d'une façon que je n'aimais pas du tout. Je n'étais pas un membre productif du groupe; je consacrais beaucoup de temps à imaginer comment prendre ma revanche sur ces leaders en les mettant dans l'embarras ou en les rabaissant; je résistais à leur direction; je faisais le clown pour les autres membres de l'équipe; souvent je mentais ou camouflais mes erreurs. J'ai rarement conversé ou plaisanté avec eux. Je ne m'aimais pas moi-même dans ces relations et évidemment, je n'aimais pas ces leaders.

Tout cela m'intriguait, mais je suis sûr que je n'ai pas réfléchi sur le leadership ni analysé en profondeur les différents leaders jusqu'à ce que je devienne moi-même le leader d'une équipe de plus de dix officiers de l'armée de l'Air durant la Seconde Guerre mondiale. Même si j'étais fortement déterminé à être l'un de ces «bons» leaders, je découvris bientôt que ce n'était pas facile. Quand j'exerçais trop de pression sur mon équipe, j'obtenais de la rébellion et de la résistance. Je ne voulais pas les menacer de les punir pour une performance médiocre, mais les récompenses ne m'ont jamais servi non plus. Plusieurs membres de mon équipe qui avaient été mes amis ont mis fin à toute relation amicale avec moi. Souvent, ils s'alliaient pour lutter contre mes plans si bien conçus.

Je me mis bientôt à analyser davantage le leadership. Comment obtenir une bonne performance d'une équipe? Comment un leader peut-il entretenir de bonnes relations avec ceux dont il est responsable? Comment amène-t-on un groupe à développer sa cohésion et son «esprit d'équipe»?

Plusieurs années après mon retour à la vie civile, je fus invité à passer l'été de 1949 à travailler à un projet au Laboratoire national de la formation pour le développement des groupes. On comprendra que j'ai vu là l'occasion rêvée d'en apprendre davantage sur les équipes et leurs leaders, d'autant plus que le Laboratoire national de formation (connu sous le sigle NTL) était un nouveau centre de formation au leadership dirigé par une équipe d'universitaires qui étaient des pionniers dans ce domaine relativement nouveau.

L'expérience de cet été-là a marqué, pour moi, le début de mon intérêt professionnel pour le leadership, intérêt que je n'ai jamais perdu. Je devins bientôt un «formateur en leadership»; je lisais tout ce que je pouvais trouver concernant les équipes et le leadership; par la suite, j'ai élaboré ce qui constituait, selon moi, une nouvelle théorie, cohérente et prometteuse, sur le leadership efficace. Je l'ai publiée dans mon premier livre intitulé *Group Centered Leadership (Le leadership centré sur le groupe: une façon de libérer le potentiel créateur des groupes)* (Boston, Houghton Mifflin, 1955). Cependant, par la suite, mes collègues dans le domaine ne portèrent pas le même jugement que moi sur mon modèle de leadership efficace. En fait, je suis certain que la plupart d'entre eux n'ont même pas lu le livre. Et on faisait rarement référence à mes idées dans les publications sur le leadership.

Ou c'était un mauvais livre, ou un modèle inadéquat, ou, comme je préfère le croire maintenant, c'était trop «novateur». Je préconisais certaines idées qui allaient à l'encontre du courant de pensée le plus répandu à ce moment-là: les leaders ne devraient jamais utiliser leur pouvoir, ils devraient impliquer les membres de leur équipe dans toutes les prises de décisions importantes; les équipes existent pour satisfaire les besoins de tous leurs membres; les leaders peuvent faire confiance à la «sagesse de l'équipe»; les membres d'une équipe devraient participer à l'établissement de ses objectifs; les leaders devraient essayer de réduire les différences de statut entre eux et les membres de leur équipe; les récompenses et les punitions sont inefficaces comme outils de motivation; les leaders devraient apprendre les techniques qu'utilisent les consultants professionnels.

Aujourd'hui, ces notions font partie des principaux courants de pensée sur le leadership au sein des organisations. Les recherches ont confirmé plusieurs de ces principes. On ne peut prendre un journal consacré à la gestion sans y trouver des concepts tels que la gestion participative, l'implication des employés dans la prise de décision, les équipes de travail autonomes, la résolution de conflits gagnant-gagnant, la communication réciproque et ainsi de suite.

En fait, le modèle de leadership présenté dans ce livre est la base du cours du même nom qui est offert par ma propre organisation de formation, Effectiveness Training International. Ce programme a été employé dans plusieurs pays pour former des cadres et des leaders à tous les niveaux dans des entreprises bien connues telles que: Nestlé, IBM, Walt Disney, Honeywell, Bell Québec, W.L. Gore, Boeing, Shell, IKEA, Merck, Toyota, Hewlett Packard. De plus, nous avons formé quelques douzaines de formateurs qui offrent ce cours au sein d'organismes autorisés dans seize pays à travers le monde.

C'est une source de satisfaction pour moi de voir que certains des concepts et des techniques de relations interpersonnelles que nous avons révélés dans les années 70 font maintenant partie de plusieurs autres programmes de formation. Certains se sont gagné une place de choix dans le vocabulaire de la formation au leadership, tels que l'écoute active, le message «je», le message «tu», «à qui appartient le problème» et la méthode de résolution de conflits sans-perdant en six étapes.

Je porte dans mon cœur chacun des formateurs qui offrent ce programme à travers le monde. Ce sont eux qui ont amené la croissance remarquable du modèle de leadership que je propose dans ce livre. Cependant, la personne responsable au premier titre de l'élaboration et de la gestion de notre réseau international d'organismes et de formateurs autorisés est Sidney Wool qui, depuis 1976, agit comme directeur des programmes pour les cadres à notre siège social.

Pour communiquer avec l'auteur ou pour obtenir toute information pertinente sur ce programme et les organismes qui le diffusent à travers le monde, communiquer avec:

Effectiveness Training International   Tél.:   1 800 628-1197
531 Stevens Avenue   1 619 481-8121
Solana Beach, Californie   Téléc.: 1 619 481-8125
États-Unis
92075

Pour des renseignements sur cette formation en français, communiquer avec les organismes mentionnés en page 4.

Table des matières

LES ÉDITIONS DE L'HOMME

Affaires et vie pratique

* **1001 prénoms, leur origine, leur signification,** Jeanne Grisé-Allard
  100 stratégies pour doubler vos ventes, Robert L. Riker
* **Acheter et vendre sa maison ou son condominium,** Lucille Brisebois
* **Acheter une franchise,** Pierre Levasseur
  À la retraite, re-traiter sa vie, Lucie Mercier
* **Les annuelles en pots et au jardin,** Albert Mondor
* **Les assemblées délibérantes,** Francine Girard
* **La bourse,** Mark C. Brown
* **Bricoler pour les oiseaux,** France et André Dion
* **Le chasse-insectes dans la maison,** Odile Michaud
* **Le chasse-insectes pour jardins,** Odile Michaud
* **Le chasse-taches,** Jack Cassimatis
* **Choix de carrières — Après le collégial professionnel,** Guy Milot
* **Choix de carrières — Après le secondaire V,** Guy Milot
* **Choix de carrières — Après l'université,** Guy Milot
  Clicking, Faith Popcorn
* **Comment cultiver un jardin potager,** Jean-Claude Trait
  Comment lire dans les feuilles de thé, William W. Hewitt
  Comment rédiger son curriculum vitæ, Julie Brazeau
  Comment voir et interpréter l'aura, Ted Andrews
* **Comprendre le marketing,** Pierre Levasseur
  La conduite automobile, Francine Levesque
  La couture de A à Z, Rita Simard
* **Des bulbes en toutes saisons,** Pierre Gingras
  Des pierres à faire rêver, Lucie Larose
* **Des souhaits à la carte,** Clément Fontaine
* **Devenir exportateur,** Pierre Levasseur
* **Écrivez vos mémoires,** S. Liechtele et R. Deschênes
* **L'entretien de votre maison,** Consumer Reports Books
* **L'étiquette des affaires,** Elena Jankovic
* **Faire son testament,** Mᵉ Gérald Poirier et Martine Nadeau
* **Fleurs de villes,** Benoit Prieur
* **Fleurs sauvages du Québec,** Estelle Lacoursière et Julie Therrien
* **La généalogie,** Marthe F.-Beauregard et Ève B.-Malak
* **Gérer ses ressources humaines,** Pierre Levasseur
  La graphologie en 10 leçons, Claude Santoy
* **Le guide Bizier et Nadeau,** R. Bizier et R. Nadeau
* **Le guide de l'auto 2000,** J. Duval et D. Duquet
* **Guide des arbres et des plantes à feuillage décoratif,** Benoit Prieur
* **Guide des fleurs pour les jardins du Québec,** Benoit Prieur
* **Le guide des plantes d'intérieur,** Coen Gelein
* **Guide des plantes pour la maison,** Benoit Prieur
* **Guide des voitures anciennes tome 1 et tome 2,** J. Gagnon et C. Vincent
* **Guide du jardinage et de l'aménagement paysager au Québec,** Benoit Prieur
* **Guide du potager,** Benoit Prieur
* **Le guide du savoir-écrire,** Jean-Paul Simard
* **Le guide du vin 2000,** Michel Phaneuf
* **Guide gourmand 97 — Les 100 meilleurs restaurants de Montréal,** Josée Blanchette
* **Guide gourmand — Les bons restaurants de Québec — Sélection 1996,** D. Stanton
* **Le guide Mondoux,** Yves Mondoux
  Guide pratique des premiers soins, Raymond Kattar
  Guide pratique des vins d'Italie, Jacques Orhon
* **Guide Prieur saison par saison,** Benoit Prieur
* **Les hémérocalles,** Benoit Prieur
  L'île d'Orléans, Michel Lessard
* **J'aime les azalées,** Josée Deschênes
* **J'aime les bulbes d'été,** Sylvie Regimbal
  J'aime les cactées, Claude Lamarche
* **J'aime les conifères,** Jacques Lafrenière
* **J'aime les petits fruits rouges,** Victor Berti
  J'aime les rosiers, René Pronovost
* **J'aime les tomates,** Victor Berti

* J'aime les violettes africaines, Robert Davidson
J'apprends l'anglais..., Gino Silicani et Jeanne Grisé-Allard
Le jardin d'herbes, John Prenis
* Jardins d'ombre et de lumière, Albert Mondor
* Lancer son entreprise, Pierre Levasseur
* La loi et vos droits, Me Paul-Émile Marchand
Ma grammaire, Roland Jacob et Jacques Laurin
* Mariage, étiquette et planification, Suzanne Laplante
* Le meeting, Gary Holland
Mieux connaître les vins du monde, Jacques Orhon
Le nouveau guide des vins de France, Jacques Orhon
* Nouveaux profils de carrière, Claire Landry
L'orthographe en un clin d'œil, Jacques Laurin
* Ouvrir et gérer un commerce de détail, C. D. Roberge et A. Charbonneau
* Passage obligé, Charles Sirois
* Le patron, Cheryl Reimold
* Le petit Paradis, France Paradis
* La planification fiscale étape par étape, Diane Blais et Michel Lanteigne
* Prévoir les belles années de la retraite, Michael Gordon
Le principe 80/20, Richard Koch
Le rapport Popcorn, Faith Popcorn
* Les secrets d'une succession sans chicane, Justin Dugal
La taxidermie moderne, Jean Labrie
* Les techniques de jardinage, Paul Pouliot
Techniques de vente par téléphone, James D. Porterfield
* Tests d'aptitude pour mieux choisir sa carrière, Linda et Barry Gale
* Tout ce que vous devez savoir sur le condominium, Robert Dubois
Une carrière sur mesure, Denise Lemyre-Desautels
L'univers de l'astronomie, Robert Tocquet
Un paon au pays des pingouins, B. Hateley et W. H. Schmidt
La vente, Tom Hopkins
Votre destinée dans les lignes de la main, Michel Morin

Psychologie, vie affective, vie professionnelle, sexualité

20 minutes de répit, Ernest Lawrence Rossi et David Nimmons
1001 stratégies amoureuses, Marie Papillon
À dix kilos du bonheur, Danielle Bourque
L'adultère est un péché qu'on pardonne, Bonnie Eaker Weil et Ruth Winter
* Aider mon patron à m'aider, Eugène Houde
Aimer et se le dire, Jacques Salomé et Sylvie Galland
Aimer un homme sans se laisser dominer, Harrison Forrest
À la découverte de mon corps — Guide pour les adolescentes, Lynda Madaras
À la découverte de mon corps — Guide pour les adolescents, Lynda Madaras
L'amour comme solution, Susan Jeffers
* L'amour, de l'exigence à la préférence, Lucien Auger
* L'amour en guerre, Guy Corneau
L'amour entre elles, Claudette Savard
Les anges, mystérieux messagers, Collectif
Apprendre à dire non, Marcelle Lamarche et Pol Danheux
Apprenez à votre enfant à réfléchir, John Langrehr
L'apprentissage de la parole, R. Michnik Golinkoff et K. Hirsh-Pasek
L'approche émotivo-rationnelle, Albert Ellis et Robert A. Harper
Arrosez les fleurs pas les mauvaises herbes, Fletcher Peacock
L'art de discuter sans se disputer, Robert V. Gerard
L'art de parler en public, Ed Woblmuth
L'art d'être parents, Dr Benjamin Spock
* Astrologie 2000, Andrée d'Amour
Attention, parents!, Carol Soret Cope
Au cœur de l'année monastique, Victor-Antoine d'Avila-Latourrette
Balance en amour, Linda Goodman
Bébé joue et apprend, Penny Warner
Bélier en amour, Linda Goodman
Bientôt maman, Janet Whalley, Penny Simkin et Ann Keppler
* Le bonheur au travail, Alan Carson et Robert Dunlop

Cancer en amour, Linda Goodman
Capricorne en amour, Linda Goodman
Ces chers parents!..., Christina Crawford
Ces gens qui vous empoisonnent l'existence, Lillian Glass
* Ces hommes qui méprisent les femmes... et les femmes qui les aiment, D' Susan Forward
  et Joan Torres
Ces pères qui ne savent pas aimer, Monique Brillon
Ces visages qui en disent long, Jeanne-Élise Alazard
Changer en douceur, Alain Rochon
Changer ensemble — Les étapes du couple, Susan M. Campbell
Changer, oui, c'est possible, Martin E. P. Seligman
Les clés du succès, Napoleon Hill
Comment aider mon enfant à ne pas décrocher, Lucien Auger
Comment communiquer avec votre adolescent, E. Weinhaus et K. Friedman
Comment contrôler l'inquiétude et l'utiliser efficacement, D' E. M. Hallowell
Comment faire l'amour sans danger, Diane Richardson
* Comment parler en public, S. Barrat et C. H. Godefroy
Comment s'amuser à séduire l'autre, Lili Gulliver
Comment s'entourer de gens extraordinaires, Lillian Glass
Communiquer avec les autres, c'est facile!, Érica Guilane-Nachez
Le complexe de Casanova, Peter Trachtenberg
* Comprendre et interpréter vos rêves, Michel Devivier et Corinne Léonard
La concentration créatrice, Jean-Paul Simard
La côte d'Adam, M. Geet Éthier
Couples en péril réagissez!, D' Arnold Brand
Découvrez votre quotient intellectuel, Victor Serebriakoff
Découvrir un sens à sa vie avec la logothérapie, Viktor E. Frankl
Le défi de vieillir, Hubert de Ravinel
* De ma tête à mon cœur, Micheline Lacasse
La dépression contagieuse, Ronald M. Podell
La deuxième année de mon enfant, Frank et Theresa Caplan
Développez votre charisme, Tony Alessandra
Devenez riche, Napoleon Hill
* Dieu ne joue pas aux dés, Henri Laborit
Dominez votre anxiété avant qu'elle ne vous domine, Albert Ellis
Les douze premiers mois de mon enfant, Frank Caplan
Les dynamiques de la personne, Denis Ouimet
Dynamique des groupes, Jean-Marie Aubry
En attendant notre enfant, Yvette Pratte Marchessault
* Les enfants de l'autre, Erna Paris
Les enfants de l'indifférence, Andrée Ruffo
* L'enfant unique — Enfant équilibré, parents heureux, Ellen Peck
L'Ennéagramme au travail et en amour, Helen Palmer
Entre le rire et les larmes, Élisabeth Carrier
* L'esprit du grenier, Henri Laborit
Êtes-vous faits l'un pour l'autre?, Ellen Lederman
* L'étonnant nouveau-né, Marshall H. Klaus et Phyllis H. Klaus
Être soi-même, Dorothy Corkille Briggs
* Évoluer avec ses enfants, Pierre-Paul Gagné
Exceller sous pression, Saul Miller
* Exercices aquatiques pour les futures mamans, Joanne Dussault et Claudia Demers
Fantaisies amoureuses, Marie Papillon
La femme indispensable, Ellen Sue Stern
La force intérieure, J. Ensign Addington
Le fruit défendu, Carol Botwin
Gémeaux en amour, Linda Goodman
Le goût du risque, Gert Semler
Le grand dauphin blanc, Bruno Saint-Cast
* Le grand manuel des cristaux, Ursula Markham
La graphologie au service de votre vie intime et professionnelle, Claude Santoy
Guérir des autres, Albert Glaude
* La guérison du cœur, Guy Corneau
Le guide du succès, Tom Hopkins
* Heureux comme un roi, Benoît L'Herbier
Histoire d'une femme traquée, Gaëtan Dufour
L'histoire merveilleuse de la naissance, Jocelyne Robert

le jour,
éditeur

Animaux

Ésotérisme, santé, spiritualité

L'astrologie pratique, Wofgang Reinicke
Les chemins de l'éveil, Dr Roger Walsh
Combattre la maladie d'Alzheimer, Carmel Sheridan
Dans l'œil du cyclone, Collectif
* Échos de deux générations, Sophie Giroux et Benoît Lacroix
La féminité cachée de Dieu, Sherry R. Anderson et Patricia Hopkins
Le grand livre de la cartomancie, Gerhard von Lentner
Jeûner pour sa santé, Nicole Boudreau
La méditation — voie de la lumière intérieure, Laurence Freeman
Le nouveau livre des horoscopes chinois, Theodora Lau
Où habite le bon Dieu?, Marc Gellman et Thomas Hartman
La parole du silence, Laurence Freeman
* Pour en finir avec l'hystérectomie, Dr Vicki Hufnagel et Susan K. Golant
Le pouvoir de l'auto-hypnose, Stanley Fisher
La prière, Dr Larry Dossey
Prodiges et mystères de la vie avant la naissance, Dr P. W. Nathanielz
Questions réponses sur la maladie d'Alzheimer, Dr Denis Gauvreau et Dr Marie Gendron
Questions réponses sur la ménopause, Ruth S. Jacobowitz
Questions réponses sur les matières grasses et le cholestérol, M. Brault-Dubuc et
    L. Caron-Lahaie
Renaître, Billy Graham
Sagesse amérindienne, Dhyani Ywahoo
S'initier à la méditation, Manon Arcand
Une nouvelle vision de la réalité, Bede Griffiths
Un monde de silence, Laurence Freeman
Un mot dans le silence, un mot pour méditer, John Main
* Le vol de l'oiseau migrateur, Joseph Campbell
Votre corps vous écoute, Barbara Hoberman Levine

Essais et documents

* 1759 La bataille du Canada, Laurier L. LaPierre
* L'administration et le développement coopératif, Marcel Laflamme et
    André Roy
* Les années Trudeau — La recherche d'une société juste, T. S. Axworthy et P. E. Trudeau
* Le Dragon d'eau, R. F. Holland
* Elle sera poète, elle aussi! Liliane Blanc
* Femmes et politique, Yolande Cohen, Andrée Yanacopoulo et Nicole Brossard
* Les femmes sont-elles allées trop loin?, Francine Burnonville
* Hans Selye ou la cathédrale du stress, Andrée Yanacopoulo
* Hiérarchie ethnique dans la grande entreprise, Jean-Marie Rainville
* L'histoire des femmes au Québec, Le collectif Clio
* Jacques Cartier - L'odyssée intime, Georges Cartier
Jésus, p.d.g. de l'an 2000, Laurie Beth Jones
Les mythes à travers les âges, Joseph Campbell
* Trudeau – l'essentiel de sa pensée politique, P. E. Trudeau et R. Graham

Psychologie, vie affective, vie professionnelle, sexualité

L'accompagnement au soir de la vie, Andrée Gauvin et Roger Régnier
Adieu, Dr Howard M. Halpern
Affirmez votre pouvoir!, Junius Podrug
L'agressivité créatrice, Dr George R. Bach et Dr Herb Goldberg
Aimer, c'est choisir d'être heureux, Barry Neil Kaufman
Aimer son prochain comme soi-même, Joseph Murphy
Les âmes sœurs, Thomas Moore
L'amour impossible, Jan Bauer
L'amour lucide, Gay Hendricks et Kathlyn Hendricks
Amour, mensonges et pièges, Guy Finley
L'amour obession, Dr Susan Foward
Apprendre à vivre et à aimer, Leo Buscaglia
Arrête! tu m'exaspères — Protéger son territoire, Dr George Bach et Ronald Deutsch

L'art d'engager la conversation et de se faire des amis, Don Gabor
L'art de vivre heureux, Josef Kirschner
L'autosabotage, Michel Kuc
La beauté de Psyché, James Hillman
Le bonheur, c'est un choix, Barry Neil Kaufman
Le bonheur de vivre simplement, Timothy Miller
Le burnout, Collectif
Célibataire et heureux!, Vera Peiffer
Ces gens qui ont peur d'avoir peur, Elaine N. Aron
Ces hommes qui ne communiquent pas, Steven Naifeh et Gregory White Smith
C'est pas la faute des mères!, Paula J. Caplan
Ces vérités vont changer votre vie, Joseph Murphy
Le chemin de la maturité, Dr Clifford Anderson
Chocs toniques, Eric Allenbaugh
Choisir qui on aime, Howard M. Halpern
Les clés pour lâcher prise, Guy Finley
Comment acquérir assurance et audace, Jean Brun
Comment apprendre l'autodiscipline aux enfants, Thomas Gordon
Comment faire l'amour à la même personne pour le reste de votre vie, Dagmar O'Connor
Comment faire l'amour à une femme, Michael Morgenstern
Comment faire l'amour à un homme, Alexandra Penney
Comment faire l'amour ensemble?, Alexandra Penney
Comment peut-on pardonner?, Robin Casarjian
Communication efficace, Linda Adams
Le courage de créer, Rollo May
Créez votre vie, Jean-François Decker
La culpabilité, Lewis Engel et Tom Ferguson
Le défi de l'amour, John Bradshaw
Dire oui à l'amour, Leo Buscaglia
Dominez les émotions qui vous détruisent, Dr Robert Langs
Dominez vos peurs, Vera Peiffer
La dynamique mentale, Christian H. Godefroy
Éduquer son enfant avec sa tête et son cœur, Martha H. Pieper et William J. Pieper
L'effet Mozart, Don Campbell
Éloïse, poste restante, Loïse Lavallée
Les enfants dictateurs, Fred G. Gosman
Les enfants hyperactifs et lunatiques, Dr Guy Falardeau
Entre le cœur et l'âme, Robert Sardello
Êtes-vous parano?, Ronald K. Siegel
L'éveil de votre puissance intérieure, Anthony Robins
* **Exit final — Pour une mort dans la dignité**, Derek Humphry
Focusing au centre de soi, Dr Eugene T. Gendling
La famille, John Bradshaw
* **La famille moderne et son avenir**, Lyn Richards
La fille de son père, Linda Schierse Leonard
La Gestalt, Erving et Miriam Polster
Le grand voyage, Tom Harpur
Le harcèlement psychologique, Daniel Rhodes et Kathleen Rhodes
Harmonisez votre corps et votre esprit, Ian McDermott et Joseph O'Connor
L'héritage spirituel d'une enfance difficile, Josef Kirschner
Les illusions du bonheur, Harriet Lerner
L'influence de la couleur, Betty Wood
L'intuition, Penney Peirce
Je ne peux pas m'arrêter de pleurer, John D. Martin et Frank D. Ferris
Lâcher prise, Guy Finley
Leaders efficaces, Thomas Gordon
* **Les manipulateurs**, E. L. Shostrom et D. Montgomery
Mère un jour, mère toujours!, Harriet Lerner
Messieurs, que seriez-vous sans nous?, C. Benard et E. Schlaffer
Mesurez votre intelligence émotionnelle, S. Simmons et J. C. Simmons Jr.
Mieux vivre avec nos adolescents, Richard Cloutier
Le miracle de votre esprit, Dr Joseph Murphy
Née pour se taire, Dana Crowley Jack
Ne t'endors jamais le cœur lourd, Carol Osborn
Ni ange ni démon, Stephen Wolinsky
Nous sommes nés pour l'amour, Leo Buscaglia
Nouvelles relations entre hommes et femmes, Herb Goldberg

---

* Pour l'Amérique du Nord seulement.
(2000/6)

Cet ouvrage a été achevé d'imprimer
au Canada en novembre 2000.

IMPRESSION
IMPRIMERIE GAGNÉ